희망바라기 [합본]

희망바라기 [합본]

발 행 | 2024년 03월 15일
저 자 | 김옥자
펴낸이 | 한건희
펴낸곳 | 주식회사 부크크
출판사등록 | 2014.07.15.(제2014-16호)
주 소 | 서울특별시 금천구 가산디지털1로 119 SK트윈타워 A동 305호
전 화 | 1670-8316
이메일 | info@bookk.co.kr

ISBN | 979-11-410-7667-2

www.bookk.co.kr

희망바라기

김옥자 지음

CONTENT

2부 희망으로 가는 길

3부 희망은 내 가슴에

※ FOP란?

    FOP는 Fibro-displavsha Os-sih-fih-cans Pro-gress-eva의 약자로서 "부드러운 연결조직이 점차 뼈로 바뀐다."는 의미이며, 17세기와 18세기에 최초의 기록이 있습니다.
    19년 국문 질환명 '진행성 골화섬유형성이상'으로 변경되었으나 이전에는 '진행성 골화성 섬유이형성증'이라고 불리었다.
더 오래전에는 MOP(Myositis Ossificans Progressiva)으로도 알려져 있다. 우리말로는 '진행성 골화성 근염'이라고 했었다. 1970년에 근육, 섬유질 다른 것들의 문제성을 알고 FOP으로 변경하였다.

※ 증상(증후)

    출생 시 발가락이 기형으로 태어난다. 그 외로는 이상이 있는 곳은 없으며 모두 정상적으로 보인다. 신생아 때는 heterotopic Ossification로 적게 나타나지만, 내외부 자극과 낙상으로 인해 악화 되거나 나이가 들어감에 따라 점차 몸 전체적으로 심해져 간다. 고통을 느끼게 하는 섬유성 결절이 목, 목 뒤, 등, 어깨에 생겨서 뼈로 형성된다. 보통은 상체부터 진행이 시작돼 하체는 대게 늦게 진행이 온다. 하지만 환경에 따라 사람마다 뼈가 생성되는 시기나 진행 과정은 다르다.

※ FOP로 인한 합병증

전음성 난청(conductive hearingloss)청각이상, 호흡기 감염, 개구 장애로 인한 영양실조 사망, 흉곽운동의 제한, 원형탈모, 지능 저하, 척추 옆굽음증(척추 측만증).

극희귀질환 FOP에 대한 생생한 증언

김옥자님의 "희망바라기"에 헌사를 쓰게 되어 큰 영광입니다.

저는 지난 25년간 희귀 골격계 질환에 대한 진료와 연구를 해오고 있는데, 그 중 특히 더 희귀한 질병인 FOP는 서서히 진행하여 심각한 장애를 초래할 수 있기 때문에 특별한 관심을 가지고 진료와 연구에 임해왔습니다.

1998년도에 처음으로 우리나라 환자들에 대한 논문을 발표하였는데, 저자께서 이 논문을 검색하여 찾아내시고는 저에게 연락을 주셨습니다. "제가 FOP인데 아주 심한 장애 상태라서 병원에 갈 수 없다."는 말씀이었습니다. 전화 통화로 FOP임을 확신하고 자택을 방문하게 되었고, 지금까지 본 FOP 환자 중 가장 심한 장애를 가지고 계시는 것을 발견하였습니다. 그러나 그렇게 심한 장애를 가지고도 적응을 하며 열심히 살아가시면서, 한편으로는 온라인으로 환우 모임도 구성하신 모습에 경외심을 가질 수밖에 없었습니다.

그 이후 2006년도에, 우리 연구진도 일부분 기여를 하여, FOP의 원인 유전자가 밝혀졌습니다. 아직 FOP 치료 방법이 개발된 것은 아니지만, 마치 사막에서 오아시스를 찾아가는 데에 지도와 나침반은 손에 쥐게 된 것 같은 성취였습니다. 그로부터 15여 년이 지나 최근에는 FOP에 대한 치료 약들이 하나둘씩 개발되면서 현재 활발하게 임상시험 중에 있습니다. 이제 오아시스에 어느 정도 가까이 다가간 것 같은 상황입니다. 조만간 효과적인 치료 약이 개발되어 심각한 장애를 막을 수 있는 날이 오기를 기다리고 있습니다.

이 책에는 저자께서 어렸을 때 FOP 진단을 못 해서 고생하신 사연이 잘 기술되어 있습니다. 그런데 오늘날에도 FOP는 워낙 희귀한 질병이라 일반 대중은 물론이고 의료인 중에서도 이 질병 자체를 잘 알지 못하는 경우가 많습니다. 아무리 정확한 진단법이 확립되고 효과적인 치료 방법이 개발되어도 질병 자체에 대한 인지도가 너무 낮으면 그러한 진단과 치료의 혜택을 받을 수 없습니다. 따라서 FOP와 같은 극희귀질환은 일반인과 의료진 모두의 인식을 제고하는 것이 중요하며, 그러한 면에서 본 책자 "희망바라기"는 커다란 역할을 할 수 있을 것으로 기대합니다.

이번 책자 출간을 통하여 김옥자님이 살아오신 이야기와 FOP에 대한 경험을 공유할 수 있게 해 주셔서 깊이 감사드리며, 다른 FOP 환자분들이 조기에 정확한 진단을 받고, 장애를 예방할 수 있도록 최선을 다하겠다고 다짐합니다.

서울대학교 어린이병원 소아정형외과
서울대학교 희귀질환센터
조태준

견딤의 명분

"인생의 자세는 극복의 자세가 아니고 견딤의 자세다." 이는 정호승 시인의 말로서 인생의 힘은 극복의 힘에서 나오지 않고 견딤의 힘에서 나온다는 뜻으로 이해된다. 그리고 여기 오직 지난한 견딤만으로 살아온 사람이 있다. 김옥자, 크리스티나라는 천주교 세례명을 가진 그녀, 한 사람의 그리스도인으로서 오직 견딤의 힘으로 점철되어 온 그녀의 삶은 또 하나의 명제를 부른다. "만사에는 이유와 명분이 있다"라는 그리스도교 영성 가 까를로 까레또의 말이다. 욥의 재난에도, 다윗의 범죄에도, 예루살렘의 함락과 파괴에도, 깊이 숨겨진 이유와 명분이 있다고 한다. 김옥자의 견딤의 삶, 그녀의 굳어버린 턱에도, 굳어버린 무릎과 허리, 온몸의 관절에도, 그로 인해 26년째 한 방에 갇혀 살아온 삶에도, 죽을 때까지 그 방을 몇 번이나 나가게 될지 알 수 없는 삶에도, 이유와 명분이 있다고 한다.

그녀는 FOP라는 희소병을 앓고 있다. 우리나라 충북에서 47년째 그침 없는 투병의 삶을 살고 있다. 그녀의 글에 설명되었듯이 FOP, [진행성 골화섬유형성이상]이라는 무서운 병으로써 그녀는 온몸의 관절이 굳어 턱과 목을 비롯해 사지와 허리의 동작을 잃어왔다. 그녀의 삶의 여정은 자신의 뼈로 만들어져가는 세상에서 가장 비좁은 감옥에 산채로 서서히 갇혀가는 과정이다. 그 병의 환자들은 주로 턱이 굳어 입을 벌릴 수가 없게 되어 영양실조로 사망하거나 흉곽운동의 제한으로 인해 숨을 못 쉬어 사망하기도 한다. 불행 중 다행으로 그녀는 앞니가 하나 없어 그 틈으로 음식을 밀어 넣어 식사한다. 결국, 매 식사는 1시간 반에서 두 시간가량의 힘겨운 노동이다. 휠체어에 앉아 기다란 막대에 숟가락을 테이프로 연결하여 동작이 조금 남아있는 왼쪽 손목을 써서 수저를 움직인다. 더 벌어지지 않는 입으로 조심조심 소량의 음식을 나른다. 마치 사람들이 하루 8시간의 일로서 생활을 벌 듯이 그녀는 너덧 시간의 진땀이 흐르는 노동으로 녹초가 되어가며 서서히 굳어가며 자기를 가두어버리는 감옥, 그 원망스러운 육신에 영양을 공급해야 한다.

어쩌다가 다치기라도 하면 또 한 번의 재난을 맞는다. 다친 곳의 상처로 인한 고통의 끝엔 회복이 아닌 영영 잃어버리고 말 또 하나의 동작이 기다리고 있을 뿐이다. 이 순간 다친 곳의 고통도 견디기 힘들어 신음이 새어 나오고 진땀이 흐르지만, 이 견딤의 끝엔 이전보다 더 심한 동작의 제한이 기다리고 있다. 근육은 석회질 뼈로 변하며 자라나 관절 너머의 다른 뼈와 연결됨으로써 그 관절의 기능을 영원히 앗아간다. 이 과정은 며칠에 걸쳐 일어나며 지독한 고통을 수반한다. 이렇게 사십 대 초의 삶이 깊어 갈수록 그녀의 뼈의 감옥은 점점 더 비좁아져 간다.

"만사에는 이유와 명분이 있다"라고 까를로 까레또는 말한다. 그러나 그녀를 생각하면 그 이유와 명분을, 그것이 아무리 크고 깊다 할지라도, 하느님께 되돌려드리고 싶다. 아니, 명분 따윈 필요없으니 그저 온전한 육신을 되돌려달라고 애걸하고 싶다. 이미 그녀는 수십 번, 수백 번을 눈물로써 호소했다. 제발 더 이상의 동작을 잃지 않게 해 달라고, 병의 재발이 있을 때마다 밤을 지새우며 간청했다. 두 팔과 두 다리와 허리와 목과 손목 등 관절의 수만큼 그녀는 피를 토하며 절망했다. 차라리 처음부터 온몸이 마비되어 태어났더라면 그러한 상실의 고통은 없었을지도 모르겠다. 그러나 한 때 지녔던 그저 살아가기에 가장 기본이 되는 것들을 하나하나 잃어가는 고통을 그녀는 견뎌야 했다. 마치 빼앗기기 위해 주어셨다는 듯 남김없이 잃어가며 살아온 그녀의 생명은 이제 몽당초에 가깝다. 얼마 남지 않은 몸통 위에 흔들리는 불꽃으로서 오늘에 이르렀다.

그러나 "만사에는 이유와 명분이 있다"라고 까를로 까레또는 말한다. 그렇기에 하느님께서는 차마 그녀의 육신의 감옥을 허물어 주실 수가 없으신가 보다. 고통과 시련의 세월이 40년을 넘기는 것을 보시면서도 그토록 뒤틀리며 굳어가는 그녀의 삶에 이미 담아 놓으신, 우리로서는 쉬 다가갈 수 없는 이유와 명분이 있기에 더는 손끝 하나 대지 못하고 계시는가 보다. 당신의 전지전능하심은 당신의 사랑 앞에 제한되고 이로써 그 명분을 찾는 일은 결국 그녀 자신의 손에 맡겨졌다. 그래서 그녀는 펜을 들었다. 아주 무겁고 고통스러운 펜이었다. 지금까지의 삶을 타작하듯이 털어내기 시작했다. 몸이 더 악화하는 것을 무릅쓰고 900여 쪽에 달하는 투병기를 써 내려갔다.

　얼마 남지 않은 몸의 동작들을 모조리 동원해 매일 아침부터 작업했다. 딱딱한 물건을 장시간 만지는 일이 근육에 자극이 되어 새로운 뼈가 만들어질 수 있음을 잘 알면서도 그녀의 손은 온종일 리모컨을 쥐고 한 자 한 자 입력했고, 자유롭지 않은 팔 또한 심한 노역을 감당했다. 그런 일상에 어떤 다른 일이 하나라도 더해지면 그날은 녹초가 되고 머리부터 전신이 아팠다. 손과 팔의 쓰는 일을 줄이는 일 만이 병의 악화를 늦추는 일이건만 이미 시작한 일을 멈출 수는 없었다. 지독한 중노동이며 재발의 위험까지 따르는 일이었다. 병원조차 갈 수 없으리만치 지독한 가난과 차갑기만 했던 주변 사람들의 마음과 손길을 떠올리는 일은, 잊어버리고팠던 사건들을 하나하나 소환하는 일로서 만만치 않은 정신적 고통이었다. 하지만 그녀는 누구보다도 견딤에 강한 사람이었다. 육체적 고통이건 정신적 고통이건 두려워하지 않고 써 내려갔다. 그토록 자신을 이용하고 학대했던 사람들과 몇 명의 천사 같은 사람들을 하나하나 불러내며 그들에 대한 보다 깊은 이해를 함께 건져 올릴 수 있었다. 화해하고 용서할 수 있었다.

"만사에는 이유와 명분이 있다"라고 하느님께서 말씀하신다. 그리고 끝내 그녀는 그 명분을 찾았다. 자신의 그 가혹한 삶의 의미를 찾았다. 아니 그 척박한 자신의 삶에서 발굴해 냈다. 그녀 자신에게도 모든 이의 삶과 다름없이 절체절명의 명분이 있음을 그녀는 증명해 냈다. 그토록 자신을 돌보지 않고 내버려 두었던 이 차가운 세상에 이제 그녀는 당당해졌다. 세상 사람들이 달아 준, '집에나 조용히 처박혀 지내야 할', '차라리 없는 편이 더 나았을 사람'이라는 명찰을 가차 없이 떼어버렸다. 자신의 삶을 수백 쪽에 달하는 글에 남김없이 토해냄으로써……. 그 명분, 그것은 바로 이 책, 그 자체였다.

이제 이 넓은 세상에 그녀의 책이 더해졌다. 그러나 이미 넘치도록 많은 책이 있는 이 세상에 그녀의 책이 한 권 더해진들 그것이 무슨 의미일까 행여 묻지 말아야 한다. 이 세상에 수많은 사람 중 한 사람으로서 이름 없이 평범하게 살고픈 것이 그녀의 꿈이었다. 그러나 그 꿈은 어려서부터 낡은 회벽처럼 부스스 벗겨지기 시작했고 그녀의 삶은 지글거리는 태양과 혹독한 비바람에 노출되었다. 이를 악물고 진땀을 흘리며 터져 갈라지는 삶을 견뎌야 했다. 그녀의 삶이 그토록 달랐으니 그녀의 책은 그 수많은 책 중 한 권에 불과하다 할 수는 없는 것이다. 너무나 극심한 가난과 고통과 사랑의 결핍으로 점철되어 책장조차 넘기기에 고통스럽지만, 어찌하겠는가? 그녀의 삶이 그러했는데…….

참으로 넓은 세상이다. 한 시대, 한 세상을 살고 있음에도 도저히 다가갈 수 없는 극한의 삶의 모습이 존재한다는 의미에서 이 세상은 한없이 넓다. 그녀와 보통 사람들 사이에는 그 어떤 선박으로도 건널 수 없을 듯한 대양이 놓여있는 것이다. 그러나 이제 그 대양에 그녀는 항로를 구축해 냈다. 그 항로를 따라 다가와 그녀 자신의 삶을 들여다보라고, 그리하여 자신만의 삶에 갇혀 살지 말라고, 그토록 숫기 없이 낯을 가리던 그녀는 용감하게 손짓하며 우리를 부른다. 이것이 바로 도저히 있을 법하지 않았던 그녀의 삶의 명분이 아니겠는가! 이로써 그녀는 무한에 가까운 견딤을 통해 참혹한 육신의 감옥을 극복해낸 것이다. 그녀의 지난한 노고에 깊은 감동 하며 아울러 아낌없는 찬사를 보낸다.

임성빈

희방바라기를 읽고 난 후

　저는 10여 년 전 인터넷 뉴스를 통해서 처음 저자를 알게 되었습니다. FOP이라는 희귀질환으로 자신의 몸속에 뼈가 생기고 굳어 어떤 작은 움직임조차 쉽게 허락되지 않는 삶을 살아가고 있는 저자를……

　저는 저자의 글을 통해서 희귀질환을 안고 살아가며 얻어진 그 마음 깊은 상처와 고통을 어떻게 버텨내고 지금까지 살아내었는지…. 그것들이 얼마나 큰 아픔인지 감히 상상조차 할 수 없습니다.

　작은 시골에서 아무것도 모르고 그저 뛰어놀기만 해야 하는 어린 시절부터 저자는 혼자 스스로를 보호하며 지금까지 살아내고 있습니다. 작은 방에서 혼자서 세상 밖으로 한 걸음 내딛는 것조차 허용되지 않은 삶에서 저자는 컴퓨터를 통해 세상과 소통하며 굳건하게 스스로 살아내고 있었습니다.

　같은 희귀질환을 안고 살아가는 사람들에게 먼저 손을 내밀고 함께 소통하며, FOP란 희귀질환에 대해 끊임없이 알아가고 공부하며 희망을 내려놓지 않았습니다.

모든 것이 최악의 상황 속에서 어느 누가 저렇게 능동적인 삶을 살 수 있을까요?

듣는 것도, 어떤 의사 표현도, 최소한의 음식을 먹고 물을 마시는 것조차 사람이 살아가며 너무나 당연하게 행해지는 삶의 것이 하나도 쉽게 허락되지 않는 삶을 살아가면서도, 작은 행복에 감사하며 씩씩하게 살아가고 있는 저자. 오히려 저에게 행복에 대한 진리를 가르쳐 주고 진정 행복이 무엇인지 깨닫게 해주었습니다.

저자의 삶을 써 내려간 "희망바라기" 책을 통해 희귀질환을 안고 살아가는 사람들에 대해 좀 더 깊이 이해하며, 공감하고 큰 도움을 줄 수 없지만, 그 아픔을 함께 느낄 수 있게 되었습니다.

저자는 누구보다 값지게 이 세상을 살아가고 있어요. 멀리 캐나다에서 응원합니다.

김경미

감사와 희망을 노래하며~♡

2004년 8월, 친구와의 인연이 시작되었다. 나도 친구와 같은 FOP 환우이며 어느덧 48년의 해를 살아가고 있다. 지난날을 잠시 회상하며 나의 이야기를 나누려 한다.

FOP라는 희귀질환으로 인해 잊지 못할 악몽 같은 고통의 터널을 지나고 있던 그 해였다. 두 달이 넘도록 마약성 진통제를 복용하며 하루하루 아니 일분일초도 극심한 통증이 멈추지 않고 잠도 잘 수 없는 힘겨운 시간들을 지나고 있었다.

FOP는 진행성이기에 끝이 보이지 않는 싸움이다. 내 몸 어딘가에서 언제, 어떤 모양으로 무법자처럼 증상이 나타날는지 어느 누구도 예측할 수가 없다. (단, 자신의 몸의 변화에 민감한 사람이라면 경험에 의해 자신에게 맞지 않는 식품과 행동을 예의주시하여 최대한 경계하고 주의하는 것이 최선이라고 할 수 있다. 그러나 이 또한 어려운 부분이고 불시에 닥치는 진행을 막을 수는 없는 일이다.)

FOP의 진행 정도는 개인마다 다르다. 나름대로 대처하는 방법도 다를 수 있다. 약하게 오는 증상들은 수시로 나타나기도 하고 주기가 짧고 가볍게 지나기도 한다. 하지만 진행 정도가 아주 심한 경우에는 극심한 통증이 두 달 이상 지속되다가 서서히 잦아드는데 그때는 마약성 진통제로도 막을 수 없고 말로 표현할 길 없는 통증을 속수무책으로 견뎌야 했다. 그 후엔 관절의 강직과 새로운 뼈의 생성 또한 근육의 굳어짐으로 움직임에 많은 제한이 생기게 되고 더는 이전의 내가 아닌 낯선 모습의 또 다른 나를 받아들여야 했다. 그때그때 정도의 차이는 있지만 4~5년에 한 번꼴로 지나갔던 것 같다.

(* 확진을 받은 나이는 확실치 않지만, 서울대학병원에서 13세 때 척추 수술을 받은 후로 FOP 진단을 받은 것 같다. 그전까지는 아기였을 때부터 여러 증상이 있었지만, 어느 병원을 가도 특별한 소견이 없었고 조직검사에서도 아무런 이상소견을 발견할 수 없었다고 한다. 차츰 성장하면서 심한 척추측만증으로 폐를 누르게 되어 수술을 받았었다. 육체적인 장애는 심했지만 19세 전까지는 그다지 통증 없는 진행을 겪었다. 그러나 그때까지만 해도 전혀 예상치 못했던 통증의 시작은 19세부터로 기억한다.)

내 생애에 가장 고통스럽고 힘들었던 그때,
끝이 보이지 않던 악몽의 시간들이 조금씩 줄어들고 있을 무렵, 매우 지쳐있던 나에게 어느 날 담당 교수님(현직 조태준 교수님)께서 친구의 연락처를 알려주셨고 청각장애가 있는 친구였기에 e-mail로 첫인사를 주고받았다. 그로부터 어느덧 17년이란 세월이 흘렀고 지금까지 친구와는 하루가 멀다 하고 매일 안부를 주고받는 절친이 되었다.
친구가 이 책에 자신의 삶을 진솔하게 담아내기 위해 다시는 기억하고 싶지 않았고 말하고 싶지 않았던 자신의 뼈아픈 과거들을 회상하며 낱낱이 써나가야 했던 시간들이 얼마나 고되고 힘겨운 싸움이었을지, 한 페이지 한 페이지 받아 읽어가며 그 과정들을 함께 공유하면서 순간순간 마음 아파 눈물을 흘리기도 하고 가슴이 먹먹하기도 했다. FOP의 고통으로도 모자라 보호가 절실히 필요했던 어린 시절이었음에도 불구하고 보호는커녕 타인으로 인해 수 없는 고난을 겪어야 했고 시시때때로 남몰래 삼켰던 눈물과 설움 속에서 얼마나 외롭고 무섭고 힘겨웠을까….

그러나 친구는 결코, 주저앉지 않았다. 절망하지 않았다. 모진 세월 속에서 오뚝이처럼 다시 일어나기를 수 없이 반복하며 그 모든 고통의 시간을 견뎌냈기에 오랜 연단 속에서 더욱더 단단해져 가는 법을 배운 듯하다. 적막한 어둠 속에서 한 줄기 빛을 바라보고 희망을 노래할 수 있었던 친구의 모습이 참으로 대견하기도 하다.

같은 질환을 가지고 살아가는 나이기에 친구의 아픔의 한 부분이나마 마음 깊이 공감할 수 있었고 서로가 친구라는 이름으로 맺어진 그 날부터 지금까지 어떠한 상황에서도 서로 의지하며 아픔, 기쁨, 감사를 함께 나누면서 서로에게 위로가 되고 용기가 되고 힘이 되어 주고 있다. 비록 몸은 멀리 있지만 혼자가 아니라 늘 함께임을 기억하며 서로에게 ♡선물♡이라 말한다.

나 역시도 FOP에 대해 어떠한 정보나 지식을 알 수 없었던 어린 시절을 지나왔기에 시행착오도 많았고 불필요한 치료를 받느라 많이 아팠고 많은 눈물을 흘렸다. 이 병이 어떠한 것인지 같이 공유할 수 있는 대상이 없음에 혼자만의 싸움을 할 수밖에 없다고 생각했었다. 친구를 알기 전 그리고 현재 20여 명의 환우를 알기 전에는 말이다.

FOP라는 질환은 일명 뼈의 감옥이라고 할 만큼 무섭고 심각한 질병임에는 분명하다. 육체적인 고통도 크지만, 그 마음의 고통은 더 클지도 모른다. 나만의 고통이 아닌 가족에게까지 또 타인에게까지 고통의 무게가 전달되기 때문이다. FOP를 겪는다는 건 참으로 힘든 삶의 여정이다. 그렇다고 고통만이 삶의 전부는 아닐 것이다. 어쩌면 삶에 더욱 가치 있고 귀한 것들을 발견하게 될지도 모를 일이다.

무엇보다 마음 지키기를 힘써야 하고 자신을 사랑하고 타인을 사랑하도록 노력한다면 조금은 용기가 생길 것이고 삶을 이길 수 있는 힘이 되지 않을까 싶다.

참으로 감사한 건,
오래전부터 의료진들의 헌신적인 노력과 연구 끝에 원인도 밝혀지고 치료제도 나오는 희망적인 소식과 다양한 정보들을 알 수 있기에 예전의 막막하기만 했던 날들과 같이 불필요한 치료를 받으러 이곳저곳 헤매며 그로 인해 더 심각한 부작용을 겪어야 하는 우를 더는 범하지 않을 수 있게 되어 감사할 따름이다. 더욱이 같은 공감대를 이룰 수 있는 환우들과의 교제로 누구라도 서로의 아픔을 나누며 누군가에겐 힘이, 누군가에겐 위로와 희망이 될 수 있을 거라는 생각에 또한 감사하다. 더는 그 누구도 혼자라는 이유로 너무 외롭거나 슬픈 날들이 되지 않기를 바라는 마음이다. 여전히 끝이 보이지 않는 길을 가야 하지만 이제는 결코 혼자가 아니라는 것을 그리고 언제든지 혼자만의 공간에서 용기를 내어 마음 문을 열고 나온다면 생각보다 멀지 않은 곳에서 함께 웃어주고 소통하고 공감해주는 친구가 있다는 것을 기억하자. 앞으로의 날들에 두려움보다는 희망, 사랑, 감사, 행복을 노래하는 우리 모두의 삶이 되기를 소망해 본다.

이 책이 나오기까지 친구가 감당할 수밖에 없는 남모를 아픔과 고통들이 너무나 많았음을 알고 있다. 날마다 하루에 반나절 이상을 위대롭고 힘거운 자세로 버터가며 생활하는 네 선동휠제어의 불편한 방석 때문에 늘 아파하고 피부가 벗겨져 피가 나지만 연고라도 제대로 바르고 있는지…. 어떠한 상처와 통증이 있어도 나빠진 장 때문에 약을 먹을 수도 없어 매사에 참고 견디는 것이 생활이 된 친구다.
수시로 오는 진행의 반복과 장이 안 좋아 먹고 싶은 것도 제대로 먹을 수 없고 물조차도 제한해야 하는 고단한 여러 상황들을 생각하면 늘 마음이 짠~한 내 친구다. 누구에게라도 표현할 수 없었던 자신의 속마음, 잊고 싶었던 깊은 상처까지 세상에 드러내기란 결코 쉬운 결단은 아니었을 것이다.
고민에 고민 끝에 힘거운 작업을 시작했고 이를 통해 세상에 FOP를 알리고 싶었을 것이다.

다른 질환도 마찬가지겠지만 FOP라는 질환은 사랑으로 이겨나가
야 한다고 생각한다. 더욱 많은 이들의 관심과 기도와 사랑이 있다면
어떠한 고난도 풍파도 거뜬히 뚫고 나갈 수 있을 거라 생각한다.

용기를 내준 나의 사랑하는 친구에게 따뜻한 격려와 박수를 보낸
다. 그리고 친구 곁에서 변함없이 든든한 보호자로 늘 애써주시고 보
살펴주시는 오빠에게 감사의 마음을 전하고 싶다.
"소중한 나의 친구야!!! 참으로 수고 많았어. 우리 지금처럼 늘 감사와
희망을 노래하며 최선의 삶을 살아가자. 고맙고, 사랑해~♡"

마지막으로, FOP의 원인 규명과 치료제 개발을 위해 수십 년간
연구하시며 헌신해주신 의료진들과 관계자분들께 진심으로 감사의 마
음을 전하고 싶다.

♡모두에게 감사합니다.♡

김교원

시작하며

　나는 FOP이라는 극희소질환을 앓고 있으며 중증장애인이다. FOP는 약 200만 명 중 1명 걸리는 질환이며 국내에 대략 50명 정도 있는 것으로 추정하고 있다. 이 질환은 출생 시 엄지발가락이 휘거나 길이가 짧은 것이 특징이므로 조기 발견이 가능하다. 그 외 모두 정상적으로 태어나기 때문에 대수롭지 않게 생각하고 지나칠 수 있다. 이 질환은 근육과 인대, 건, 근막, 힘줄, 연조직 등이 뼈로 바뀌어 관절 운동을 제한하여 움직일 수 없게 된다. 한마디로 뼈의 감옥이라고 불린다.

　FOP는 장애물에 부딪히거나 넘어지면 환부가 부어오르고 열이 발생하며 진행이 시작된다. 또한, 근육 주사나 종양 또는 결절 제거술 같은 가벼운 수술에도 재발을 일으킨다. 외부자극뿐만 아니라 내부자극에도 영향을 받기 때문에 수술을 비롯해 병원 치료 시 주의가 필요하다. 생성된 뼈를 제거하는 수술을 하면 더 많은 뼈가 생성되거나 불규칙하게 자라나기도 해 불편함이 가중되기도 한다.

　재발은 며칠 시일에 걸쳐서 진행되거나 하룻밤 새 뻣뻣해지면서 급속도로 진행되기도 한다. FOP는 행동 하나하나 항상 조심해야만 한다. 특히 위험한 것은 낙상이다. 한 번의 낙상으로 여러 곳을 다칠 수 있기 때문이다.

나는 불행히도 이 질환을 너무 뒤늦게 알게 되었다. 병명도 모른 채 30대까지 외로운 싸움을 해왔다. 아무도 믿어 주지 않을 때마다 좌절을 맛봐야 했다. 그렇게 오랜 시간을 홀로 싸우다 FOP를 아는 의료진도 만나고 같은 아픔을 지닌 사람들을 알게 되었다. 이로써 외로운 여정은 비로소 끝나게 되었다.

장애와 FOP의 재발을 극복해나가며 나의 이야기를 쓰고 있다. 1부는 14세까지의 어린 시절 이야기이고 2부는 낯선 차가운 세상 한복판에 홀로 떨어진 소녀의 삶을 담아냈다. 나는 희귀질환으로 인한 장애를 지니어 장애인 사회에서도 결코, 평범해질 수 없는 상황에 수많은 좌절과 함께 자연히 소외될 수밖에 없었다.

시설에서의 삶을 빼려고 했으나 한 조각이 빠지면 삶을 엮을 수 없다. 우리 내 삶은 미완성인데 그 한 조각마저 뺀다면 끊어진 다리와 같다. 기억에서 지우고 싶었고, 다시는 꺼내고 싶지 않았다. 그 조각을 깊이 묻고, 잊기까지 수많은 세월의 시간이 필요했었다. 그렇지만 나의 삶을 쓰기 위해 꺼냈고, 나의 이야기가 누군가에게 도움이 된다면 그것으로 되었다.

3부는 180도 다른 삶을 산다. FOP는 몸과 마음을 감옥에 가두었다. 생에 가장 힘들었고 긴 고통의 시간이었다. 나는 다시 한번 가혹한 운명을 받아들이고 희망을 향해 묵묵히 걸었다.

서툴고 부족한 나의 글이지만 세상에 내어놓는다. 먼저 FOP 질환에 대하여 대략이라도 알고 읽기를 바란다.

1부

봄은 희망이다

잠재된 FOP

봄은 겨우내 말라비틀어졌던 만물이 새로이 소생하고 내가 가장 좋아하는 계절이다. 나에게 봄이란 희망이었다. 언 땅이 녹아내리면 노랗게 산수유 피고, 산새 울면 진달래가 피었다. 산기슭 아래 아담히 자리한 집 한 채. 화마가 뼈대만 남기고 삼켜버린 지 오래되지 않아 임신은 짐 덩어리였다. 나는 기구한 운명을 떠안은 채 태어났다. 가난과 열악한 환경은 축복을 저 멀리 어둠 속으로 내 던졌다.

그날 잠재된 FOP가 꿈틀거리는지 아무도 모른 채 시작되었다. 업힌 나를 본 동네 사람들이 아기 목이 이상하다며 고개가 돌아간 것 같다고 말했다. 엄마가 보시기에는 괜찮아 보였다. 시간은 흐르고 엄마의 걱정과 달리 큰 변고 없이 자랐다.

엄마는 입에 풀칠하려고 꼭두새벽 험준한 산을 타고 가서 호프 따는 일을 했다. 어두컴컴할 때 다시 산을 넘어왔다. 어떨 때는 산을 세 개도 탔다. 늘 눈코 뜰 새 없이 바쁘셨다. 댓 살쯤 되던 해. 어느 날 날씨가 제법 따뜻했다. 씻겨 준다고 아랫집 옆으로 흐르는 작은 물가로 갔다.

얼굴을 씻기고 목을 닦아 주시며 이상한 느낌이 들어 다시금 만져 보셨다. 목에 있는 혹을 발견하고 놀라셔서 의구심에 여러 번 만졌다. "이게 뭐지?" 혼잣말을 되뇌셨다. 나는 갑작스러운 엄마의 행동에 어리둥절했다. 엄마는 목에 무언가 만져진다고 했다. '언제부터 이렇게 되었지?' 난 대답을 못 했다. 목에 혹이 있는지도 몰랐다. 엄마는 허둥지둥 작은 빨래를 빨아 마무리하고 집으로 향했다.

　엄마는 보건소로 데리고 가셨다. 연세가 지긋하시고 오랜 연륜이 묻어나는 의사는 말했다. "내가 오랫동안 의사직에 몸담았지만 이런 증상은 처음 봤다." 소견서를 써주며 큰 병원으로 가라고 했다. 그 의사는 보건소에 와서 근무한 지 꽤 되었기 때문에 사람들의 형편도 잘 알았던 터라 우리의 사정도 익히 알고 있었다. 꼭 데려가 보라고 권했지만, 엄마는 결정 내릴 수 없었다.

　집에 돌아와 아빠와 의논을 했나. 큰 병원을 가기에는 형편이 되지 않아 의견 충돌이 있었다. 누군가 남자들도 목에 있으니까 괜찮을 것 같다는 의견도 나왔다. 나에게 아프냐고 물었다. 안 아프다는 말에 더 두고 보면 어떻겠냐고 했다. 당장은 어떻게 못 해서 쉽게 결론 나지 않았다.

　태어난 날 충돌로 진행이 시작되었고 그때 아팠으니 나는 기억에도 없다. 부모님은 아기니까 울어도 아파서 우는지 모르신 것이었다. 이미 몇 년이 지난 후라 통증이 없었기 때문에 아프지 않았다. 엄마는 고심 끝에 병원 한번 데려가 보는 것이 나을 것 같다고 결정하셔서 아빠를 설득했다. 읍내를 지나 큰 병원을 갔다.

　병원에서 어떤 남자가 딱딱하고 두꺼운 철 침대에 누우라고 했다.

그리곤 베개 모양처럼 생기고 딱딱한 것을 배 중앙에 올려놓고 벨트를 세게 당겨서 힘껏 꽉 쪼였다. 딱딱한 물체가 배를 압박하며 계속 누르고 있으니 기분 나쁜 통증으로 점점 아파졌다. 다들 어디를 갔는지 아무도 없어서 혼자 바둥거리며 기다렸다. 지금 생각해 봐도 무슨 검사인지 알 수 없지만, 기분 나쁘게 아픈 행위였다.

그리고 무슨 오일인지 먹어서 설사를 빼고 오라고 약을 처방해주었다. 엄마는 그 약을 다 쓰지 않으셨다. 내가 잘 안 먹으려고도 했겠지만, 설사를 계속해서 빼야 한다는 것이 탐탁지 않으셨다. 혹여라도 설사를 오래 해서 어린 애가 병날까 봐 걱정되셨기 때문이다. 그리고는 언제인지 병원행은 끝났다.

훗날 들은 이야기로는 수술 동의서를 작성해야 하는데 아빠는 연세가 있으셔서 안 된다고 했다. 병원 측은 절대로 수술을 해줄 수 없다고 했다. 다른 보호자를 데려오라고 했지만 멀리 살고, 먹고 살기도 바빴다. 여러 가지 걸림돌로 수술을 못 했다. 물론 가난이란 족쇄가 큰 몫을 차지했지만 말이다. 부모님은 치료 못 해주어서 안쓰럽기도 하고 가슴 아파하셨다. 엄마는 안타까움에 나에게 다시 물으셨다. 안 아프다는 나의 그 한마디에 아프지 않은 것에 조금은 다행스럽게 생각하시는 듯싶었다.

지금으로써는 가난이란 굴레 속에 치료를 포기해야만 했지만 참 다행스럽다. 병의 진행이 더디게 되었으니 말이다. 만약 그 당시 수술을 감행했다면 더 큰 재발이 일어나 심각하게 변하여 일찍이 생명을 앗아 갔을 수도 있었다. 어떻게 되었을지는 모르지만, 경험으로 볼 때 더 악화하는 것은 기정사실이다.

고구마와 옥수수

  심심하고 집에 혼자 있기 싫어서 밭에 가시는 엄마를 따라나섰다. 따라오지 말라는 만류에도 집을 나서 길을 재촉했다. 우리 밭 가는 길에 산기슭을 개간하여 층층이 밭을 만들고 뽕나무를 심었다. 꺾어지는 산모퉁이에 밤나무 한그루가 있고 밑으로는 고구마밭이었다. 수확을 끝낸 밭이라 휑했지만 길을 가면서 바라보다 고구마를 발견했다. 군것질거리라고는 고구마조차 없으니 어린 내겐 "심 봤다" 할 정도였다. 어른 손가락쯤 되는 작디작은 고구마 한 개가 흙에 묻혀 삐쭉이 내밀고 있었다.

  고구마를 발견한 순간 발길을 멈추고 앞서가는 엄마를 불렀다. 내가 주워도 되지만 남의 밭이라서 들어가거나 가져오면 안 되는 줄 알고 엄마한테 부탁했다. 엄마는 가던 길을 재촉하시면서 먹을 것도 없으니 그냥 가자고 하셨다. 아쉬움을 남긴 채 어쩔 수 없이 발걸음을 옮겼다. 밭에 볼일을 마치고 돌아오는 길에 다시 본 고구마. 이번엔 여러 번 조르자 주워 주셨다. 그렇게 고구마를 얻어내고 기분 좋게 집으로 돌아왔다.

나의 기억에는 없지만, 고구마를 조금만이라도 심으면 안 되냐고 말했다고 한다. 아빠가 허락하지 않으셨고, 옥수수를 심어야 하므로 들어주지 못하셨다.

엄마에게 고구마 껍질을 벗겨달라고 말했지만 바쁘다고 안 해주셨다. 그래서 고구마를 손에 들고 방으로 들어가서 기다리는데 아빠가 벗겨주셨다. 조금 먹다가 갑자기 소변이 마려워서 일어나 방문을 향해 가는데 발이 미끄러져 높은 문지방 앞에서 넘어졌다.

안방은 조금 높고 마루는 낮은데 다리는 안방에 걸쳐지고 상체는 돌 마루에 쓰러져 버렸다. 순식간에 일어난 일에 놀랐고 아파서 돌 마루에 몸뚱이가 엎어진 채 소리를 질렀다. 우는 소리를 듣고 어디선가 엄마는 달려오셔서 나를 일으켜 안으셨다. 엄마도 일하다가 놀라셨다. 나는 너무 놀란 나머지 소변 마려운 것을 까맣게 잊고 있었다. 내가 좀 진정이 되자 엄마는 상황 파악을 하시고 우선은 소변부터 보라고 했다. 그래서 일어나려고 했으나 통증이 있어 다리를 움직일 수 없었다. 엄마가 도와주셨지만, 소변이 나오지를 않았다. 엄마는 나중에 보면 된다고 말씀하셨다.

엄마는 속상하고 화도 나셔서 아빠에게 따지셨다. 옥수수를 말려야 해서 방에도 널어놨었다. 엄마는 내가 넘어질까 봐 방문 앞에 나가는 통로를 남겨 놓고 옥수수를 널었다. 그런데 아빠가 잘 마르라고 넓게 펴 놓으셨다. 그리하여 아빠에게 화살이 돌아갔다.

아빠는 육아에 대해 잘 모르셨다. 어떻게 해야 하는지 모르시는 것은 당연하지 싶다. 아이들은 넘어지며 자라니까 내가 혼자 일어날 줄 아시고는 그냥 있으셨고, 남자이다 보니 반응이 무디셨다. 그러나 나는 평지에서 넘어진 것이 아니었고, 안과 밖의 높이가 다른 데서 넘어져 고꾸라진 상태라 일어나기는 무리였다. 옥수수를 펴 놓은 것부터 해서 애가 넘어졌는데 일으켜 주지도 않았다고 아빠에게 뭐라고 하셨다.

다리를 많이 다쳤는데 병원은 가지 못했다. 그런데 아빠는 침 치료를 하실 줄 아셨다. 어쩌다가 치료받으러 오는 사람들이 있었고, 다른 동네에서도 소문 듣고 왔다. 어떨 때는 직접 가시기도 했다. 대부분 어른이었고 치료비는 안 받으셨다. 어떤 사람은 수고비로 술 한 병씩 들고 오기도 했다. 한번은 옆집 사는 아저씨가 뱀에 물려 위험했는데 방법이 없자 아빠를 찾았다.

아저씨는 치료를 받으신 후 아무 탈 없이 지내셨고, 아저씨의 딸은 훗날 나와 같은 반 친구가 된다. 엄마도 아프면 가끔 치료받고 우리 집 소도 치료를 받았다. 아빠는 어린아이는 침 치료를 하지 않았는데 고심 끝에 어쩔 수 없이 해 보기로 하신 것 같다.

그래서 비용이 드는 것도 아니니 집에서 치료하게 되었다. 어른도 치료 시 고통을 참는 것이 어려운데 어린 내게는 크나큰 고통의 시간이 아닐 수 없다. 그 옛날 침술은 요즘의 침 시술과 비교도 안 되게 고통이 더 컸다. 부모님은 내가 겁을 먹을까 봐 치료한다고 미리 말을 안 해주셨다. 방에 있는데 갑자기 엄마가 나를 붙잡았다. 팔을 잡고 다리를 누르고 가능한 한 움직이지 못하게 꼭 잡고 아빠는 치료했다. 어린 나는 악을 쓰고 싫다고 바둥바둥했다.

평온하다가도 갑자기 치료를 시작하면 지옥문이 열리고 집안이 요란해졌다. 언제 시작할지 몰라 늘 가슴이 뛰었다. 피하고 싶었고 아픈 다리를 더 아프게 해 아빠가 밉기도 했다. 그렇게 살이 떨리고 심장이 떨리는 침술에 대한 공포와 불안에 떨어야만 했다.

그 당시에는 침술 치료를 하면 안 되는 것을 몰랐기 때문에 하게 된 것이지만 병원 치료도 매 마찬가지이다. 그 후로는 오른쪽 다리를 항상 일자로 뻗고 앉아 있어야 했다. 바닥에서 일어나기도 힘들어 방에서 마루로 기어 나올 수밖에 없었다. 서 있을 때는 바닥에 있는 물건을 집는 것조차 불가능했다. 그렇게 다섯 살에 처음으로 육체적 장애를 입었다. 처음엔 안 되는 동작에 당황도 했지만, 서서히 스며들듯이 적응했다

따르릉 자전거

2학년 때의 일이다. 나에게 먼저 다가와 준 친구가 있었다. 그 친구는 학교와 멀지 않은 곳에 살았다. 가끔 비포장길로 올 때면 만날 때가 있었다. 나는 친구가 오나 하고 기대하며 종종 산길을 바라보곤 했었다. 마침 반가운 친구가 오고 있어서 괜스레 기분이 좋아졌고 등굣길을 함께 걸었다. 인기가 많아서 친구들이 옆에 붙어 있어 얼굴 보기 쉽지 않았다. 그래서 친구가 좀 더 잘 보이는 쪽으

로 이동하여 길을 가고 있었다.

이야기는 무르익고, 대화를 듣느라 뒤에서 오는 자전거 벨 소리를 못 들었다. 어느 순간 도로에 얼굴을 정면으로 들이박으며 넘어졌다. 자전거 탄 아이는 고학년 남자아이였다. 아마도 내가 피할 줄 알고 속도를 줄이지 않은 모양이었다.

무엇이 급했었는지 모르겠지만 속도를 줄이고 다가와서 앞에 차가 오는 것을 확인한 후에 지나가면 되었다. 아무튼, 비켜 주지 않은 내 잘못이 컸다. 친구와의 만남이 반가운 나머지 들떠있던 기분은 온데간데없고 갑자기 적막만이 흘렀다. 놀라서 가슴이 쿵쿵 뛰고, 아파져 왔다.

학교에 가던 길이라 일어섰다. 여기저기 얼얼하고 아프다 보니 잘 몰랐는데 치아가 흔들렸다. 앞니라서 걸리적거렸다. 어릴 때 치아가 흔들리면 엄마가 빼준 기억이 나서 혼자 빼려고 결심했다. 그런데 한 번에 뽑으려니 너무 시큰거리고 아팠다. 뿌리가 붙어 있는 상태라서 쉽게 빼낼 수 없었다. 이전에 뽑아왔던 치아하고 다르게 통증이 몇 배로 심했고 아픈 느낌도 달랐다.

걸어가면서 손으로 치아를 흔들고 돌렸다. 아픈 걸 꾹 참고 반복하며 기회를 노렸다. 결국, 굳게 마음먹고 확 잡아당겨서 뽑아내는 데 성공했다. 걷다 보니 학교를 조금 지나쳐서 마을이었다. 뽑은 치아는 지붕에 던져야 하는데 못 던지고 물 내려가는 하수도 블록 구멍 안에 버렸다. 그 와중에도 가슴은 계속 뛰어서 손으로 누르고 차가 오는지 확인 후 도로를 건너 학교로 들어갔다. 그런데 어떻게 된 영문인지 병원을 가게 되었다.

읍내에 있는 작은 치과 의원을 갔다. 의사가 오래되지 않아서 치아만 있으면 살릴 수 있고, 몇 년은 더 쓸 수 있다고 했다. 의사는 뿌리가 붙어 있었다면 더 오래 사용할 수 있었을 텐데 왜 뽑았냐고 물었다. 난 아무것도 모르고 평생 써야 할 치아를 빼 버린 것이었다. 오복 중에 드는 치아를 말이다.

치아를 가져오면 치료 가능하다고 찾을 수 있으면 찾아오라고 했다. 나에게 치아를 버린 장소를 물었다. 학교가 있는 마을로 가서 우여곡절 끝에 치아를 찾아왔다. 물이 별로 없었던 터라 다행히 찾을 수 있었던 것 같다. 치료실 의자에 앉으니 구멍 뚫린 천을 덮는데 떨리고 무서웠다. 마취하고 요란한 소리를 내며 수술을 했다.

그 당시 수술의 위험성을 모르고 있어서 어른들이 하는 대로 따라갔다. 의사는 집에 가서 얼음찜질하고 당분간 식사를 하지 말라고 설명했다. 집에 가서 누워 얼음을 입에 올려놓았다. 그때는 우리 집에 냉장고가 없어서 얼음은 귀했는데 어디선가 구해 오셨다. 시간이 지나자 입이 붓고 얼얼하며 아파졌다. 얼음이 녹아 물이 조금씩 흘러내려서 옷이 젖었다.

그리고 엄마가 분유를 타서 끼니로 마시라고 주셨다. 아기 때도 안 먹어 본 분유를 다 커서 먹어보게 되었다. 내 또래들은 대부분 분유를 먹고 자랐다. 입에 얼음을 올려놔서 언 상태라 둔하고 미각이 없어 무슨 맛인지 모르겠고, 아파서 잘 먹지 못했었다. 시일이 흐르고 통증이 줄어들어 분유를 잘 받아먹었더니 이것 다 먹으면 없다고 하시며 더 달라고 해도 안 주셨다.

분유가 물이라서 그런지 그동안 잘 못 먹어서인지 배가 고팠다.

의사가 이제 밥 먹어도 된다고 했다. 밥을 먹게 되어 아끼던 분유를 마음대로 먹으라고 깡통 채로 주셨다. 나는 이 사고로 인해 앞날에 무슨 일이 일어날지 꿈에도 모른 채 분유통을 받아들고 기분이 좋아서 마음껏 분유를 타 먹었다.

치료가 끝나 일상으로 돌아갔다. 그러나 나의 등하교는 순탄치 못했다. 그 남자아이는 내 주위에 아무도 없는 틈을 타 자전거를 타고 달려왔다. 나만 보면 매서운 눈빛으로 협박을 했다. 나는 그 아이를 피하려고 길이 험하고 물을 건너야 하는 위험한 하천 길로 가기도 했었다. 물이 적을 때는 천천히 자갈 위를 걸어서 건너갈 수 있었다. 물이 조금 많아지거나 큰 웅덩이가 생겨 더 험해졌을 때는 원래 다니던 길로 올라가야 했다. 그렇게 되면 평소보다 더 많이 걸어야 하고, 다리에 무리도 갔다.

엄마는 하천 길로 절대로 가지 말라고 서듭 말씀하셨다. 넘어실까 봐 걱정되셨고, 물에 빠지는 사고라도 날까 봐 노심초사하셨다. 그래서 들키는 날에는 야단치시며 무섭게 많이 혼내기까지 하셨다. 혼나는 것이 싫었지만 어렵고 험한 길임에도 어쩔 수 없는 선택을 할 수밖에 없었다. 엄마한테 들키면 어김없이 혼나고 말을 되게 안 듣는 아이로 낙인이 찍혀 버렸다.

돌 위에 넘어져서 장애를 입었는데도 불구하고 그 길이 힘들어도 가끔은 그 길을 선택했다. 그러나 다른 길을 선택하는 것이 문제 해결책은 아니었다. 다른 아이들과 달리 절룩거리며 걷다 보니 꽤 멀리서도 나를 알아볼 수 있고, 걸음이 느려서 길에는 나밖에 없었다. 자전거를 타고 다니기 때문에 멀리서도 금세 쫓아와서 협박하

고 갔다. 그 아이는 졸업을 하고 중학교를 들어가서도 협박은 끝나
지 않았다. 우리 동네에서 도로 건너 아랫마을에 중학교가 있었기
때문에 자전거를 타고 다니면서 나만 보이면 쏜살같이 달려오곤 했
었다. 멀고 먼 학교로 전학 가기 전엔 피할 수 없는 일이었다.

그렇게 중학교에 다니고 고등학교는 시에 있어서인지 다른 지역
으로 멀리 간 듯싶다. 그렇지만 해방은 아닌 셈이었다. 나도 국민학
교를 졸업하는 시기였으니 말이다. 그 큰아이를 만나게 될 때면 나
는 한마디도 하지 않았다. 내가 길을 피해 주지 않아서 사고가 났
으니 잘못 한 죄가 컸다. 때릴까 봐 겁도 났었지만 그리 큰 애가
사정 안 봐주고 때리면 또 다른 부위에 장애가 추가되기에 꿀 먹은
벙어리로 가만히 조각상처럼 서 있었다. 운이 좋아 그 큰아이를 안
만나도 다른 아이가 쫓아다녔다.

결국, 나는 6년이란 긴 시간 동안 죽인다는 말을 지겹게도 진저
리나게 들으며 살아왔다. 학교를 마음 편히 다닌 적이 별로 없었다.

불행 중 다행인 것은 때리지 않고 협박만 한 것이었다. 어쩌면
그 아이도 부모님께 들키면 안 되니 거기까지 선을 넘지 않고 조심
한 듯싶다. 훗날 알게 되었는데 그 아이 부모가 치과 치료비를 대
주었다고 했다. 우리 집이라면 병원은 꿈도 못 꿀 일이고 치아가
빠졌다고 위험한 상황도 아니라서 나도 궁금했었다. 그러니 그 아
이가 더 화가 났던 것 같다.

그 아이 부모님은 아이를 이유 없이 혼내는 분들이 아니지만 가
볍게 꾸중 정도는 했을지 모른다. 자기 잘못도 아닌데 혼나고, 부모
가 돈을 내었으니 억울할 만도 했다.

그 당시에는 치료비를 안 주고 모른 척해도 그만이었다. 나도 어렸으니 엄마한테는 '넘어져서 이빨 빠졌어.'라고 하면 끝나는 사건이다. 학교에서 알게 되어 괜한 압박감에 어쩔 수 없이 피해 보상을 해준 것일지도 모른다. 하여튼 먼저 생각하고 마음 써주시니 좋은 분들이었던 것 같다. 그분들 덕분에 치아를 다시 심게 되었고 쓰게 돼서 감사한 일이다.

내가 용기가 있었다면 미안하다고 사과라도 했을 텐데 그 아이가 앞에 서면 가슴이 쿵쿵거려 용기가 나지 않았다. 다칠까 봐 불안에 떨기 바빴고 빨리 그 시간이 지나가기만을 바랐다.

화상

초록빛으로 물든 장독대에 나비가 꽃 따라 훨훨 날던 6월의 어느 날이었다. 아빠의 생신이라 오랜만에 일가친척이 한자리에 모여 집안은 손님맞이로 분주했다.

모두 모여서 식사하려고 안방에 큰 밥상을 펴 놓았다. 배가 고팠는지 가물가물하지만, 밥상 앞에 앉아 있었다. 뜨거운 닭국을 들고 지나가다 그릇이 미끄러져 내 머리 위로 쏟아졌다. 나는 순간 놀라서 펄펄 뛰었다. 엄마가 와서 윗옷을 벗기고 급한 마음에 집에서 담근 조선간장을 내 가슴과 등에 붓다시피 발라 주셨다. 짠 간장물이 피부에 닿자 아파서 펄펄 뛰었다.

사람들은 혼수를 두며 그걸로 되겠냐면서 소독해야 한다고 말했다. 결국, 의견대로 소주를 들이부었다. 간장 바른 고통이 채 가시기도 전에 또 상처에 자극을 주었다. 난 더 펄펄 뛸 수밖에 없었고 주체할 수 없는 고통에 몸서리쳤다. 훗날 엄마 말씀으로는 소주를 붓자 등 피부가 훌떡 벗겨졌다고 했다. 화상에 간장과 소주를 부으니 아플 수밖에 없다. 그때 당시의 소주는 도수가 높았다.

그런데 엄마는 내가 아파도 결석하는 것은 용납하지 않으셨다. 학교에 가야 해서 블라우스를 입혀 주셨다. 평소에 내가 제일 싫어하는 옷이고 작아서 끼고 불편했었다. 거기까지는 참겠는데 목이 불편한 것은 참기 힘들었다. 목둘레에 꽃 모양으로 되어 있는 가장자리 부분이 까끌까끌했다. 고개를 들지 못해 늘 숙이고 있어서 그 부분이 목 피부를 계속 찔러서 따갑고 가려웠다.

그런 데다 목둘레도 작아서 목 앞에 있는 단추를 끼우면 목이 꽉 끼여 불편했다. 더욱이 목 앞쪽에 있는 뼈에 닿아서 불편이 가중되었다. 그런 여러 가지 이유로 입기를 거부했는데 엄마는 옷이 아까워서 계속 입혀 주셨다. 그 옷은 엄마가 모처럼 시장에서 사 오셨기 때문이다.

엄마는 변함없이 여느 때처럼 화상 입은 몸에 그 옷을 입히셨다. 평소에도 작아서 씨름하며 입는데 상처 때문에 더 어렵건만 기어코 입히셨다. 옷이 상처에 닿아 아파서 짜증이 났다. 싫다고 해봤지만,

나의 말은 안 들어 주셨다. 학교를 갔다 와서 그 옷을 벗을 때면 씨름을 한참 해야 벗을 수 있었다. 날씨도 더운 데다 가방을 메고 다녀 등과 겨드랑이에 진물과 함께 꽉 들러붙은 옷을 매번 떼어내느라 곤욕을 치렀다.

나는 옷을 입고 벗을 때마다 고통을 감수해야 했다. 그런데 시일이 지나도 전혀 차도가 보이지 않았다. 엄마는 왜 이리 오래 가냐면서 고민을 하셨다. 여느 날처럼 씨름하며 옷을 벗기다가 문득 옷 때문인지도 모른다며 속상해하셨다. 이제 입지 않아도 된다고 하시며 다른 옷을 입혀 주셨다. 그간 옷 때문에 고통이 컸고 스트레스도 많았는데 이제야 비로소 해방되었다.

블라우스는 통풍이 되지 않았는데 바꾸어 입은 옷은 커서 바람이 솔솔 들어왔다. 더운 여름이라 블라우스가 너무 답답했는데 몸도 마음노 시원했다. 하나의 문제를 제거하는 것만으로도 이렇게 고통도 줄어들고 불편함도 줄었다.

그리고 옷을 바꿈으로써 가장 좋은 것은 공기가 통하는 옷은 상처가 아무는 데 도움이 된다는 것. 그 후로 차츰차츰 상처가 아물기 시작했다. 그 당시 어른들은 상처를 치유하는 방법을 몰라서 그렇게 불편하게 오랫동안 고생하게 되었다. 나는 내 마음대로 할 수 없음에 괴로워하고 빨리 어른이 되고 싶기도 했다.

추락 사고

4학년 때의 일이다. 화창한 어느 날. 오전 수업이 끝나고 점심시간이었던 것 같다. 머리 위로 내리쬐는 햇볕은 뜨겁지도 않고 좋은 날이었다. 모처럼 밖에 나갔다. 저만치 나무 그늘에서 여자아이들이 옹기종기 모여 앉아 재미있는 놀이를 하는 모양이었다. 나는 다가가서 이왕이면 가까이 보려고 왼쪽 무릎을 굽히며 몸을 낮추었다.

그 순간 엇~할 새도 없이 내 몸뚱이는 중심을 잃고 뒤로 넘어가며 굴러떨어졌다. 바로 뒤는 낭떠러지였다. 내 뒤에 충분한 자리가 있었다면 그냥 뒤로 넘어졌을 텐데 내 몸을 받쳐 주기에는 너무 좁았다. 내가 서 있었던 곳은 학교 운동장으로 가는 윗길이고, 길 가장자리에 흙이 무너질 것을 막기 위해 큰 돌들로 축대를 쌓았다. 그리고 그 아래에 마을로 가는 길을 만들었다. 나는 윗길에서 경사진 샛길 아래로 떨어졌다.

추락하면서 쌓아 올린 둥그런 돌들에 몸을 부딪치며 굴렀다. 떨어진 충격에 말은커녕 억~ 소리도 안 나와서 누군가를 부르지도 못했다. 놀라기도 했고 몸이 말을 듣지 않아 울 수밖에 없었다. 선생님이 오셔서 일어나라고 하셨지만, 일어날 수 없었다. 선생님이 부축해 일으키시는데 움직임과 동시에 너무 아파서 울었다. 내가 아파하자 일으키시다가 도로 눕히셨다. 곧 사람들이 와서 서로 대화를 했다. 조금 후에 다시 부축해 주시는데 역시나 똑같은 통증이 있어서 못 일어나고 말을 못 해서 울음으로 표현했다.

어른들은 좀 더 시간이 흐른 후 이쯤이면 일어날 수 있겠지? 하며 다시 시도하셨다. 그러나 바닥에서 상체가 뜨자 극심한 통증이 밀려왔다. 어른들은 내가 어떻게 떨어졌는지 모르는 상황이고, 그리 높지 않다고 생각되어 많이 다쳤으리라곤 생각지 못했다. 그러나 나는 보통 아이들과는 달랐다. 보통 아이들이라면 어딘가 한 부위를 다치거나 군데군데 타박상 정도의 가벼운 부상이겠지만 난 일어나지도 못했다. 시간이 지나도 일어나지 못하자 많이 다쳤다고 생각하셨는지 의논 끝에 보건소에 연락한듯했다.

어디선가 들것을 가져와 나를 옮겨 싣고 운동장을 지나 가까운 보건소에 데려갔다. 난 누워있으니 통증이 덜해서 멀뚱히 차가운 보건소 천장만 보고 있었는데 아빠가 오셨다. 학교에서 집에 연락한 듯싶다. 누워있는 나를 보시더니 집에 가자고 하셨다. 아빠가 데려가려고 일으켜서 통증이 밀려왔다. 너무 아파서 안 된다고 울음으로 표현하며 싫은 티를 냈다.

그런 나를 본 사람들이 그냥 집에 데리고 가면 안 될 것 같다며 꼭 병원을 데리고 가셔야 한다고 말했다. 아빠는 당장 병원을 데려갈 엄두가 안 났다. 주위 분들의 권유에 데리고 가시기로 하셨다. 어두웠던 시대이고 지금처럼 발전하지 않은 시대였기에 병원행은 나에게 지옥의 시작이었다.

병원을 가야 해서 결국엔 자리에서 일어나야 했다. 아빠가 나를 강제로 일으켜서 밀려오는 고통에 몸부림치며 소리 내어 울었다. 아빠는 아랑곳하지 않고 무섭게 "일어나야 가지."라고 한마디 하셨다. 그리곤 아파서 악을 쓰는 나를 등에 업으셨다.

보건소에도 통증을 감소시키는 진통제가 있었을 텐데 아무런 조치도 취하지 않아 극심한 고통을 참아야 했다. 물론 그 당시 작은 보건소일 뿐이니 선뜻 처방하기가 어려웠을지도 모른다. 의사도 사고로 크게 다친 것 같아 큰 병원으로 가야 한다는 생각뿐이었을 듯 싶다. 어쨌든 치료를 하지 않은 것이 나에게는 다행이기도 했다. 그 이유는 근육 주사가 좋지 않은 결과를 가져오기 때문이다.

아빠는 기다리던 버스가 와서 무거운 나를 업은 채 힘겹게 버스에 오르셨다. 버스를 타자마자 출발하는 바람에 아빠는 중심을 잡으려고 애쓰고 있었다. 나를 업은 상태로 계속 서 있을 수 없어서 자리를 잡으려고 했다. 연세가 드셔서 힘에 부쳐 움직이는 버스에서 자리 잡기가 쉽지 않았다. 내가 울지만 않았어도 덜 버거우셨을 텐데 밀려오는 통증에 어쩔 줄 몰랐다.

정신없는 와중에 안내양이 차비 안 내냐고 큰 소리로 쏘아댔다. 나를 업은 채 차비를 꺼내어 줄 수 있는 상황이 아니었다. 아빠가 아이 좀 자리에 앉히고 주겠다고 하자 빨리빨리 달라고 재촉했다. 아빠는 힘이 없어 처지는 데다 내 다리가 뻣뻣해서 업고 있기 불편해 손을 놓고 주머니에서 차비를 꺼내기는 불가능했다. 흔들리는 버스에서 겨우 자리를 잡고 숨 돌릴 새도 없이 차비를 건네주고 한숨을 돌리셨다. 그렇게 읍내를 지나 병원에 도착했다.

　나는 곧 쉴 수 있겠다고 생각했으나 현실은 아니었다. 아빠는 나를 계속 업고 다닐 수 없어서 의자에 내려놓았다. 혼자 기다리고 있는데 왠지 불안감이 엄습했다. 시끄러운 소리와 살벌한 분위기에 무서움이 밀려왔다. 때려서 고친다는 말을 들어선 지 어린 마음에 차가운 병원 벽을 타고 공기 중에 울리는 퍽퍽~ 소리가 더욱 크게 느껴졌다. 그 병원에서 치료가 안 되는지 다른 병원에 가라고 한 듯싶다. 아빠는 가자고 하시며 일으켰다.

　아빠는 또다시 나를 업어야만 하셨다. 난 이동 때문에 아파서 짜증이 났지만, 한편으로는 때려서 치료하는 곳을 피하게 되어 안도하기도 했다. 통증 때문에 언제쯤이면 누울 수 있을지 빨리 눕고만 싶었다. 더 큰 병원을 가서 의사에 내려주시고 접수하러 가셨다.

　한참 후에 하얀 가운을 입은 사람이 와서 보더니 침대가 생겼다. 기다리고 기다리던 시간 드디어 눕는구나! 밀려오는 고통에 시달릴 수밖에 없는 나약한 내 몸뚱이를 하얀 시트가 깔린 침대에 뉘었다. 누우면 그나마 통증이 덜했었기 때문에 나는 그렇게나 눕고 싶었다. 병원을 가야 해서 그 큰 고통을 감수하고 이겨 내야만 했다. 아니 이겨 내기보다는 강제적으로 상황이 이끌고 있어서 끌려다니다시피 한 셈이다.

　한참을 숨도 고르고 쉬고 있다 보니 의사가 와서 어디가 어떻게 아프냐고 물어왔다. 나는 어떻게 말을 해야 할지 몰랐고, 아직 말문이 트이지도 않았을 때였다. 그러고 보니 사고 후 말을 한 적이 없었다. 대답이 없자 아빠가 말하라고 하고 의사도 반복해서 물었다. 나오지 않는 목멘 소리로 겨우 한마디 잘 모르겠다고 했다. 내 몸이 느끼고 있는 아픈 부위가 어느 한 곳으로 집중되거나 중심적이지 않고, 느낌도 이상했었다. 더욱이 어렸고 그런 느낌을 표현할 길이 없었다. 아픈 곳을 정확하게 알 수가 없었기 때문이기도 했다.

나의 말에 아픈 데를 정확하게 말해 주길 재촉했다. 곰곰이 생각한 후에 말을 할 수가 없는 나는 손으로 앞 목을 가리키며 여기가 아프다고 했다. 그러자 의사는 목 주위 여러 곳을 손으로 꼭 집으며 아프냐고 물었다. 멀쩡한 곳도 꼬집으면 당연히 아픈데 어릴 때라 어떻게 답을 해야 할지 몰랐다. 앞 목이 아프다는 나의 표현에 대답이 되었는지 갔다.

그 후로 한참을 침대에 누워 멀뚱히 허연 천장만 바라봤다. 몸이 좀 안정을 찾았는지 화장실에 가고 싶어졌다. 아빠에게 소변이 마렵다고 어렵게 입을 열었다. 그러자 아빠는 어딘가를 갔다 오시더니 기다리라고 하셨다. 조금 후에 가운 입은 여자가 와서 내 옷을 벗기고 어떤 처치를 해 놓고 소변을 보라고 하곤 가버렸다.

나는 어떻게 해 놓았는지 볼 수 없어서 갸우뚱했다. 아빠는 그냥 보면 된다는데 누워서 보는 것이 처음이었고, 이상하게 볼 수 없었다. 하다 하다 안 돼서 결국은 포기했다. 그때는 몰랐지만 소변 검사를 하려고 받으려고 했던 모양이다.

한참 지나서 아빠는 배고프냐고 물었다. 난 밥 생각이 들지 않았다. 떨어진 충격이 아직 가시지도 않았고, 더욱이 먹으려면 일어나야 할 텐데 그 통증이 너무 싫었다. 그냥 가만히 있고 싶었다. "빵이라도 사줄까?" 지금 안 먹으면 이따가 못 먹는다고 말씀하셨다. 그래도 안 먹는다고 말했다. 아빠는 처음으로 무엇을 사준다고 하셨다. 없는 살림에 아끼시느라 군것질거리를 사기 위해 지갑을 여시는 것을 못 봤다. 내 기억으로는 처음이었다.

그런데 몸이 아프다 보니 기쁘지 않았다. 평소라면 좋아하며 "네"라고 대답을 했을 텐데 그저 쉬고 싶을 뿐이었다. 시간은 알 수 없지만, 밤중인 것 같았다. 고요하면서도 시간은 흐르고 있는 공간. 아마도 응급실 내부인 듯싶다. 그렇게 한참의 시간이 흘러 허기가 지는 것 같았다. 참다가 배고프다고 말했다. 아빠는 아까 먹지 안 먹고 지금 어떻게 하느냐고 하시면서 어디론가 가셨다.

아빠가 오셔서 지금은 먹으면 안 된다고 조금만 참으라고 하셨다. 잠시 후에 링거를 꽂고 갔다. 아빠는 이것을 먹으면 배 안 고프다고 하시면시 한 개만 해주신다고 너는 안 된다고 말씀하셨다. 나는 아빠의 말을 생각해봤다. 먹는 것을 가져오실 줄 알았는데 어떻게 이런 링거가 먹는 거지? 먹으면 배가 고프지 않을까? 어찌 되었든 누워있고, 집이 아니라서 엄마도 없어서 어쩔 수 없이 허기를 참기로 했다. 한참 지나니 배가 덜 고픈 것 같았다. 그렇게 큰 병원에서 자보는 것도 처음이고, 링거도 처음 맞아봤다.

훗날 알게 되었는데 링거를 한 개만 해주신다고 하신 것은 큰 병원이라 병원비가 어마어마하게 나올까 봐 걱정되셨기 때문이었다. 아빠는 이런 큰 병원을 가 본 적이 없었다. 그래서 병원비에 대한 부담이 아빠의 두 어깨를 내리눌렀다. 내가 한 병을 다 맞고도 배고프다고 할까 봐 미리 설명해주시고 그것만이라고 하셨다. 아빠도 링거를 맞아 본 경험이 없으셔서 어떤 효과가 있는지 잘 모르셨다. 그래서 몇 개가 필요한지 모르시기에 걱정이 되셨을 것 같다. 밤이 깊어 다른 방으로 옮겨지고 거기서 잠을 청했다.

창으로 햇살이 들어와 아침을 알렸다. 화장실이 가고 싶어 아빠에게 말했다. 전날보다 말하는 것이 좋아졌다. 사고 후 한 번도 못 봐서인지 급한데 가져온 변기는 불편해서 아픈 몸으로 쉽지 않았다. 본의 아니게 침대를 버려 사람이 많아서 창피해 어쩔 줄을 몰랐다. 하필 그때 들어 온 의사가 소변 본 것을 알게 되었다. 이제는 살았다며 걱정 많이 안 해도 된다고 의사는 말했다.

식사하고 병실로 옮겼다. 아빠는 병원비 걱정에 빨리 퇴원하려고 상담을 자주 했지만 쉽게 되지 않았다. 의사는 사고 후 일주일 이상은 지켜봐야 한다고 했다. 내가 조금씩 움직이니까 아빠는 의사에게 괜찮다고 하며 기어코 퇴원을 승낙받았다. 다른 사람보다 좀 일찍 퇴원하게 되었지만 잘된 일이지 싶다. 아무도 나의 병을 몰랐을 때니까 말이다.

집에 가자는 아빠 말에 따라나섰다. 병원 밖으로 나가보니 햇살이 머리 위를 뜨겁게 달구기 시작했다. 몇 걸음 가는데 머리가 무겁고 몸이 처지고 힘이 쭉 빠졌다. 병원 내에서는 조금씩 걸어 다니기도 하여 충분히 갈 수 있을 것 같았다. 그러나 그늘 안에서 조금 활동할 때와는 차원이 달랐다. 그래도 가야 해서 계속 걸었다.

버스 타는 곳이 그렇게나 먼 거리인지 꿈에도 몰랐다. 걸어도 끝이 없었고, 몸은 더위에 점점 힘이 빠져나갔다. 얼마나 더 가야 하는지 물어보고 싶었지만 멀찌감치 떨어져 가는 아빠를 부를 기력도 없었다. 알 수 없는 길을 걷고 또 걸었다. 저만치 앞서가다 기다리시길 반복하며 걸음이 늦은 나를 데리고 가셨다. 가까이 있을 때 못 가겠다고 하니 조금만 가면 된다고 하셨는데 너무 멀었다.

몸이 이상하고 여기저기 아프고 더워서 짜증이 났지만 어쩔 수 없는 이 상황에 이끌려 갈 수밖에 없었다. 아빠는 내 상태가 어떠한지 전혀 모르셨다. 병원에서도 별말 없었고, 걸음이 느린 것은 다리가 불편해서 원래 그런 줄로만 아셨다. 나는 그저 빨리 내 몸뚱이를 눕히고 싶었다. 차를 타고 가면 좋으련만 차비를 아끼시려고 걸어갔다. 길이라도 잘 아시면 덜 힘든데 초행길이라 물어물어 가려니 가는 길이 멀고 멀었다.

아픈 몸에 날은 덥고 머리가 뜨거우니 미칠 것 같았다. 이 시간이 빨리 지나기만을 고대하며 한 걸음 한 걸음 내디뎠다. 다리가 마치 모내기 칠에 갈아 놓은 질퍽한 논에 빠진 것처럼 한 걸음 떼기가 무거웠다. 어렵게 버스 터미널에 도착해서 버스를 기다렸다. 버스를 타고 가서 마을 앞에 내려 또 걸어야 집에 갈 수 있었다. 우리 집은 안쪽으로 맨 위에 있어서 한참을 올라가야 했었다. 또다시 내 몸뚱이와 싸움이 시작되었다.

그래도 끝을 알고 있어 답답함은 없었다. 우여곡절 끝에 집에 도착해 이제야 무거웠던 모든 걸 내려놓을 수 있었다. 후들후들 떨리는 다리로 봉당 돌계단을 힘겹게 올라 돌 마루에 궁둥이를 붙였다. 천근만근 나가는 내 육신의 고통과 더위를 식혔다.

사고 때부터 고통의 늪에 빠져 끌려다녔지만 아무런 결과도 얻지 못했다. 치료도 제대로 받지 못하고 고생만 한 셈이다. 아빠가 바로 집으로 데리고 갔었다면 아파 애쓰는 시간은 적었을지도 모른다. 하지만 집에 있었다면 침술 치료를 받았을 것 같다. 그리고 엄마는 학교에 가라고 엄청나게 재촉하셨을듯싶다.

이러나저러나 나에게는 고통의 시간은 주어졌다. 아빠도 병원비 걱정 때문에 식사를 제대로 못 하시고 고생하셨다. 그래서 나를 데리고 다시는 병원을 안 가신다고 했었다. 오빠가 입원했을 때는 지원 받아서 치료받는 것이라 병원비 걱정 없었다. 그리고 보호자 식대까지 나와서 집에서보다 더 잘 드셨었다. 그러나 나는 사고로 갑자기 간 것이고 큰 병원은 환자 외에 식대가 나오지 않았다. 그러니 오빠 때와는 차원이 달라 비교되는 것이 당연했다.

가난이란 족쇄에 묶여 있는 이상 어쩔 수 없는 현실이었다. 그렇게 처음으로 큰 병원의 여정은 막을 내렸다.

퇴원 후 엄마는 학교에 가라고 재촉하셨다. 가기 싫어서 '하루만, 오늘만' 그랬다. 엄마는 완강하셔서 오늘만 쉬고 내일부터 꼭 가라고 하셨다. 자꾸 빠지면 언제 공부하느냐고 꾸중을 하셨다. 그래서 등 떠밀려 어쩔 수 없이 학교에 갔다.

의자에 앉아 수업을 듣는데 시간이 흐를수록 몸이 자꾸만 쳐졌다. 집중하려고 노력했으나 도저히 안 돼서 수업을 듣기가 어려워졌다. 가만히 있기가 불편해져서 몸을 조금씩 꿈틀거렸다. 선생님은 내가 집중을 안 하는 것을 눈치채셨는지 뭐라고 말씀하셨다. 그런데 이미 몸의 모든 기능이 저하되어 그 소리마저도 들리지 않았다.

그리곤 좀 더 시간이 흐른 뒤에 집에 가라고 보내 주셨다. 선생님이 보시기에 수업을 못 받을 것 같다고 판단하신 듯싶다. 그리고 아이들을 불러 데려다주라고 하시는 것 같았다. 친구들과 같이 집을 향해 걸었다. 교문을 나와 학교 울타리도 벗어나지 못했는데 몸에 힘이 다 빠져 버리는 것 같았다. 다리를 옮기는 것이 버거워 이대로 주저앉아 이 시간을 놓고 싶었다. 조금 쉬다가 걷고 또 쉬기를 반복하면서 계속 걸었다.

집에 가야 쉴 수가 있으니 어떻게든 가야만 했다. 시간이 오래 걸리니까 친구들은 심심해졌는지 그 길을 오르락내리락하면서 나를 기다리기도 했다. 그렇게 세월아 네월아 하듯 걸어서 힘겹게 집에 도착했다. 엄마는 하나라도 더 배우길 바라시는 마음에 결석은 용납 안 하시는 분이라 학교에서 돌아온 나를 보시고 좀 실망하신 것 같았다. 그러나 많이 혼내지는 않는 것으로 보아 친구들이 선생님이 보내서 왔다고 말해 준 것 같다.

그때 병원에서도 부모님도 나의 상태를 몰랐다. 부모님은 병원에서 별말 없었으니 내가 안 아픈 줄 아셨다. 사고 후 시일이 꽤 지났지만, 여전히 말로 딱 꼬집어서 표현하기 어려운 어딘가가 불편했다. 단지 상체를 일으킬 때 극심했던 통증만 줄어들어서 일어날 수 있었을 뿐이지 전체적으로 아팠다.

아무도 나의 아픔을 이해하지 못했다. 이전처럼 근육에 힘이 안 들어가기 때문에 오래 움직일 수가 없었다. 잠깐 잠깐은 견딜 만한데 시간이 걸리거나 반복해야 하는 동작은 어려웠다. 한 자세로 오래 있는 것도 불편하여 몸을 꼼지락거려야 했다. 그래서 50분 정도 걸리는 수업을 가만히 의자에 앉아서 듣기는 무리였다. 집에 돌아온 후 학교를 며칠 더 쉬었다.

언제부터인가 나도 모르는 새에 몸 여기저기 진행이 시작되고 있었다. 엄마는 늘 바쁘셔서 확연히 드러나기 전에는 모르시고 넘어가셨다. 그런데 큼지막하게 티가 많이 나서 보시게 되었다. 내 등에 여러 개의 혹이 볼록하게 나와서 눈에 띄게 커져 있었다. 엄마는 혹을 발견하시곤 이게 뭐냐고 하시며 몇 번을 만져 보셨다. 엄마는 기가 찼다. 생각에 잠기시다 아무 소리 없이 나가셨다.

처음 보시고 놀라셨을 테고 그런 내 등을 보며 얼마나 속상하셨을까? 어떻게 해야 할지 몰랐으니 고민을 많이 하셨을 것 같다. 엄마는 병원은 못 데려가고 학교가 있는 마을 약국에서 파스를 사 오셨다. 등 전체에 붙이려면 파스가 많이 들어가니까 저렴한 것을 달라고 하셔서 핫 파스를 가져오신 것 같았다. 파스에 구멍이 여러 개 있고, 안쪽은 검은색에 고추의 성분이 많이 들어간 강한 핫 파스였다. 감각이 둔한 어르신들이 주로 허리가 아플 때나 오래된 통증에 사용하는 파스였다.

엄마는 이거라도 붙여보자고 하시며 내 등에 위쪽부터 붙이셨다. 등 전체가 파스로 도배 되었다. 약간의 시간이 흐르니 가려워지고 따갑고 불편해지기 시작했다. 점점 사정없이 가려워져 몸을 흔들고 벽에 문질러 댔다. 고추 파스라서 등이 화끈거리고 열이 났다. 한낮

더워지는 시간에는 더욱 괴로웠다. 어른도 허리 같은 부위에 한두 개 정도 붙이지, 그렇게 많이 붙이지 않는다.

보통 파스였다면 가려움만 참으면 되지만 핫 고추 파스는 가려움과 따가움과 더불어 화끈하게 열을 내서 고통이 강력했다. 거기에 여름인 계절까지 고통이 배가 되었다. 파스를 교체하려는 엄마에게 안 붙이면 안 되냐고 말했지만 허락하지 않았다. 그만 붙이고 싶다는 말을 또 하니 꾸중을 하셨다. "붙여야 낫지."라고 하시며 참으라고 하시곤 계속되었다. 미치도록 가렵고 따가운데 나는 피할 수가 없었다. 떼고 나서 쉬지 않고 바로 붙이니까 너무나 괴로웠다.

여름이라 온도가 높아서 파스의 접착력이 더 강해졌다. 그래서 파스를 떼어 낼 때도 곤욕을 치렀다. 짝 달라붙은 파스 끝을 잡아당기면 피부까지 늘어지며 당겨지기 때문에 아팠다. 억지로 떼 내는 것을 반복하고 쉬지도 않는 데다가 강한 접착력으로 인해 피부가 쓰리고 아팠다. 파스 때문에 삼중고를 당하고 있었다. 엄마는 어떻게든 치료해 주고 싶으셨기에 계속하실 수밖에 없었다.

꽉 붙은 파스를 떼는 과정이 반복되다 보니 피부가 탄력이 떨어지고 시들해졌다. 엄마가 보시기에 크기가 작아져 보이셨는지 조금 작아진 것 같다고 하셨다. 나는 싫다고 했지만, 더 붙이자는 엄마의 말에 '이 고통은 언제까지 겪어야만 하는가?'라는 생각에 우울하고 짜증이 밀려들었다. 피부가 혹사당해서 살이 빠졌을 뿐인데 엄마는 혹이 작아져서 나아지고 있다고 생각하시고 믿었었다.

그러나 엄마의 노력은 수포로 끝이 났다. 어느 날 엄마는 나아지지 않는다는 것을 깨닫게 되셨다. 인정하고 싶지 않으셨고 나아지길 바라는 마음에 계속 붙어서 헛고생만 하게 된 셈이다. 파스 치료하는 동안 내 등을 볼 때마다 가슴 아프셨을 어머니. 실망과 좌절을 하고 결국 손을 놓으셨다. 싫다고 하는 딸의 투정에도, 노력해서 좋아지지 않아도, 엄마라서 그냥 보고만 있을 수 없었고 포기할 수가 없었다.

딱딱한 혹이 파스로 가라앉고 없어진다면 얼마나 좋았겠냐 마는 결과는 그렇지 못했다. 그것이 가능하다면 목이나 다리에 있는 것도 다 없앨 수 있지 않은가? 엄마는 살이 부은 혹인 줄로만 생각하시고 그것이 뼈라는 것을 모르셨을 듯싶다. 그렇게 나는 한동안 파스로 인한 고통까지도 끌어안고 가야만 했다.

엄마가 파스를 떼며 더는 붙이지 않는다고 말하고 옷을 내리셨다. 어린 마음에 날아갈 듯이 좋았다. 쓰리고 아픈 피부도 좋아질 수 있으니 더없이 좋았다. 등에 파스가 붙어 있지 않아 가뿐해졌다. 옷 안으로 스며드는 바람이 시원했다. '이제야 해방이구나' 하고 싶을 정도였다. 엄마의 기분은 썩 좋지 않았겠지만 나는 고통에서 벗어나니 안 좋을 수가 없었다. 그렇게 이중고를 벗어나게 되었다.

추락할 때 온몸 전체를 부딪쳤다. 병원에서 검사할 때는 증상이 나타나지 않아 사진상에 특별한 이상이 없었으니 의사도 별말 없었던 것 같다. 내가 앓고 있는 질환은 시일이 지나서 증상이 서서히 나타나기도 한다. 부딪힌 곳은 대부분 거의 진행이 된다. 어떤 때는 사고 후 바로 급속으로 나타나기도 한다. 그때를 알 수가 없어서 발견이 늦을 때도 많다.

이상이 없다는데 계속 몸이 안 좋았던 이유를 몰랐고, 전신을 다쳤기 때문에 몸 전체가 안 좋았던 것이었다. 나는 넘어지거나 가구 또는 장애물에 부딪히면 다른 사람과 달리 그 부위가 부어오른다. 통증이 수반 되고 점차 시간이 흐르면서 단단해진다. 시일이 지나 부기가 빠지면 딱딱한 혹이 남는다. 그 혹은 우리가 아는 뼈다. 몸에 충격이 가해지면 근육이 붓고 열이 나며 진행이 시작된다. 뼈가 다 이루어질 때까지 심한 고통을 동반한다. 완전히 뼈가 생성되고 나면 고통이 줄어들고 부기도 내려간다.

뼈 생성이 끝났는데도 계속 아픈 것은 또 새로운 뼈가 만들어지기 때문이다. 한 번에 여러 번 반복해서 재발하기도 한다. 떨어지는 사고로 전신을 부딪친 나는 몸 전체적으로 여기저기 뼈가 생겼다.

그렇게 많은 혹이 나왔어도 부모님은 병원에 데려갈 꿈도 못 꾸셨다. 어쩌면 나에겐 가난했던 것이 다행이지 싶다. 병원을 갔다면 사진에 보이는 불필요한 뼈들을 의사가 수술하자고 권했을 듯싶다. 만약 그 많은 뼈를 제거했다면 나의 등은 더 심각하게 재발을 일으키는 결과를 가져왔다.

외부 충격만이 아닌 내부적인 것에 의해서도 재발을 일으키는 질환이기 때문이다. 수술이나 근육 내 주사, 침술 같은 내부적 시술로도 진행이 되어 더 크게 심해지고, 더 큰 뼈들이 생기게 된다. 그래서 이 질환은 재발이 되더라도 손을 쓸 수가 없다. 그렇기에 병원을 가지 못한 것을 참으로 다행이라고 생각한다.

나는 점차 적으로 몸을 못 쓰게 되었다. 등에만 혹이 나온 것이 아니라 겨드랑도 침범하게 되어 어깨를 비롯해 다리도 그렇게 전신에 진행이 되었다. 사고 후로는 부딪히면 재발이 쉽게 일어났다. 그 당시에는 안타깝게도 병을 몰랐을 때라 주의를 기울이지 못했다. 그 사고로 인해 잠자고 있던 것들이 촉발되어 줄줄이 수면 위로 떠오르게 되고, 그로 인해 중증 1급 장애인이 되었다.

나락으로 떨어지다

학교에 가려고 마당으로 나오면 엄마는 부엌에서 빨간 보온 도시락을 들고나오셨다. 어떨 때는 가지고 가기 싫어서 가방을 대충 둘러메고 나름 빠르게 걸어도 뛰어봤자 벼룩이었다. 걸음이 느려서 금방 엄마한테 따라 잡히고 말았다. "도시락 가져가야지." 꾸중 아닌 꾸중을 하시며 목에 걸어 주시고 가방을 바로 고쳐 매 주셨다. 팔이 올라가지 않아 한쪽 가방끈을 올리지 못해서 팔만 끼어 팔뚝에 걸쳐져 있었기 때문이었다.

그 당시 보온 도시락은 크고 무거웠다. 무거운 것은 둘째치고 밥이 따뜻하지도 않고 미적지근해 냄새가 나서 밥이 맛없었다. 목에다 걸고 걸음을 옮길 때 앞에서 걸리적거려 불편하고 너무나 힘들었다. 몸의 흔들림에 따라 도시락도 흔들거리고 가슴 앞으로 왔다가 지팡이 짚고 있는 손등에 부딪혔다. 지팡이를 짚는 데 방해가 되고 제대로 다니기가 불편했다.

보온 도시락이 걸리적거려도 어떻게 할 수가 없었다. 날씨가 꽤 따뜻해 양은 도시락에 가지고 다녀도 될 듯했다. 그래서 엄마에게 다른 도시락으로 바꿔 달라고 말했다. 내가 찬밥 먹는 것이 걱정되셨는지 안 된다고 하셨다. 아무런 도움이 안 되는 도시락이었지만 엄마는 양은 도시락보다는 조금이라도 낫다고 생각하신 듯싶다.

불편한 목에 도시락 무게가 실리고 줄이 움직여 피부가 쓸려서 열도 나고 불편해졌다. 또한, 손에 부딪히는 도시락을 가능한 한 피하려 애쓰다 보니 힘들어서 몸에 열이 났다. 그렇다고 손으로 들고 가면 지팡이를 짚을 수 없어 다리 힘으로만 걸어가야 했다. 그러나 까치발로 걷는 나에게는 먼 거리의 집까지 가기는 무리였다. 거리가 거리인 만큼 불가능했나.

그렇게 매일 무거운 도시락을 목에 걸고 어기적어기적 학교에 다녔다. 흔들리는 도시락 때문에 걸음걸이도 부자연스럽고 느려졌다. 시간이 길어지는 만큼 몸에 무리가 오고 통증도 더 심해졌다. 하지만 중간에 쉬어 갈 장소가 없었다.

어느 날 녹초가 되어 고개를 넘는데 내 몸은 한계에 다다랐다. 온몸의 뼈가 부서질 듯한 고통과 짜증이 파도치듯 사정없이 마구 밀려들었다. 도시락마저도 나를 힘들게 만들어 스트레스는 극에 달해 머리끝까지 치솟았다. 순간 지팡이건 도시락이건 전부 내동댕이 치고 싶었다. 충동의 파도는 끝없이 나의 가슴을 치며 깎아내리고 걷잡을 수 없게 되었다. 그러다 정신적 한계를 넘어섰다. 나는 이 시간과 고통에서 벗어나고 싶었다. 달리는 차에 확 뛰어들고 싶었다. 지나가는 차에 뛰어들면 '이 상황에서 벗어날 수 있겠지?'라는 생각이 들었다.

모든 것을 내려놓고 이 고통도 끝나고 편해지겠지? 훌쩍 떠나면 나는 물론이고 부모님도 근심 걱정 없이 편히 사실 수 있겠지? 그런데 끝나지 않는다면? 사고로 조금 다치든 많이 다치든 내 몸이 악화하면 더 힘들어질 테고, 부모님께 걱정 끼치게 된다. 또한, 떠난다 해도 마음 아파하실 것을 생각하면 해서는 안 되는 행동이었다. 내가 실패하면 당장은 병원비도 걱정되었다. 부모님께 걱정과 크나큰 상처를 줄 수는 없었다.

나의 마음도 모르고 속절없이 지나가는 차의 바람을 온몸으로 맞으며 거친 숨을 길게 내쉬었다. 헐떡이며 뜨겁게 몰아쉬던 숨을 가다듬으며 저만치에 있는 마을 어귀를 바라보았다. 이런저런 생각을 하다가 고통도 생각들도 가슴으로 꾸역꾸역 삼키었다. 주체할 수 없는 충동을 억누르고 마음을 추스르며 길을 걸었다. 내가 가야 할 길이고 운명인 것을 받아들였다. 어린 나는 고통과 슬픔, 풀지 못하는 것들과 이 일을 가슴 깊이 묻었다.

삶의 나락으로 떨어져 괴로움에 몸서리치다 가슴 시리도록 서러운 마음을 가다듬으며 갓길인 비포장 길을 향해 마을 어귀로 접어들었다. 누군가가 건들면 금방이라도 눈물이 마구 흐를 것 같았지만 마음껏 울 수도 없었다. 붉어진 눈시울에 눈물이 맺히는 것을 애써 감추며 한 가슴으로 숨을 토해냈다. 누가 볼까 봐 내 작은 가슴으로 소리 죽여 울었다.

아직 가슴 깊이 자리하지 못한 슬픔이 끓고 있는 것을 꾹꾹 누르며 아무 일 없었던 것처럼 집에 들어섰다. 마당을 지나 집 기둥에 기대어 불이 난 발가락으로 돌계단을 힘겹게 올랐다. 그리고 봉당에 올라 돌 마루로 향했다. 마루에 걸터앉아 뜨겁게 달아오른 지친 몸을 쉬었다. 발가락이 끊어져 나갈 듯이 아프고 팔과 손바닥도 아팠다. 나는 시름을 잊으려 옆 산을 하염없이 바라보았다.

학교에서 집에 돌아와도, 집에서 놀다가도, 다리가 아파도 돌 마루를 찾았다. 유일하게 내가 앉을 수 있고, 하루 일들의 시작과 끝이 있는 곳이자 휴식처다. 무엇을 시작하든지 마루에서 일어나서 끝낼 때도 역시 마루에 와서 앉기 때문이기도 하다.

나는 눈물 참는 것을 이미 오래전부터 연습해왔다. 타인에게 보이기 싫어서이기도 하지만 내 감정을 감추기 위해서다. 아무리 고되고 힘들어도 울지 않았다. 슬픔도 고통도 작디작은 가슴에 완전히 묻으며 그렇게 마루에 앉아 허공을 바라보며 가슴을 달래었다.

팔을 잃다

무궁화도 잔디도 마른 어느 날이었다. 수업이 끝나고 마의 구간을 지나 운동장을 가로질러 교문을 나왔다. 무궁화가 있는 학교 울타리를 벗어나는 순간 균형을 잃고 넘어졌다. 길 가장자리에 뾰쪽이 튀어나온 돌에 팔을 부딪쳤다. 난 몸이 쓰러져도 팔을 앞으로 뻗지 못해 나무토막처럼 넘어진다. 그래서 돌을 피하지 못했고, 큰 충격이 고스란히 오른팔에 가해졌다.

돌 주변에는 마른 풀과 잔디 외에 흙도 있었는데 그 많은 자리 중에 하필이면 땅에 묻혀 있는 돌에 부딪혀서 너무너무 아팠다. 몸을 일으키고 앉아 아픈 팔을 만지며 놀란 가슴이 가라앉기를 기다렸다. 어찌 되었든 집에 가야 해서 바닥에서 일어나는 것이 더 중요했다. 바로 옆이 작은 도랑이었다. 마침 물이 없고 말라 있었다. 나는 도랑에 다리를 내리고 벌린 후 왼팔에 힘을 쓰며 바둥바둥했다. 너무 낮은 곳이라 일어나기 쉽지는 않았다.

일어나기를 성공하고 도랑에서 길로 올라왔다. 이대로 이 상황을 피하고 싶었지만, 현실은 그렇지 못했다. 인적이 드물고 어쩌다 무정하게 지나가는 차는 괜스레 나의 가슴을 줍게 했다. 학교 옆이라 갈 길이 멀어 이럴 때는 차를 타면 좋겠다는 생각이 들기도 했다. 그러나 주머니는 늘 비어있고, 그런 호강은 내 것이 아니기에 생각을 접었다. 지팡이를 짚으려니 통증이 밀려들었다.

지팡이에 두 팔을 의지해야만 그나마 걸음도 덜 느리고 발이 덜 아픈데 평소대로 힘을 분산시킬 수 없었다. 집에 가는 길이 더 멀게만 느껴지고 이 상황에서도 계속 가야만 한다는 것에 서글펐다. 멀고도 외로운 길이었다. 정적만이 흐르는 가운데 나의 숨소리만 더욱 커질 뿐이었다. 난 고통을 참으며 힘겹게 집에 도착하여 마루로 향했다. 돌 마루에 앉아 책가방을 조심해서 벗고 이제야 숨을 돌렸다. 늘 그렇듯 아무 일 없는 것처럼 속으로만 생각했다.

나는 일찍 쉬고 싶었다. 저녁에는 부모님이 눈치채지 못하시고 넘어갔다. 우리 집은 해가 꺼져 어두워도 방에 불 켜는 일이 거의 없었다. 손님이 왔을 때나 일이 있을 때는 켜지만 말이다. 방이 어두우니 내가 아픈 것을 감추기가 수월했다. 그래서 이부자리에 들어가 어둠 속에서 조금의 자유를 얻었다.

이불 속에서 아픈 팔을 부여잡고 통증을 참느라 애를 썼다. 잠을 청하지만 팔 때문에 쉽게 잠들지 못했다. 엄마가 옆에 있어서 소리는 내지 못하고 자꾸 움직이면 들킬까 봐 신경 쓰였다.

더 아파지는 팔을 주체할 수 없어 배에 붙이고 바닥에 살짝 깔았다. 아픈 부위가 넓어 손으로는 잡으나 마나였는데 배 밑으로 깔고 누르니 버티기 조금 수월했다. 아침이 되어 밀려오는 통증을 참고 일상을 계속 이어갔다. 그렇게 참다 참다 아침 식사 시간이 되었다.

그런데 도저히 팔을 들어 올릴 수가 없었다.

그냥도 못 드는 팔로 수저를 들고 애를 써 봤지만 조금도 올라가지 않아 포기하고 앉아 있었다. 분주한 분위기를 보니 엄마는 할 일이 많은 날인 것 같았다. 내가 밥을 안 먹고 있자 얼른 먹으라며 재촉하셨다. 왔다 갔다 하시다 와서 보시고 밥이 그대로 있자 화를 내셨다. 엄마의 불같은 꾸중에 그동안 애써 참았던 눈물이 왈칵 쏟아졌다. 난 그동안 가슴으로 울었었다.

어린 나는 아픈 몸으로 혼자 감당해야만 하는 현실에 서러웠다. 나의 상황을 이해하는 사람이 없었기 때문에 서럽고 외로웠다. 왼팔로 먹어도 되는 것을 미처 생각지 못했었다. 왼팔로 먹었다면 꾸중도 안 들었을 테고 조용히 넘어갈 수 있었는데 그런 생각까지 하기에는 어렸다.

결국, 수저질을 못 하게 되어 엄마에게 털어놓았다. 그런데 넘어져서 다친 사실만은 숨겼다. 진실을 아시게 되면 걱정을 많이 하실 것 같아 잘 때 깔고 자서 부은 것이라고 거짓말을 했다. 그리고 침술 치료를 피하기 위해서이기도 했다. 경험상 침술 치료를 해서 나아진 적은 없었고 고통만이 더 할 뿐이기 때문이었다.

그래서 본의 아니게 포장을 했다. 밀려오는 통증 때문에 밤새 깔고 있어 더 부었는지도 모를 일이다. 엄마는 울먹이며 말하는 나에게 다가와 팔을 걷어 올려 보시고는 매우 놀라셨다. 아니 팔이 왜 이러냐고 하시며 엄마의 얼굴은 근심 걱정으로 가득하셨다.

엄마는 가슴이 무너졌을 듯싶다. 그렇기에 내가 그토록 숨기려고 한 것인데 들통나고 말았다. 어깨부터 아래까지 팔 전체가 내 팔의 두 배가 넘게 엄청나게 부었다. 내가 아무리 용을 써도 전혀 들지 못할 정도였으니 놀라시는 것은 당연했다.

보통 때라면 파스라도 구해서 붙여주실 텐데 파스 소리가 없었다. 엄마는 마음을 다지시고 밥부터 먹으라며 먹여주시려고 했다. 팔이 아파서 제대로 못 먹었을 나의 배곯음이 걱정되신 모양이었다. 나는 눈물 밥을 삼켰다. 엄마는 병원에 데리고 갈 엄두가 안 나서 아빠한테 말씀하신 듯싶다. 부모님은 침술 치료를 하시기로 했다. 이 병의 위험성은 아무도 모른 채 지옥으로 들어가게 되었다.

엄마가 나를 잡고 아빠는 침을 놓았다. 팔 전체가 부어서 넓은 만큼 시간이 오래 걸리고 침도 많이 찔러대는 통에 너무 아파 통곡 아닌 통곡을 했다. 부기를 빼기 위해 빈틈없이 빽빽하게 침이 들어갔다. 싫다고 아무리 발버둥 쳐도 사정을 봐주지 않았다. 아빠는 호랑이라 무서워 아빠의 한마디에 더는 아무 말도 못 했다. 그렇게 군기를 잡아 놓으시고 침술 치료는 계속되었다.

그런 후에 피를 닦아 내시고 약을 팔에 붙이셨다. 그때만 해도 약초가 귀했다. 고두밥을 지어서 붉은 약초 물과 버무린 다음 흰 천에 골고루 폈다. 그것을 내 팔에 붙이고 천으로 감아 동여매었다. 밥을 이용한 이유가 아마도 약물을 천천히 스며들게 하는 방법인 듯싶다. 그러는 동시에 나쁜 것들을 빼내는 작용도 하는 것 같았다.

그렇게 치료가 계속되었다. 안 그래도 재발이 되어 아픈데 이중고를 어쩔 수 없이 겪어야만 하는 난 그 시간이 너무 싫었다. 그러한 부모님의 노력에도 불구하고 조금도 차도가 보이지 않았다.

나아지지 않는 것이 당연했다. 뼈 생성이 끝나야만 부기가 차츰차츰 빠질 수 있는데 뼈가 자라고 있는 와중에 부채질을 더한 셈이었다. 병원을 갔더라도 어떠한 처치를 했을지는 모르지만 팔에 자극을 주었다면 마찬가지로 재발이 되었을 듯싶다. 만약 뼈를 제거하려고 수술을 했다면 더 심하게 악화하였을지도 모른다.

이러나저러나 이 병에 대하여 몰랐기 때문에 어쩔 수 없이 겪어야 하는 과정이고 결과였다. 치료하기 위해서 한 것이 재발을 부르는 것임을 아무도 몰랐으니 말이다.

부모님은 지치셨다. 엄마는 안 되겠다 싶으셨는지 아빠에게 나아지지 않는데 애만 잡는 것 같다고 말했다. 아빠의 의견대로 더 치료해 보신 후에 끝내기로 하셨다. 나는 날아갈 듯이 좋았다. 팔에서 나는 약 냄새도 싫었고 안 그래도 무거운 팔에 밥을 붙이니 엄청 무거웠다. 특히나 침 치료는 몸서리치게 싫었다. 지옥 같았던 시간에서 해방되니 어린 나야 안 좋을 리가 없었다. 치료가 중지되고 시일이 흐르니 차츰차츰 부기가 빠지기 시작했다.

엄마는 식사 때마다 밥을 먹여주시다가 이제 덜 아프니까 혼자 먹으라고 하셨다. 일이 많은데 계속 먹여 줄 수는 없다고 하시면서 오른손이 안 되면 왼손으로 먹으면 된다고 말해 주셨다. 엄마의 말에 왼손으로 수저를 들었다. 그렇게 오른팔을 잃고 왼팔로 식사를 하게 되었다. 나는 변화된 장애에 적응하며 극복해나갔다.

학 교 가 는 길

방문을 열고 낡은 책가방을 마루에 밀어 놓고, 높은 문지방 턱을 손으로 짚고 엉덩이를 들어 올려서 넘는다. 책가방을 이동시키고 손으로 마룻바닥을 짚으며 엉덩이로 기어 나와 마루 끝에 걸터앉았다. 방문은 창호지를 바른 옛것이라서 힘껏 밀면 열렸다. 지금처럼 문고리를 잡고 돌려야 한다면 열어 줄 때까지 기다려야 했다. 신발을 신고 구석에 있는 지팡이를 잡고 일어났다. 부엌 앞에 있는 돌계단 2칸을 내려와 봉당을 벗어나면 마당이었다.

엄마는 부엌에서 나오셔서 도시락을 가방에 넣으시고 가라고 말씀하셨다. 집을 나와 텃밭을 지나 비탈진 좁고 작은 길을 걷다 보면 작은 도랑이 있었다. 도랑은 그때그때 모양이나 넓이가 달라졌다. 흙으로 되어 있어서 비가 많이 오면 흙이 파여 물에 쓸려 내려가고 땅이 내려앉기도 했다. 그래서 걸음을 멈추고 어느 위치에서 뛰어야 건널 수 있을지 가늠해 본다. 그리곤 서성이며 몇 번의 시도 끝에 건너갔다.

어렵지 않게 다녔던 구간이지만 이제는 양쪽 다리가 불편해졌기에 어려움이 따랐다. 그런 데다 세월이 흘러서 길도 파손되었다. 도랑이 너무 넓어지면 건너는 것에 온 신경을 집중해야만 했고, 넘어지지 않으려고 조심해야 했다. 빠지면 다치는 것은 물론이고 옷과 신발을 버리기 때문이다. 불편한 도랑을 건널 때면 가슴이 쿵쿵거렸다. 나무판이라도 놓으면 건너기 수월할 텐데 우리 집에 나무판자가 없었다. 도랑을 무사히 건너면 어려운 길은 없었다.

작은 길을 가다 비포장 길을 지나면 신작로가 나왔다. 마을을 벗어나면 학교까지 도로로 갔다. 아니면 샛길로 가서 하천으로 갈 때도 있었다. 제일 빠른 길이 하천길이기 때문이다.

학교에 닿으면 교문을 통과해야 하는데 경사가 심한 비탈이라 모래에 미끄러질 수 있어 조심해야만 했다. 도로 공사할 때 교문 진입 부분까지 아스팔트가 깔렸었다. 겨울에 눈이 내려 미끄러우면 나는 곤혹 치렀다. 눈이 쌓이고 얼어버리면 어디로 갈지 갈팡질팡하고 고민했다. 연탄재나 모래가 뿌려져 있으면 조금 수월하게 다닐 수 있지만, 쉬운 것은 아니었다. 전체적으로 뿌려진 것이 아니고 차가 갈 수 있게 가운데만 조금 뿌려 놓는다.

그래서 갑자기 차가 오면 내가 자유자재로 빨리 피할 수 없다. 가운데 자리도 얼어붙어 버릴 때는 너무 미끄러워 위험해졌다. 그렇기에 어느 쪽으로 이동할지 선택을 잘해야 했다. 교문 앞이 바로 도로이다 보니 오던 차가 갑자기 꺾기 때문에 언제 차가 들어오는지 미리 알 수 없었다.

때로는 순식간에 교문을 통과하는 차를 보면 부러웠다. 차를 타면 미끄럽지 않을 텐데…… 차 꽁무니를 바라보고 난 후 내려가려니 한숨만 나왔다. 어렵사리 교문을 통과하고 운동장을 지나 계단을 올랐다. 첫 번째 만나는 계단은 다른 것보다 약간 낮아서 계단 중에서도 제일 수월한 구간이었다. 그래도 쉽지 않아 어렵게 오르고, 또 다른 계단 앞에 섰다.

고학년 교실은 산 밑에 있어 맨 꼭대기 건물로 가야만 했다. 두 번째 계단을 불안에 떨며 오르기 시작했다. 첫 번째 계단보다 높고 좁은 데다 큰 돌들을 쌓아 시멘트를 발라서 만들었기 때문에 평평하지 않았다. 온몸을 바들바들 떨며 안간힘을 내야 오를 수 있는 두 번째로 어려운 구간이었다.

먼저 왼쪽 다리를 올리고, 지팡이를 바로 위 칸에 올려서 비스듬하게 기울여 짚고, 팔과 왼쪽 다리에 힘을 준다. 반동을 주어 상체를 위로 올리며 오른쪽 다리를 들어 올려 위 칸을 딛는다. 몸을 굽히고 오르니 계난에 얼굴이 닿을 듯했다. 조금이라도 실수하면 다치기 때문에 가슴이 쿵쿵 요동쳤다.

가슴 졸이며 온 신경을 곤두세우고 1칸 1칸 더디게 올랐다. 그러다 누군가 오는 것 같으면 아이들이라도 마구 뛰어올까 봐 가슴이 철렁하기도 했다. 까치발로 계단을 오르고 있었기 때문에 누군가가 지나가며 살짝 스치기만 해도 넘어지고 만다. 누가 오는 것을 보았을 때는 미리 구석으로 피했다가 다시 올랐다.

왼쪽 다리라도 쓸 수 있었다면 그렇게 어렵지 않게 올라갈 수 있는데 왼쪽 다리가 굽은 채로 굳었다. 그래서 무릎 관절을 움직일 수 없어 계단에 먼저 올릴 때는 지팡이에 의지해 상체를 들어 허리를 펴야만 다리를 올려놓을 수 있었다.

추락사고 전에는 많은 것을 왼쪽 다리로 했었다. 그런데 하나 남은 왼쪽 다리마저 뼈가 생기고 굳어서 무릎 관절 기능을 잃었다. 양쪽 무릎과 발목 관절 기능을 잃으니 계단 하나 오르기가 나에게는 지옥을 넘나드는 일이었다. 그렇게 부들부들 떨며 힘겹게 두 번째 계단을 오르고 나면 교실이 있는 건물 앞이다. 몇 걸음 가면 또 계단이 기다리고 있다.

두 칸뿐이지만 나에게 쉬운 건 없다. 첫 칸이 지금껏 올라왔던 것보다 높아 애를 먹었다. 계단 양옆으로 잔디 화단이 있는데 아이들이 하도 밟아 잔디가 죽고 흙이 보이는 땅이 되었다.

그래서 나도 들어갔었다. 잔디도 없고 이미 맨흙이라 들어가도 괜찮다는 생각이 들어서다. 잔디를 망치려고 들어간 것이 아니라 계단을 오르기 위해 들어간 것이었다. 화단이 약간 높이가 있어 계단 정면보다 신발을 집는 데 덜 불편하기 때문이기도 했다.

그런데 하필이면 학교 소사 아저씨한테 딱 걸리고 말았다. 다른 아이들은 수시로 들어가는 데 나만 걸려서 꾸중을 들었다. 난 잔디를 밟지 않았다. 길게 난 화단에 잔디가 있지만 내가 필요한 공간은 잔디가 없는 계단 옆인데 굳이 잔디가 많은 곳까지 갈 필요도 없었다. 혼나고부터는 발을 들이지 않았다.

나는 첫째 칸 계단이 높아 오를 수가 없어 땅바닥에서 선 채로 그냥 계단 위에 칸에 앉았다. 그리고 발과 지팡이를 이용해 신발을 벗고 상체를 최대한 굽혀 신발을 집어 들었다. 그런 후에 처음 칸에 다리를 들어 올리고 최대한 벌렸다. 왼쪽 다리 뒤로 왼팔을 넘기고, 위에 칸 바닥을 손으로 짚었다. 팔과 왼쪽 다리에 힘을 주어

반동을 일으키며 엉덩이를 띄우려고 들썩거렸다. 숨도 쉬지 않고 바둥바둥하며 발을 세웠다.

발을 세워 몸의 균형이 잡히면 지팡이를 짚고 벌어진 다리를 몸통 쪽으로 당기면서 발을 조금씩 움직여 가며 서서히 일어섰다. 무릎 관절을 쓸 수 없었기 때문에 낮은 바닥에서 일어나려면 다리를 최대한 많이 벌렸다가 오므려야만 일어설 수 있었다.

좁은 계단에서 일어날 때 앞으로 처박힐까 봐 심장이 더 빠르게 뛰었다. 아슬아슬하게 가슴 졸이며 안간힘을 써서 일어서는 것에 성공하면 이제 돌아서야 했다.

의자 높이에서 일어서는 것은 쉽지만 의자보다 몇 배 낮은 높이에서 일어난다는 것은 매우 어렵고 불가능하다. 불가능을 가능으로 바꾸기까지 얼마나 많은 노력을 하고 애를 태웠는가? 계단에 앉아 몸을 세우려고 바둥바둥하며 얼마나 가슴으로 울었는지 모른다. 젖먹던 힘과 내면의 힘까지 탈수하듯 모두 짜내었다.

굽혀지지 않는 무릎 때문에 다리를 최대치로 벌린 상태이고 발목이 불편해 발뒤꿈치를 바닥에 놓을 수가 없어 발가락이 있는 앞쪽으로 지탱해야 하기에 몸의 중심 잡는 것 자체가 매우 어렵고 위험한 동작이다.

발바닥 전체를 이용해서 바닥을 디딜 수 있으면 균형 잡는 것에 엄청난 도움이 되겠지만 현실은 그렇지 않았다. 까치발로 바닥을 딛고 몸을 세울 때의 불안감은 떨쳐버리려고 아무리 노력하고 발버둥 쳐봐도 떨쳐낼 수가 없었다. 그래서 나는 정신적으로도 싸워야만 했었다. 균형을 잃고 앞으로 떨어지면 내게는 큰 낙상 사고니까 말이다.

다쳐서 아픈 것보다는 몸의 어딘가를 잃어 장애를 남기기 때문에 공포와 불안감은 없어지지 않았다. 누군가가 손을 잡아 주었다면 수월하게 오를 수 있고 심히 불안에 떨지 않았을 텐데⋯⋯. 조금 거들어주어도 균형을 잡을 수 있어 왼쪽 다리에 힘을 많이 쓰면 계단 오르기가 그렇게까지 어렵지 않았다.

계단이 좁아 조심스레 돌아서서 둘째 칸을 올라가면 건물로 들어갈 수 있었다. 실내화 없이 발가락으로 걷는 난 딱딱한 지면을 디디면 발이 아프고 모래가 밟혔다. 건물 안으로 들어가면 최대 고비인 마지막 구간이 나를 기다렸다.

내가 첫 번째로 꼽는 제일 힘들고 어렵고 위험한 계단이다. 흙이 아니기에 넘어지면 몸이 받을 충격이 더 강해서 매우 위험한 존재였다. 지나가는 사람과 부딪히는 것을 최소화해야 해서 신경 곤두세우고 벽 쪽으로 딱 붙어 많은 계단을 올랐다. 오르고 나면 경사진 비탈면이 있다. 차라리 다 계단이었으면 조금이라도 나으련만 그렇지 않아 한숨이 절로 나왔다.

뛰어오는 아이가 있어 심장은 더욱 크게 소리를 냈다. 여름에는 그나마 다니기 조금 나은 편이다. 겨울에 물 밀대 청소하고 나면 살얼음이 얼어 위험 요소가 추가되었다. 고학년이라 2층에 교실이 있어 어쩔 수 없는 노릇이다.

경사진 사면계단을 오르고 나면 기름칠해 닦는 나무로 된 복도가 나왔다. 평평해서 쉽게 느끼겠지만 두 발 모두 까치발로 걷는 나에게는 미끄러운 곳이라 위험했다. 뛰는 아이들 때문에 천천히 앞뒤를 살피며 교실로 향했다. 그렇게 최대 난관을 지나 등교를 마쳤다. 그렇다고 끝난 게 아니다. 교실 안에서도 조심해야 하는 것은 마찬가지이다. 그리고 집에 돌아갈 때도 그 난관들을 넘어야 했다. 결론적으로 집에 들어가야 그나마 덜 위험하고 안전하다.

나는 계단을 오르내리기 너무너무 버거워 가끔 학교에 가기 싫었다. 나의 공포와 불안감은 아무도 모른다. 부모님은 다리가 불편하니까 느리다고만 알고 계셨고, 높은 곳에 못 올라간다는 것을 알지 못하셨다. 그래서 어디를 같이 다녀도 잡아 주어야 한다는 것을 인식하지 못해서 도와주지 않으셨다.

봉당에 있는 계단을 보수할 때도 더 높게 만드셨다. 안 그래도 높은데 보수된 계단은 더욱 높아져서 이용하지 못했다. 그래서 다소 시간이 걸려도 부엌 쪽 계단으로 가서 마당을 내려왔다. 또한, 넘어지거나 부딪히면 재발이 나타나는 것도 모르셨다. 부모님이 연세도 있고 어떻게 말을 꺼내야 할지 어려웠다. 나의 속마음을 이야기하면 속상해하시고 근심만 늘려 드리는 것 같아 침묵했다.

나는 부딪히거나 넘어지면 아프게 되고 그 후에는 장애가 생겨서 할 수 있던 것을 못 하게 되었다. 그런 일이 반복되니 몸소 알게 되었고 조심해야 한다는 것을 뒤늦게나마 깨닫게 되었다.

아무도 모르기에 나 홀로 외로운 싸움이었다. 추락사고 때부터 이미 병마와 외로운 싸움이 시작되었다. 혼자서 애쓰고 조심하느라 전전긍긍할 수밖에 없었다. 학교에 안 갈 수 없으니 졸업까지 참자 며 나 스스로 위로해보기도 했었다.

낮은 곳으로부터

추락사고 후로는 작은 충돌에도 재발이 쉽게 일어났다. 진행이 시 작되면 새로운 뼈가 생겨서 움직임에 제한을 주기 때문에 더 불편 해 짐에 따라 모든 일상이 변했다. 나는 앉아서 기어 다니는 일이 늘었다. 방에서 엉덩이로 기어 다니고 마루로 나올 때도 기어서 나 왔다. 방안에서는 내가 지탱해서 잡고 일어날 만한 가구나 책상이 없었다. 오빠가 쓰던 의자가 있지만, 높이가 높고 팔이 올라가지 않 아 아무리 매달리고 애를 써도 소용이 없었다.

그래서 가끔은 책상에서 공부하고 싶어도 내 것으로 만들지 못했 다. 그냥 방바닥에서 숙제하다가 어느 날부터 오래된 작은 밥상에 서 했다. 밥상은 팔이 굽혀지지 않는 내게 조금 높았다. 오래 하면 팔이 아프고 새끼손가락 쪽 피부가 쓸리고 아팠다. 어쩌다 한번 문 지방을 짚고 일어나서 방으로 들어가 책상 앞에 앉았다. 책상 역시

나에겐 높았고 의자도 불편하였다.

잠깐 앉아보고 책들을 뒤적거리고 방을 한 바퀴 돌고 나서 다시 문지방으로 와서 지탱해 앉았다. 문지방을 넘기도 쉬운 것이 아니기에 아무도 없거나, 주변 상황이 받쳐줘야 가능한 일이었다.

학교에서 걸레를 만들어 가져오라고 했었다. 난 도톰하고 튼튼하게 만들어서 가져갔다. 그러나 내가 만들어간 것으로 청소를 할 수 없었다. 먼저 집는 사람이 쓰게 되니까 아이들이 다 선택한 후 남는 지저분한 걸레를 쓸 수밖에 없었다.

그 당시에는 나무로 되어 있는 교실과 복도를 기름칠하여 걸레질했다. 난 의자를 지탱해 바닥에 앉아 엉덩이로 기어서 청소를 했다. 청소가 끝나기 무섭게 아이들은 걸레를 들고 나를 지나 수납하였다. 아이들이 손에 든 걸레가 내 머리 위나 얼굴 앞으로 지날 때면 절은 기름 냄새를 고스란히 맡아야 했다. 던지는 아이도 있어 먼지와 냄새가 코를 찔렀다. 남들처럼 바닥에서 바로 일어날 수 없어서였다. 아이들이 가고 난 후 다시 의자를 이용해 바닥에서 일어났다.

나는 부모님이 나무로 깎아 만든 지팡이를 짚고 다녔다. 자식이 부모님 지팡이를 해주는 것이지 부모가 자식의 지팡이를 해주는 것이 아니라고 옛 어른들의 말씀이 전해졌다. 그러니 나의 지팡이를 깎으시면서 마음이 얼마나 아프셨을까? 그때는 철이 없어 지팡이를 만들며 속상하셨을 부모님 마음을 알아채지 못했다.

지팡이를 짚고 구부정하게 걸으니 눈의 시선은 땅으로 향했다. 눈을 치떠야 정면을 겨우 바라볼 수 있었고, 상체를 펴야 상대의 눈을 마주할 수 있었다. 왼쪽 다리를 들고 상체를 펴도 보는 시선이 남들보다 낮을 수밖에 없었다. 목을 들지 못해 고개를 숙이고 있기 때문이다. 느린 걸음으로 다니고부터 관심 있게 안 보던 것들과 무심코 지나쳤던 것이 시야에 들어왔다.

긴 시간 홀로 걷노라면 외로울 때가 참 많다. 늘 보는 가로수와 길 위의 잡초만이 있을 뿐. 이른 아침 책가방을 메고 텃밭 옆으로 작은 길을 걸으며 논둑을 보니 서리가 내려서 풀 잎사귀는 하얗게 옷을 갈아입고 있었다. 도랑을 건너고 조금 빨리 가기 위해 큰 논으로 들어갔다.

논바닥에도 서리꽃이 피어 예뻤다. 지푸라기를 밟으며 걷다가 뒤돌아보니 서리가 녹아 나의 흔적이 남겨졌다. 떠오르는 햇살에 금세 없어질 나의 발자국이지만 내가 지나온 길이다. 도로변 잔디에도 서리꽃이 나를 반기고 있었다. 홀로 외로이 가는 길 위에 조금은 위안이 되었다.

어쩌다 지나가는 차들을 힐끗 보거나 갑자기 울리는 정적 소리에 심히 놀라다가도 금세 고요해지곤 했다. 여름비가 반겨 주거나 한겨울 칼바람이 반겨줄 때도 있었다. 가을에 핀 코스모스는 손을 흔들었다. 코스모스는 내 손이 닿는 높이의 꽃들이 많았다. 심심풀이로 꽃잎을 딴 적이 있었는데 나의 빈 가슴은 조금도 채워지지 않아 다시는 꽃을 꺾지 않았다.

때로는 나무가 말을 했으면 싶었다. 속내를 말하지 않던 내가 처음으로 엄마에게 나무가 말했으면 좋겠다고 했다. 아주 옛날에는 나무가 말을 했다고 했다. 어디서 들으셨는지 동화 같은 말씀을 하셨다. 동화를 접해 본 적도 없고, 설마 하면서도 엄마의 말을 믿었다. 아니 나는 믿고 싶었을지도 모른다.

사람 대 사람은 참으로 복잡하고 어렵다. 나무라면 그냥 나의 이야기를 들어줄 것 같았다. 많은 말이 필요한 것이 아닌 나의 속마음을 이야기하거나 길을 걸을 때 한마디씩 해주는 이가 있었으면 했다. '어서 가야지. 조금만 가면 돼.' 등의 간단히 오늘 날씨 같은 일상 대화여도 좋았다. 누군가가 그냥 옆에 있어 주면 걷는 것이 덜 힘들고 긴 시간 외롭지도 않았을 것 같다.

집에 갈 때 비가 많이 오면 엄마가 우산을 가지고 데리러 오실 때도 있었다. 길 위에 혼자 있다가 멀리서 엄마가 보이면 무척이나 반가웠다. 그러나 가까이 오면 잔소리를 시작하셨다. 잔소리는 싫지만 가는 길 위에 누군가가 있어 외롭지는 않았다. 허리를 구부리고 땅만 보고 걷는 나는 엄마의 뒷모습을 한 번씩 힐끔 쳐다보며 힘을 내어 집으로 갔다.

나는 이제 한두 살 먹은 어린아이가 아니다. 오래전부터 침묵이란 것에 익숙해진 나, 이제는 더 많은 것을 가슴 깊이 담는다. 괴로움과 고통, 외로움을 비워낼 줄 몰라 작은 가슴에 묻었다. 외로운 길을 나 홀로 가며 매일 병마와 싸웠다. 그렇게 낮은 곳에 익숙해져 가고 보통 사람들이 지나치는 많은 것을 눈에 담았다.

마지막 소풍

6학년 때의 마지막 소풍이다. 엄마는 못 가신다고 내게도 가지 말라고 하셨다. 도시락 준비 안 했다며 오백 원을 주셨다. 소풍을 가지 못해 내가 실망할까 봐서 겸사겸사 용돈을 주셨다. 먹고 싶은 것을 사 먹고 곧장 집으로 오라고 하셨다. 혼자 따라가지 말라고 당부하셨다. 나는 소풍을 가지 못해도 아무렇지 않았다.

선생님을 찾는데 어디 계신지 안 보였다. 한참을 서성이다 선생님이 보여 소풍을 가지 않고 집에 가도 되냐고 여쭈었다. 그런데 내가 원하는 답이 아니고 느낌상 소풍 가라는 것 같았다. 한 번 더 말하려고 했지만 바쁜 듯 휭하니 다른 데로 가셨다. 선생님은 한 명도 빠짐없이 참여하기를 바라셔서 그러셨겠지만 나는 함께 하지 못한다. 소풍 가면 다른 아이들과 같이 둥글게 빙 둘러앉아 게임한다거나 장기자랑을 하면서 함께 어울릴 수 없었다.

두 다리가 굽혀지지 않아 혼자서는 자유롭게 바닥에 앉을 수 없기 때문이다. 그리고 계속 서 있는 것이 무리가 되고 발밑의 돌들을 신경 써야 하니까 소풍을 제대로 즐기지 못했다. 그저 저만치에서 웃으면서 즐겁게 노는 아이들을 가끔 바라볼 뿐이다. 내가 만약 붙임성이 좋아 친구가 많으면 도움을 받아 아이들과 좀 더 가까이 있을 수도 있었겠지만, 장애가 있어 아이들에게 다가가기가 쉽지 않았다. 또한, 타인에게 폐를 끼치는 것을 싫어하기도 했다.

나는 허락 없이 집에 갈 수 없어 선생님을 계속 기다렸다. 시간은 흘러가고 서 있는 시간도 길어지고 있었다. 나도 빨리 집에 가야 하는데 그날은 내 마음대로 되지 않았다. 선생님은 갑자기 오토바이를 타고 오시더니 뒤에 타라고 하셨다. 그 순간 오토바이를 타면 엄마한테 혼난다는 생각이 제일 먼저 스쳤다. 잘못 타다가 화상이라도 입으면 큰일이라 복잡한 심경이었다. 선생님과 엄마 말씀을 안 따를 수 없는 노릇이다.

뭐라고 말하면 어른한테 대드는 것이 되고, 특히나 선생님 말씀을 거부할 수 없었다. 어려서부터 선생님과 어른은 공경해야 한다는 것에 너무너무 얽매여 있다 보니 한마디도 못 했다. 또한, 말 안 듣는다고 매를 들거나 벌을 주면 그것을 감당해 낼 수 있는 몸 상태가 아니었기에 더더욱 조심해야만 했다.

그래서 집에 가야 한다는 말이 입에서만 맴돌다가 삼켜야만 했다. 선생님은 재촉하시며 오토바이 뒷자리를 내 앞으로 가까이 붙이셔서 어쩔 수 없이 탔다. 선생님들은 내가 무엇이 불편한지 모르셨다. 하지 말아야 할 것과 넘어지면 다쳐서 장애를 입게 되는 나의 몸 상태에 대하여 아무도 몰랐다.

그리고 아무도 내게 묻지 않았다. 겉으로 드러나는 장애는 대략 알고 계시지만 듣지 못하는 장애가 있는 것은 모르셨다. 소풍 장소를 말씀하셨는지 모르지만 나는 듣지 못했다. 소풍 장소가 하천인지는 꿈에도 모른 채 오토바이에 몸을 싣고 고통의 늪으로 다가가고 있었다.

선생님은 학교 정문이 아닌 운동장을 지나서 내가 사고 났던 샛길로 내려가 외딴곳으로 오토바이를 몰고 가셨다. 꽤 멀리 온 듯하더니 정지하시고 내리라고 하셨다. 외딴곳에 그것도 길을 가다 중간에 내리라고 해서 무슨 영문인지 얼떨떨했다. 나는 다칠까 봐 조심스레 내렸다.

선생님은 저쪽으로 손을 저으며 뭐라고 하셨다. 그리곤 오토바이의 방향을 돌리고 왔던 길로 횡하니 가셨다. 귀가 잘 들리지 않아 말이 빠르면 알아들을 수가 없다. 난 잘 듣지 못해 대충 눈치와 상대방의 행동 그리고 감으로 맞추어 이해하곤 했었다. 그래서 다시 물어보려고 했으나 쏜살같이 가시는 바람에 묻지 못했다. 어쩔 수 없이 주위를 둘러보니 마을은 안 보이고, 산과 밭뿐이었다. 외진 그 길 위에 혼자가 되었다.

한 번도 가 본 적이 없는 곳이었다. 가도 가도 길 끝이 보이지 않아 은근 걱정이 되기 시작했다. 가다 보니 밭에서 쪼그려 앉아 일하시는 분이 있었다. 소풍 장소가 어디인지 아시냐고 물었지만 잘 듣지 못하는 데다가 거리감이 있어 말소리가 작았다. 역시 그분도 손짓하셔서 계속 갔다. 목적지를 몰라 아이들이 오는지 뒤를 돌아보며 갔다. 드디어 저만치에 다리가 보였다. 다리에 도착하니 멀리서 아이들도 오고 있는 것이 보여 안심이 되었다.

길을 더 가야 할지 근처가 소풍 장소일지 몰라서 뒤처지더라도 다리에서 기다리기로 했다. 아이들은 금세 가까워지고 내 옆을 지나 샛길로 꺾어 가더니 하천으로 내려갔다. 아이들이 다 지나가길 길가에 바짝 붙어 서서 기다렸다가 나도 천천히 하천으로 향했다.

하천으로 내려가는 걸 보고 나서야 선생님이 뭐라고 했는지 알게 됐다. 역시나 돌들이 지천으로 널려 있어 발가락으로 걷는 내게는 매우 불편하고 위험에 노출되는 장소였다. 소풍 장소는 왜 매번 하천인지 알 수 없었다. 아무것도 심지 않은 평지나 잔디가 깔린 낮은 산도 있는데 말이다.

같은 반 아이들과 되도록 가까이 있어야 해서 까치발로 천천히 돌 위를 하나하나 밟으며 건너갔다. 내게는 맨땅도 힘든 데 크기도 제각각인 딱딱한 자갈 위를 걸으면 고통이 커졌다. 발가락으로 걷는 나는 중심 잡기도 어렵다. 반 아이들이 있는 주변으로 기댈만한 큰 바위를 찾아 자리를 옮기고 바위에 기대서서 아이늘을 지켜봤다. 더 가까이는 바위가 없어서 떨어진 곳에서 아이들이 하는 게임이나 무언가를 하는 것을 구경했다.

그렇게 애써 자리를 잡고 있었고, 곧 점심이라 다들 휴식 시간이었다. 도시락을 안 가져온 걸 아는 친구가 밥을 같이 먹자고 한 것 같다. 그래서 밥을 먹으려고 자리를 옮겼다. 나는 아무것도 없는 곳에서는 혼자 바닥에 앉을 수 없었다. 두 다리가 굽혀지지 않기 때문에 의자나 가구 같은 물건이 있어야만 잡고 앉을 수 있었다.

어렵게 도움받아 자리를 잡았는데 선생님이 부르셨다. 서류 때문에 학교 근처로 볼일 보러 가야 하는 분이 있었다. 잘 듣지 못해 부르는 방향을 바라보고 있으니 그분 가실 때 오토바이 타고 가라고 하셨다고 친구가 말해 주었다. 이제 겨우 다리가 쉬는구나! 생각했는데 다시 일어나야 했다.

결국, 휴식을 못 하고 몸을 가누고 자갈이라서 바둥바둥했다. 일어나려고 준비하는데 어른들의 재촉에 아이들이 부축해줘 일어나게 되었다. 서둘러 하천을 나와 길 위에 오토바이로 향했다. 선생님이 가까이 오시더니 빨리 타라고 하며 집에 먼저 가라고 하셨다.

나는 내키지 않는 오토바이에 또다시 올라야만 했다. 오토바이를 타고 낯가림이 심해 가만히 있으니 잡으라고 해서 옷인지 허리인지 살짝 잡았다. 오토바이는 오던 길로 달려 쏜살같이 학교 교문 앞에 도착했다. 내리라고 하셔서 내리고 나니 횡하니 가셨다.

오토바이가 마을로 가는 뒷모습을 보며 가슴을 쓸어내렸다. 엉겁결에 와서 무사히 내렸지만, 가슴이 뛰고 어지러워서 구부정하게 잠시 서 있었다.

이제 집으로 가야겠다는 생각에 발길을 돌렸다. 오래 서 있어서 이미 지쳐 버린 몸뚱이와 발가락에 열이 나고 뼈가 바스러지는 듯 아팠다. 조금 가다 보니 멀찍이서 술 드신 아저씨가 비틀거리며 오고 있었다. 참 운도 지지리 없다. 그분하고 마주치기 싫어서 엄마가 반대하는 하천 길을 향해 비포장 샛길로 들어갔다. 하천에 다다라 비탈진 길에 올라가 물의 양과 흐름, 차가 다녔던 흔적들을 살폈다. 그러나 마땅히 건널 곳이 없었다. 결국, 헛걸음한 셈이다.

어쩔 수 없이 비포장 길 따라 도로가 있는 곳으로 올라왔다. 이렇게 되면 시간도 지체되고 몸은 몇 배로 힘들다. 도로변으로 나오면 학교길 반의 지점이라 반이나 더 가야만 집에 도착한다. 시간은 흐르고 많이 걸었는데 쉴 곳도 없고, 어떻게 할 방법이 없었다. 끼니도 제대로 챙기지 못한 상태였다. 너무 힘들다 보니 오토바이를 태워 준 김에 학교길 반까지만이라도 데려다주었으면 이렇게 힘들지 않았을 텐데 하는 생각이 스쳤다.

나는 그대로 주저앉고 싶었다. 어쨌든 집에 가야 앉을 수 있으니 걷고 또 걸었다. 우여곡절 끝에 집에 들어가니 엄마는 화가 잔뜩 나셔서 야단을 치기 시작하셨다. 내 몸이 힘들어 그렇게까지 걱정하시고 화가 나시리라곤 깊게 생각지 못했다. 늦게 와서 혼날 뿐이라고 생각했었다. 내심 걱정이 되긴 했지만 빨리 집에 갈 수 없었다. 그저 다치지 않으려는 것에 온 신경을 써야 했다.

엄마와 선생님의 중간에 끼어 양쪽 말을 다 들어야 하는데 어찌할 도리가 없었다. 소풍이 꼭 가고 싶었던 것도 아니었고 나의 의지가 아니있다. 어느 쪽도 서부할 수 없어 흐르는 대로 따라갈 수밖에 없었다. 내 마음대로 할 수 있으면 얼마나 좋겠냐만 나에게는 결정권이 없었다.

종일 서 있어서 빨리 쉬고 싶은 마음이 굴뚝같은데 엄마는 어디 갔다가 이제 오느냐고 호되게 야단치셨다. 난 혼날 때 거의 듣기만 하는 편인데 엄마의 화가 쉽게 가라앉지를 않았다. 시간이 흘러도 내가 오지 않아 걱정이 많이 되셨고 학교까지 두 번인가 갔다 오셨다고 했다. 그런데 나를 못 만나서 걱정이 배가 되었다. 소풍을 가지 말라고 당부하셨으니 따라갔는지도 알 수 없으셨다.

엄마의 화가 가라앉으려면 내가 자초지종 설명을 해야 할 것 같았다. 아침부터 상황을 대략 말씀드렸다. 엄마는 그제야 조금씩 화가 내려가고 있었다. 엄마는 너무 걱정된 나머지 그럴 수밖에 없었고, 야단치거나 화를 내는 것은 당연했다. 나로 인해 생긴 일이고 나의 잘못인 것을 알고 있었다. 잘못이라는 것을 알면서도 내 마음대로 되지 않았다. 한번 말해서 안 되면 다시 말해야 하는데 어른들한테는 거부 의사 표현이 어려웠다.

만약 선생님께 말씀드린 후 바로 집으로 갔다면 야단 안 맞는 걸 떠나서 생고생은 하지 않았다. 그랬다면 선생님이 나를 찾아다녔을지도 모른다. 그리고 선생님께 잘못했으니 어떻게 혼났을지는 알 수 없지만, 고생은 했어도 어쩌면 흐름을 탄 것이 나았을 수도 있었다.

나는 두 번의 소풍이 고통이었기에 좋아하지 않게 되었다. 나에게 봄날도 가고 힘든 하루도 갔다. 학교에서 가는 마지막 소풍은 막을 내렸다.

희망을 품다

나에게 봄은 희망이었다. 정체 모를 병마와 전신 장애로 시련과 고통이 계속되어 정신적으로 힘들었지만 나는 희망을 노래했다. 하루하루 다가오는 일상 속의 조각들을 하나씩 헤쳐나갔다. 주어진 삶에 끊임없이 노력했다. 사람들은 나의 철없는 모습에 몸이 그런데 어떻게 살아갈지 걱정스러운 시선으로 혀를 찼다.

어른들의 세상을 알기에는 어렸고, 그 의미를 몰랐다. 그리고 먼 미래에 대하여 생각지도 못했다. 내가 밝게 지내려고 노력하는 것을 모른 채 밝은 나를 보곤 '앞으로 살아갈 생각을 하면 눈앞이 캄캄하고 기가 막힌 데 무엇이 그렇게 좋아 저러는지…….'라고 엄마는 근심 걱정 가득한 얼굴로 한마디 하셨다. 더욱이 부모님 연세가 많아 더 걱정되신 듯싶다.

겉으로는 즐거워 보여도 나의 눈망울에는 눈물이 그득하고 가슴으로 울고 있었다. 서로의 마음을 깊이 있게 헤아리지 못했을 뿐……. 미래를 모르는 철없는 어린아이에 불과했다.

그 시대에는 희망이란 두 글자가 잠든 지 오래다. 특히나 기구한 엄마의 삶은 고난이 끊이지 않았고 한 많은 삶이자 하루하루 풀칠하기도 버거운 인생이라 하루살이나 다름없었다. 엄마에게서나 주변에서나 꿈도 희망도 찾아볼 수 없었다. 나 역시 희망을 품지 못했었다. 너무 괴롭고 고달파 자살을 생각했던 나다.

그러다 어느 날 꿈과 희망을 품게 되었고, 희망을 품고 있으면 되는 줄 알았다. 나에게는 중학교를 졸업하고 일찍이 멀리 나가 일을 하는 오빠가 있었다.

돌 마루에 앉아 열심히 일하고 있을 오빠를 그렸다. 고등학교에 못 가고 힘들게 일하는 오빠를 생각하며 포기하지 않고 열심히 노력하기로 나는 마음먹었었다. 난 책이 없어 독서를 하지 않아 위대한 사람을 알지 못했고 함께 자랐던 오빠밖에 없어 오빠는 나의 우상이 되었다. 오빠가 존재하는 것, 오빠가 있다고 생각하면서 힘내보자고 나 스스로 다짐했다.

봄이면 뒤뜰에 새순이 돋아나고 집 주위에 자두꽃, 앵두꽃, 붓꽃, 대추꽃, 개나리 등등이 피고 산에는 진달래, 산수유. 들꽃이 봄을 알렸다. 봄이면 산기슭에 있는 아카시아와 찔레나무를 보러 가끔 갔다. 찔레 순이 얼마나 올라왔는지 관찰했다.

새순이 돋아나 꽤 자라면 연할 때 뜯어 먹을 수 있어 운 좋으면 하나 정도 꺾을 수 있었다. 우거진 덩굴과 가시 때문에 쉽지 않지만, 손이 닿을 위치에 있으면 조심스레 손을 넣고 꺾었었다. 잎을 따내고 껍질을 벗기고 맛을 보았다. 산기슭에 아카시아가 하얗게 피어 향기를 품고 바람결 따라 춤을 추었다.

뒤뜰에 한 포기씩 띄엄띄엄 자란 키 큰 달래, 분홍물 들여 예쁘게 피는 작약꽃, 갖가지 꽃들의 노래. 그리고 장독대 주변에 나비 훨훨 날며 이슬 맞은 작은 청개구리가 인사하고, 항아리를 받쳐둔 돌 틈새에 자라는 한 줌의 부추에 핀 작은 하얀 꽃을 한없이 바라보며 봄의 희망을 나의 작은 가슴에 담았다.

때로는 학교 가는 길 위의 아침이슬 듬뿍 맞은 잡초는 신발을 적시지만 까치발로 걷는 나의 발밑에 이불을 깔아 놓은 듯한 그런 존재로 작은 몸을 아낌없이 내어주기도 했다. 한낮에 뜨겁게 나의 머리 위로 내리쬐는 태양은 시련을 주기도 하지만 때로는 홀로 가는 길 위에 엄마 품처럼 따뜻함을 주기도 했다.

때로는 세찬 바람에 바지가 펄럭거리며 까치발로 걷는 발이 붕 떠서 넘어질까 조마조마하지만 답답한 가슴을 시원하게 해준다. 살랑살랑 부는 바람은 옷깃에 스며들고 얼굴을 어루만지며 위로의 손길을 뻗었다. 비는 옷이 젖어 축축하고 걸음걸이가 불편해지지만 때로는 더위를 식혀 주었다.

사람으로부터 무엇을 받기란 어려운 것이지만 자연에 기대기도 하고 가끔 위로를 받았다. 자연은 누구에게나 똑같이 아낌없이 주니까 말이다. 나는 자연에서 모래알만치 작은 희망일지라도 하나하나 가슴에 담았다. 누군가에게 작은 것은 가치가 없을지도 모르지만 내게는 더없이 소중하다. 나의 작은 가슴에 고통과 아픔은 많이 묻어봤지만 이렇게 희망을 담아 보기는 처음이었다. 나는 돌 마루에서 그렇게 희망의 작은 씨앗을 심었다.

나에게 겨울은

이른 아침 부모님은 아랫집까지 눈을 치우셨다. 나는 아침을 먹고 밤새 얼어 버린 차가운 돌 마루를 손으로 짚으며 기어 나오면 저절로 몸이 움츠러들었다. 낡은 털 고무신을 신고 지팡이를 잡고 학교 갈 준비를 했다. 방에서 걸어 나오면 손과 엉덩이와 다리가 시리지 않은데 마루가 내 무릎보다 높아서 내려가지도 올라가지도 못했다.

그래서 겨우내 차가운 돌 마루를 지날 때면 가슴마저 시려왔다. 늘 그렇듯 엄마는 도시락을 챙기시고 추울까 봐 모자를 씌워 주시는데 싫다고 했다. 그 모자는 머리가 가렵고 따가워서 쓰기 싫었다. 엄마는 걱정되셔서 기어이 씌워 주셨다. 그리고 잠바에 달린 모자까지 씌워 주시는 엄마였다. 남들보다 밖에 오래 있어야 하니까 보온이 필요한 것은 당연하지만 손이 머리에 닿지 않으니 가려워도 만질 수 없어서 참느라 괴로운 것이 추운 것보다 더 싫었다.

잠바에 있는 모자만 쓰길 바랐는데 엄마는 허락하지 않으셨다. 그렇게 준비를 마치면 눈 쌓인 하얀 세상을 만끽하며 길을 나섰다. 도로변에 가니 아이들이 버스를 기다리고 있었다. 두꺼운 잠바에 손목 위까지 오는 솜이든 두툼한 장갑을 끼었다. 그리고 털이 촘촘히 박힌 긴 부츠를 신고 눈을 발로 차고 있었다.

누가 입다가 준 나의 잠바는 낡아서 겨울바람이 파고들고 내 신발은 눈이 좀 쌓이면 양말이 젖었다. 부츠는 눈길을 걸어도 양말이 젖지 않았다. 장갑 또한 목장갑이어서 눈이 내리면 젖었다. 장갑이 젖으면 손이 더 시리고 지팡이 잡기가 불편해 벗어서 주머니에 넣었다. 가다가 집에 도착할 즈음에 다시 끼기도 했다. 엄마는 내가 지팡이를 짚고 다니니까 맨손으로 보낼 수 없어서 이거라도 끼고 다니라며 목장갑을 주셨다.

농사철에 남의 일을 거들어주며 끼던 목장갑을 빨아 보관해두었던 것이었다. 한번 쓰면 버리는 사람도 있지만, 엄마는 빨아 말려서 구멍이 크게 날 때까지 쓰셨다. 장갑을 안 끼고 집에 가면 엄마한테 한 소리 듣기 때문에 집과 가까워시면 꼈다.

학교에 가야 해 부지런히 걸어가는 내게 옆집 친구가 다가와 내 앞에서 촐랑대며 부츠 자랑을 늘어놓았다. 그렇게 든든하게 입고도 버스까지 타고 가는 아이들을 보며 가끔은 부럽기도 했다. 그렇다고 그런 옷이나 신발이 갖고 싶은 것은 아니었다. 있으면 좋겠지만 우리 집에서는 어림도 없다는 것을 알기에 꿈도 안 꾸었다.

때에 따라 눈바람, 칼바람을 맞으며 나 홀로 길을 갔다. 학교에 도착해 복도에서 잠바에 붙어 있는 모자를 벗으려고 애를 썼다. 지팡이를 이용해 벗다가 몸을 흔들어가며 벗었다. 그리고 하나 남은 모자는 머리에 딱 붙는 것이라 통이 넓은 잠바 모자보다 벗기가 너무 어려웠다. 팔이 올라가지 않아서 이리저리 씨름 끝에 겨우 모자

벗기에 성공했다.

머리가 가렵고 따가운 것은 둘째 치더라도 모자를 벗는 것이 난관이라 안 쓰려고 했던 것인데 엄마가 허락하지 않으셔서 어쩔 수 없이 써야 했다. 그렇게 씨름하고 교실에 들어가 의자에 앉았다.

한번은 시간이 늦어 교실에 들어가 앉았고, 선생님이 오시기 전에 미처 벗지 못했다. 선생님은 모자를 쓴 나를 보고 뭐라고 하셨다. 교실에서 모자를 쓰면 안 된다는 것을 나는 모르지 않았다. 난 아무런 말 없이 모자 벗기에 열중했었다.

한 손만이라도 번쩍은 아니어도 머리까지만 손이 닿을 수 있다면 모자를 벗는 것이 그리 어려운 일이 아닌데 현실은 그렇지 않았다.

내 자리는 항상 맨 뒷자리 문 옆이거나 문 옆에서 옆으로 두 번째였다. 실내화도 없어서 수업하는 내내 발이 시리고 들락날락할 때 들어오는 바람에 몸도 움츠러들었다.

한번은 난로 옆에 자리를 내주었다. 처음으로 느껴 보는 따뜻함에 좋았고 고마웠었다. 그런데 갑자기 자리가 바뀌었다. 아이들 눈치를 살펴보니 이유인즉슨 연탄재를 버리지 않아서였다.

그러나 내가 할 수 있는 부분이 아니었다. 기름으로 닦은 미끄러운 교실 바닥과 복도는 큰 장애물이었다. 까치발로 조심조심 걸어야만 하고 계단 역시 오르기 힘든 데다 미끄러워 조심해야 했다. 혹여라도 지나가는 아이들과 어깨라도 부딪혀 넘어질까 봐 앞뒤 살피며 노심초사 다니고 있었다. 그 딱딱한 곳에서 넘어지면 또 장애를 입게 되니까 항상 위험에 노출된 상태이다. 그래서 신경 써서 조심해야 하며 늘 불안에 떨어야만 했었다.

계단에서 굴러떨어지면 나는 끝난다. 먼저 추락사고로 이미 전신에 중증장애를 입었는데 또 떨어지면 끔찍한 결과를 불러온다. 한쪽 발만이라도 발바닥 전체로 바닥을 디딜 수 있으면 덜 떨었을 텐데. 아니면 실내화라도 신었다면 조금은 덜 미끄러울 텐데 두 가지다 갖추지 못하고 있었다. 그것도 아니라면 잡을 수 있는 난간이 있었다면 조금은 안전하고 수월하게 다녔다. 항상 부들부들 떨며 오르내리고 어떨 때는 건물 밖으로 나가야 하기에 하루 2번 이상 오르내려야만 했었다.

언제나 아찔한 계단 앞에 서서 '또 올라가야 하는구나!' 부질없는 바람이나마 난간이라도 있었으면 하고 소리 없이 얼마나 외쳤는지 모른다. 아무리 갈망해본들 이루어지지 못할 바람일 뿐이었다.

그러한데 손에 물건을 들고 걷기는커녕 내 빈 몸뚱이조차도 버거운 상황에 연탄재 4개나 담은 통을 들고 가는 것은 불가능했다. 아무것도 모르는 아이들의 말이지만 어린 나는 상처를 받았다. 하기 싫어서 하지 않은 것도 아니었고 돕고 싶어도 몸이 따라주지 않아 못한 것일 뿐인데 아이들 시선은 따가웠다.

변명을 해봐야 믿는 이도 없고 꾀를 부리고 장애로 무마하려고 한다고 생각한다. 내가 체육이든, 활동이든 안 하는 부분들을 아이들은 곱게 보지 않았다. 학교에서 많이 봐주는 것으로 오해도 하고 몇몇 아이들은 질투하기도 했다. 아이들은 내가 함께하지 않아 빠진 줄 알고 있지만, 외부활동에도 거의 따라갔다. 어떨 때는 가다 보면 돌아가는 시간이 되어 버렸다. 아이들은 한참 착각하는 것이었다. 선생님은 특별히 나를 봐준 적이 별로 없었다. 그래서 함께 못해도 참여는 거의 다 했었다.

그렇게 한 번의 따뜻함을 느껴 보고 쭉 문 옆이 내 자리였다. 수업이 끝나고 집에 갈 준비를 했다. 아침에 썼던 모자를 벗는 것은 지팡이를 이용하거나 어떻게 해서든 벗지만 반대로 머리에 쓰는 것은 불가능하다. 그래서 책가방 한쪽에 넣고 길을 나섰다.

모자를 안 쓴 나를 걱정하시는 엄마가 보면 또 한소리 하실 것 같아서 잠바에 달린 모자를 쓰려고 몸을 굽힌 채 모자가 내려오도록 흔들었다. 다행히 모자가 크고 넓어서 흔들어대면 모자가 머리 위로 떨어져서 덮였다. 그런 다음 접힌 곳은 지팡이를 넣어서 펴고 양쪽 끝을 턱밑으로 모았다. 이미 얼어 있는 몸뚱이로 겨울바람을 맞으며 홀로 걸었다. 그렇게 외로이 집에 도착하면 엄마는 속에 있는 모자를 안 썼다고 뭐라고 하셨다.

또다시 차가운 마루를 지나 방으로 들어갔다. 엄마는 저녁을 하느라 지핀 불에서 나오는 불씨를 화로에 담아 준비해 주셨다. 나는 너무 얼어 감각 없는 손을 빨리 녹이려고 화로 위로 뻗었다.

엄마는 그 모습에 갑자기 뜨겁게 녹이면 아프다고 하시면서 조금 떨어져 있으라고 말했다. 금방 불씨를 담은 화로는 뜨거워서 조심해야 한다는 말이다, 그런 것을 뒤늦게 알게 되었다. 손이 얼어 감각이 이상해서 그렇게 뜨겁다는 느낌이 들지 않았다. 불을 쬐다 보면 손마디가 아픈 이유도 몰랐었다. 엄마가 항상 옆에 있는 것이 아니어서 얼어서 그런 줄 알았다.

화롯불이 없을 때는 큰 불씨는 하나도 없고 잿빛 가루들만이 화로에 덩그러니 있었다. 불씨가 내가 올 때까지 꽤 남아있을 때는 장작을 때서 그렇다. 연세가 있으신 아빠는 장작을 하기가 힘드셔서 아끼시고 주로 갈대나 자잘한 나무를 땠다. 특히 옥수수 뿌리나 갈대처럼 풀을 땐 날은 화롯불로 쓸 것이 없다.

나무하기 힘드니 그런 것들도 유용하게 쓰였다. 물론 불씨로써는 금세 죽지만 무엇을 끓이거나 데우는 데는 좀 더 많이 때면 되었다. 엄마는 화로 위쪽에 불씨가 안 보이면 화로 속을 파 불씨를 올려 보지만, 너무 적어서 내 손을 녹이기엔 어림도 없었다. 엄마는 어쩔 수 없이 이불속에 들어가 있으라고 했다.

그 시절에는 언 몸을 녹일 따뜻한 물 한 잔도 귀했다. 가스레인지나 전기 주전자도 없었고, 몸을 따뜻하게 할 난로도 없었다. 오로지 아궁이에 나무를 때야만 밥도 하고 물도 데울 수 있었다.

일하시느라 바쁘실 때는 못 챙겨 주시지만, 엄마가 없었다면 나에게 겨울은 마음마저 얼어붙어 더 추웠을 듯싶다. 그래도 추운 겨울 가끔은 엄마의 관심과 사랑 속에 버티어내고 학교에 다녔다.

포 기 하 지   않 는 다

연 만들기 숙제가 있었다. 숙제라면 일학년 때 후로는 웬만하면 꼭 해갔다. 숙제를 안 해 혼나는 것이 싫었다. 말로 혼나는 것은 그냥 싫지만 가장 중요한 것은 매를 들거나 벌을 받는 것이 두려웠다. 이제는 중증장애로 인해 불가능한 동작을 하라고 하면 난감했다. 또한, 매를 들면 내 몸에 지장이 생기기 때문에 가능한 그런 일이 일어나는 것을 막거나 피해야만 했다.

혼나고 있을 때는 말을 하면 화만 더 돋우어 피해가 커질까 봐 나는 말을 안 했다. 가만히 있는 것이 좋을 때도 있지만 가끔은 반대일 때도 있었다. 나의 몸에 대하여 말한다고 이해를 할 수 있는 부분도 아니고 믿지도 못하는 이야기다. 의사나 어른들이 이야기한다면 어느 정도 수긍은 해도 이해하기는 어렵다.

어쨌든 종이와 살은 사고 집에 있는 것으로 어렵사리 재료를 준비해 연을 만들었다. 연은 책가방에 넣을 수 없어서 들고 가야 했다. 두 손으로 지팡이를 짚어야만 발의 힘을 받쳐 주는데 한 손으로는 제대로 짚을 수가 없어 걷는 것이 힘들었다. 힘겹게 가져갔는데 나의 연에는 모두 관심 밖이었다. 다른 아이들은 제대로 된 재료로 예쁘게 만들었지만, 나의 연은 볼품없었다.

집에서 바느질용 실을 다 쓰면 나오는 둥근 실패에 연줄이 될 실을 감고 가운데 있는 구멍에 둥근 막대를 끼워서 만들었다. 그에 비해 다른 아이들 것은 손잡이가 달려 있고 돌릴 수 있어 감거나 풀 수 있고 연도 크고 색색이 예뻤다. 눈에 띄는 연들이 많으니 허접한 내연은 아무도 보지 않았다. 숙제 검사는 하는 둥 마는 둥 1초도 보지 않은 것 같았다. 숙제했다고 인정해 주지 않는 것 같아 허탈감을 느꼈다. 수업이 끝나고 집으로 향했다. 비용도 들었고 애써 만든 연을 버릴 수 없어 들고 갔다.

도로가 오른쪽으로 기울어진 구간을 지나는데 오른발이 모래에 미끄러져 시멘트 위에 정면으로 넘어졌다. 넘어지는 일이 한두 번이 아님에도 불구하고 놀란 나머지 심장이 마구 뛰었다. 연을 든 채로 넘어지는 바람에 들고 있던 오른 손목을 부딪쳤다. 나는 순간 넘어가는 몸을 느끼면서도 속수무책으로 시멘트 위에 들이박았다. 어깨를 올리지 못해서 팔로 땅을 짚을 수 없었기 때문이다. 손목이 빠르게 부어오르고 통증이 밀려들었다. 왼손으로 몸을 일으키고 잠시 앉아 몸을 추슬렀다.

여러 감정과 생각이 복잡했다. 아무것도 없는 우주에 던져진 것처럼 깜깜했다. 그리고 내가 바닥에 있다는 현실이 눈앞에 보였다. 어떻게? 어떻게? 당장에 장벽 앞에서 고통은 뒷전이었다. 오로지 일어나야 한다는 목적이 정해지고 생각의 방향을 잡았다.

두 다리와 발목을 쓸 수 없었기 때문에 맨바닥에서 일어난다는 건 불가능한 일이었다. 주변에 바위나 의자 같은 도움 될만한 것도 없었다. 쌩하고 달리는 차들만 띄엄띄엄 올 뿐이었다. 어둠 속에 홀로 갇힌 듯한 시간은 흐르고 있었다. 기어서 가자니 옷이 해지면 없는 살림에 엄마의 걱정이 늘 테고 시간도 얼마나 걸릴지 모른다. 그리고 도랑도 있어서 역시나 좋은 방법은 아니었다.

이대로 포기하고 주저앉아 버리고 싶은 충동이 일었다. 밤이 되면 나를 찾겠지? 기다렸다가 집으로 돌아가면 될까? 생각도 했지만, 부모님을 걱정시키는 것은 내 마음이 허락하지 않는다. 그래서 나는 도전장을 던졌다. 넘어진 자리는 다른 구간하고 다르게 비가 오면 흙이 흘러내려 도로가 부서질 것을 방지하려고 시멘트를 깔고 가장자리에 턱을 만들었다. 어른 손가락 높이쯤 돼 보이는 낮은 턱을 눈여겨보았다.

의자에 비하면 턱도 없이 너무 낮았다. 그러나 다른 방법이 없어서 그 턱을 짚고 해 보기로 했다. 우선 논을 등지고 돌아앉아 다리를 최대치로 벌렸다. 그리고 왼손으로 턱을 짚고 무게 중심을 도로 쪽으로 두었다. 양쪽 발이 까치발이라서 세우며 중심을 잡는다는 것이 매우 어려운 일이다. 그것도 도움이 되는 물건이 없는 상황에서는 불가능한 일이다. 말로 표현할 수 없을 만치 괴롭고 막막했다.

왼팔과 왼쪽 다리에 힘을 쓰며 반동을 일으켰다. 역시나 다리를 벌린 채 발가락으로 중심을 잡는 것은 쉽게 되지 않았다. 몸 뒤는 낭떠러지라 무게 중심을 순간 실수로 잘못하다가는 또 다친다는 공포가 밀려들었다. 불안한 마음 안고 오로지 일어나야 한다는 일념으로 시도를 계속했다. 좌절과 절망이 실패 횟수만치 뒤따랐다. 거친 턱을 짚은 손바닥이 아파도 아랑곳하지 않았다. 수 없는 몸부림 끝에 바닥에서 몸뚱이를 띄우고 까치발을 세웠다.

드디어 세웠다는 성공보다는 안전한 상태를 유지해야 해서 벌렸던 다리를 조심스레 안으로 오므리며 섰다. 이제 안정된 자세로 돌아왔다. 숨조차도 조심해야 했던 몸부림. 이제야 마음을 안정을 시켰다. 다친 팔이 일어날 때 사용하는 손이 아니어서 그나마 다행이었다. 앞으로 걸어야 할 거리가 반 이상 남아서 잠깐 서 있다가 길을 나섰다. 손목이 계속 부어오르는 이 상황에 물건은 중요하지 않은데도 다친 오른손에 들었다.

나는 지쳤고, 어떻게 해야 할지 몰랐다. 누군가의 도움이 필요한데 아무도 없었다. 그리고 문득 드는 생각은 엄마 얼굴을 어떻게 볼까였다. 또 다친 것을 알면 꾸중하실 테니 집에 들어가기도 마음이 편치 않았다.

비밀로 해도 팔이 부어 있어 언젠가 들킬 것이 뻔했다. 그래서 엄마에게 아프다고 말했다. 속이 상한 엄마는 늘 그래왔듯이 나를 꾸중하셨다. 연 때문에 다쳤다고 생각하시니 나한테 밖에 뭐라고 할 사람이 없으셨다. 엄마는 파스를 사 오셔서 붙여주셨다. 그래도 고추 파스는 아니어서 다행이었다. 강력한 고추 파스는 다친 곳에 자극을 주어 더 심해지기 때문이다.

시일이 흐르고 진행이 끝나 부기가 서서히 빠져나갔다. 부기가 다 빠지고 나니 손목 바로 윗부분에 양쪽으로 뾰족한 뼈만이 덩그러니 남았다. 부딪힌 쪽만 뼈가 생기는 것이 아닌 반대편에도 생겼다. 그리하여 손목을 구십 도로 젖힐 수 없고 손바닥으로 바닥을 짚을 수 없게 되었다. 손목 기능을 잃어서 여러 가지로 불편해졌다.

내 몸을 보호하려면 숙제는 해야만 하고 엄마는 여유가 없으셔서 만들기 같은 것은 안 하면 안 되냐고 하시기도 했다. 나의 몸도 지켜야 하는 동시에 선생님과 부모님 양쪽 말을 다 들어야 하기에 곤란할 때가 많았다. 나의 안전을 위해 하지 말아야 하는 것도 상황이 안 따라주고 현실은 해야 했다. 난 가끔은 어른이 되고 싶었다.

거친 잿빛 바닥에 앉아서 처절한 몸부림 끝에 일어나기를 성공했다. 나는 수많은 실패를 거듭하면서도 포기하지 않았다. 나 자신과 싸워 이겼다. 그리고 새로이 주어진 장애를 극복해 나아갔다.

귀를 앓다

날씨가 따뜻한 어느 날 수업을 마치고 옆집 친구와 하천 길로 갔다. 하천을 지나 좁은 길로 가다 보면 돌을 쌓아 놓은 곳이 있었다. 돌들 위로는 산딸기 덩굴이 두어 포기 있고 옆으로는 빨래터가 있다. 친구가 돌무더기에서 잠시 있자고 해 난 쉬고 있었다. 그런데 나무젓가락만 한 굵은 나뭇가지를 꺾더니 나한테 바짝 다가와 귀를 파주겠다고 했다.

자기 집에서도 엄마가 파주었다고 하면서 귀도 청소해야 한다고 했다. 내 귀 안을 보더니 귀지가 많다고 하면서 귓바퀴를 손으로 당기고 파기 시작했다. 나는 아픔을 느껴 몸을 피하려고 하자 마구 뭐라고 하면서 이것은 파내야 한다고 강제로 계속했다.

나무가 부러지자 나뭇가지를 새로 꺾어서 또 팠다. 너무 아파서 얼굴이 일그러지고 꿈틀대도 귀를 더 세게 당기고 놓아 주지 않았다. 마치 자기가 엄마인 양 나를 나무라면서 깊이 있는 것도 꺼내게 가만히 있으라고 야단이었다. 귀 청소도 안 하고 지내냐면서 툭툭 치며 버럭거렸다. 그렇게 양쪽 귀를 실컷 파더니 집에 가자고 했다. 열이 나고 얼얼한 아픈 귀를 문지르고 일어났다.

난 힘으로 친구를 이길 수 없어서 나를 아프게 해도 어쩔 수 없이 당해야 하는 처지이고 바보였다. 까치발로 서 있는 난 어린아이가 한 손으로 밀어도 내 몸뚱이는 중심을 잃고 넘어가 버릴 정도였다. 사람 중에도 가장 나약한 인간이 나였다. 이는 바람에 힘없이 나뒹구는 낙엽처럼 내 의사와는 상관없이 사람들에 의해 이리저리 끌려다녔다. 그 틈에서 살아가기 위해 쥐 죽은 듯이 참고 가만히 있어야 했다.

귀에서 물이 나와 베개에 묻었다. 점점 양이 많아져서 베개에 티가 많이 나 엄마가 아셨다. 아무 말 없이 귀에서 흐른다고 말씀드렸다. 진물이 귀 안에도 말라붙고 찐득거렸다. 진물 때문에 귀 피부가 불편해 말라붙은 이물질을 닦아 내곤 했다. 이번에는 집에서 해결하기는 이려운 문제라 침 치료는 하지 않았다. 엄마는 고민 끝에 학교 근처에 있는 보건소로 데리고 가셨다.

보건소 의사는 병원으로 가야 한다고 했으나 병원은 못가서 약이라도 달라고 하셨다. 그 후로 계속 약을 타다가 주셨다. 나는 오랫동안 먹어온 약이 지겨웠다. 그래서 안 먹는다고 투정해봤지만, 약이라도 먹어야 낫지, 진물이 계속 흐르는데 안 먹으면 어떻게 하냐고 하시며 먹으라고 강요하셨다.

엄마도 어쩔 도리가 없어 약만 자꾸 타다 주시면서 병원을 데려가지 못해 마음이 아프셨을 듯싶다. 해가 넘어가고 시간이 오래 지나니 청력이 감소하고 있었다. 그렇게 날마다 밤으로 베개를 적시고 낮에는 귀밑으로 흘러내리는 진물을 닦으며 세월이 또 흘렀다.

엄마의 속 타는 마음을 아는지 모르는지 달이 가고 해가 가도 전혀 멈출 기미조차 안 보였다. 졸업 후 어느 날 엄마는 나를 데리고 보건소를 찾았다.

엄마는 모든 것을 내려놓고 전에도 그랬듯이 의사에게 하소연하시기 시작했다. 오래되었는데 진물이 멈추지 않는다고 하시며 진물만이라도 제발 멈추게 해달라고 빌었다. 의사도 별 방법이 없어 안타까워하는 것 같았다.

의사는 병원 가서 수술만 하면 진물은 낫는다며 어렵거나 큰 수술도 아니고 간단한 수술로 끝난다고 설명했다. 간단한 수술이지만 여기서는 해줄 수가 없으니 병원에 데리고 가라고 말씀하셨다.

엄마는 수술 수 자만 들어도 엄두가 안 나셔서 포기하고 약만 달라고 하셨다. 그런 엄마의 말에 약은 줄 수 있지만 아무리 먹어도 약으로는 치료가 안 된다고 말했다. 의사도 약 처방을 오래 해서 잘 알고 있었다.

엄마는 다른 방법이 없어 약에 기대를 걸 수밖에 없었다. 병원이란 어마하게 큰 산으로 보이기 때문이다. 큰 수술에 비해 비용이 적게 들기는 하지만 엄마 수중에는 없었다. 하루하루 품을 팔아도 살림에 쓰이니 저금은 고사하고 필요한 부분들이 턱없이 많았다. 우리 집에 통장이란 것도 없었다. 학교에서 통장을 만들어 저축하라고 해 단체로 개설하는 것이라 만들었었다. 처음에만 동전 두어 번인가 넣었을 뿐 그 후로는 저금을 못 했다.

난 저금할 여유가 없었다. 그 당시에 저금을 열심히 자주 한 아이는 선생님 칭찬과 함께 상도 받았다.

그렇게 약을 타서 집으로 향했다. 학교 근처에 갈 일이 없어 안 다녀서인지 책가방도 없는 빈 몸뚱이인데도 힘들었다. 몸은 더워서 달아오르고 등과 가슴을 타고 내리는 땀 줄기는 무거운 발걸음을 더욱 무겁게만 하였다. 잠시라도 쉬고 싶은 마음이 간절했으나 의자가 될만한 돌도 없거니와 주위에 집도 없어 쉴 장소가 없었다. 햇볕이 따가워 숨이 차고 목이 말라 엄마에게 말했다. 엄마는 물가에 가면 떠 준다고 하셨다.

다행히 물이 흐르고 있었다. 엄마는 비탈을 내려가 두 손을 모으고 물을 떠서 올라오셨다. 비탈을 올라오는 동안 손가락 틈새로 물이 새어 적은 양이라 두어 번 물을 떠서 나르셨다. 그리고 티셔츠를 벗기려고 해서 누가 보면 어떻게 하냐고 물었다. 아무도 안 지나가니까 괜찮다고 하셔서 엄마가 하는 대로 있었다.

엄마는 옷을 물에 직셔서 짜고 난 뒤에 올라오셔서 이렇게 입으면 덜 덥다고 하시며 입혀 주셨다. 혼자였다면 엄청 힘들었을 텐데 엄마 덕분에 잠깐이나마 시원함을 만끽했다.

집에 와서 약을 보니 정말이지 싫었다. 그러나 투정도 아무 말도 할 수 없었다. 엄마의 애타는 마음을 알기에 거부할 수 없으니 어쩌겠는가? 약은 약대로 지겹게 먹고 청력은 떨어져만 갔다. 그런데 어느 때부턴가 진물이 멈추었다. 더 나올 것이 없는지 나오는 곳이 막혀 버렸는지 모르지만 더는 베개에 묻지 않았다. 나는 그렇게 청력 손상을 입게 되었고 청각장애를 지니게 되었다.

기다리는 마음

시골은 농사가 한창이라 다들 이른 새벽부터 일할 준비를 하는 봄이었다. 가족회의를 한 듯하다. 부모님은 내게 시설에 갈 것이라고 말씀하셨다. 엄마는 병을 치료해 주는 데라고 말씀하셨다. 그 말을 듣고는 좋았다. 가는 날만을 손꼽아 기다리며 마음이 붕붕 떴다. 밤마다 잠자리에 들어 나의 팔과 다리에 있는 혹들이 사라지고 마음대로 굽히는 상상을 하면서 밤잠을 설쳤다.

날마다 생각을 해서인지 꿈자리가 안 좋은 날도 있었다. 매일 같이 기다려지고 어떤 곳인지 설레기도 했다. 그저 빨리 가고 싶어 그날이 빨리 오기만을 고대했었다. 부모님도 어떤 곳인지 자세히 모르셨기에 나도 자세한 설명은 듣지 못했다. 무엇이 나를 기다리고 있는지 모른 채 그저 좋은 곳인 줄만 알았다.

내가 떠나는 날이 코앞인데도 부모님은 일하셔야 해서 혼자 있어야만 했다. 그런데 떠나는 며칠 전날은 아래 아랫집 모내기를 하는 날이라 엄마는 나를 그 집에 두고 일을 하러 가셨다. 여기서 놀다가 밥 먹고 집에 가라고 하시곤 저물어야 온다고 하셨다.

그래서 마루에서 눈치를 살피며 가만히 있었더니 그 집 언니가 안으로 들어오라고 하셨다. 들어가서 보니 아기도 있고 처음 보는 장난감도 있었다. 호기심과 궁금증이 생겨 만져 보고 싶어도 남의 물건은 함부로 만지면 안 된다는 생각이 뇌리에 박혀 있어 멀찍이 서 바라만 봤다. 아기도 안아 보고 싶은 것을 참고 지켜만 보았다.

그런데 마침 언니가 밖에 볼일이 있어 잠깐 나갔다가 온다고 하여 나간 다음 아기 손을 살짝 만져만 보고 말았다. 다음 날도 갔는데 이제 조금은 익숙해져서 마음이 덜 힘들었다. 언니는 아기랑 놀아주느라 장난감을 움직이게 해 놓았다. 난 기어가는 거북이가 참 신기했다. 줄을 당겨 바닥에 놓으면 멜로디가 나오고 기어갔다. 천정에 모빌이 달려 있었고 아기는 보행기를 밀고 다니거나 앞에 있는 둥근 구슬을 돌리며 해맑게 웃었다.

아기를 내 무릎에 올리고 안아 보고 싶었지만, 그 집 언니한테 말을 못 꺼냈다. 아기 손만 살짝 만졌는데 피부가 부드럽고 고왔다. 그렇게 지내다가 집에 가서 잠자리에 들었다. 내일이면 가는 날이라 그런지 평소보다 잠드는 것이 어렵고 더 설레었다. 나을 수 있다는 희망을 품고 어떻게 될까 생각에 잠겨 뒤척거리느라 별로 자지 못하고 날이 밝았다.

훗날 알게 된 사실인데 언니가 나를 시설에 보내라고 의견을 낸 것이었다. 소문에 장애인 아이를 돌봐주는 시설이 있다는 이야기를 듣고는 몸이 불편한 나를 보내려고 했다. 언니는 부모님이 연세가 많으셔서 나를 돌보기 힘들어질 것을 생각했다. 또한, 언니 아래 동생도 아직 어리니까 몸이 불편한 나의 미래를 생각해서 그런 결정을 한 것 같다.

그때만 해도 시설이 어떤 곳인지 정보가 없어 잘 모르는 어두운 시대였다. 엄청 좋은 곳이라고만 소문이 무성할 뿐 제대로 알 길은 없었다. 부모님은 시골에서만 농사짓고 살아서 아무것도 모르시니 병 고쳐 준다는 언니의 말에 찬성했다. 나의 오빠 또한 사회생활 한 지 얼마 되지 않아 세상 물정 잘 모르니 누나의 의견을 따랐다. 가족 모두 내가 병을 치료하러 들어가는 줄로만 알고 있었다. 그때 나에게도 의견을 물었다면 찬성했을 것 같다. 병을 치료해 준다는데 마다할 이가 누가 있겠는가?

행복은

맑고 화창한 어느 날. 집 앞에 푸르름이 짙어 가는 논을 바라보았다. 자라난 논풀이 잔잔한 물결을 이룬다. 논이라 땅이 축축한데 풀이 매우 촘촘히 자라 있어 옷에 흙이 안 묻을 것 같다는 생각이 들었다. 난 좁은 논길로 반대편에 가서 비탈을 내려가 논으로 들어갔다. 그리고는 앉아서 풀을 밀어 눕혀 자리를 만들고 살포시 누워 하늘을 바라봤다. 푹신한 풀을 침대 삼아 한들거리는 풀 내음을 맡았다. 이 순간만큼은 모든 걸 다 잊고자 했다. 옆으로 이동해 새로이 푹신함을 만끽했다. 우리 집 안방보다 푹신했다. 그렇게 풀 위에 누워 상쾌한 공기를 마시고, 드넓은 대자연과 하늘을 바라보는 그 순간 맑고 행복했다. 다랑논이라 넓지는 않았지만 내가 눕고도 많이 남았고 위아래로 온통 푸름이 가득하였다. 논이라 기회가 쉽게 주어지지 않기에 딱 한 번뿐인 경험이다. 논풀이 더 자라면 끝부분에 붉은 가루가 생겼다. 아마도 그 풀의 꽃일듯싶다. 푸르렀던 논은 붉은 옷을 갈아입고 춤을 추었다.

대추나무 아래 땅속 깊이 박혀 있는 큰 바위가 있었다. 바위에 누우면 눈이 부셨다. 구름이 가고 잠자리가 그림을 그리는 하늘을 보면 근심 걱정 다 사라지는 것만 같았다. 때로는 따뜻한 볕 아래 눈을 감고 있으면 마치 엄마 품에 안긴 듯 포근했다.

이따금 뒷산에 올라 마을을 둘러보고 저만치 매화산을 바라보곤 했다. 산들바람을 온몸으로 느끼며 답답한 가슴을 풀고 온갖 시름을 달래다 보면 푸르름에 마음을 빼앗겼다. 그저 아무 생각 없이 멍하니 먼 산을 보며 '저기는 어디일까?'라는 생각을 해 본다.

산기슭에 앉아 장독대를 하염없이 바라볼 때도 있었다. 막장 항아리를 받쳐둔 돌 틈새로 비집고 나온 부추 한 줌. 하얀 꽃이 피어 나비가 날아든다. 나는 햇살을 받으며 가만히 바라보곤 했었다.

날이 따뜻해지면 뒤뜰이 보이는 뒷문을 연다. 난 문 앞에 가까이 앉아 뒤뜰을 구경하곤 했다. 뒤뜰 전체에 비추는 햇살은 때로는 눈부시게 반짝거려 아름다웠다. 물줄기를 따라 흐르는 우물물은 금빛으로 일렁였다. 봄이면 보라색 머리를 내밀고 올라오는 작약을 비롯해 식물들이 얼마나 자랐는지, 다람쥐는 무엇을 하는지, 엄마가 우물에서 무언가를 할 때도 지켜보곤 했다. 어느 날 문 바로 밑에서 작은 개미가 줄지어 가고 있었다. 무엇을 하느라 그렇게 줄지어 가는지 궁금했다. '이사를 하는 것인가?' 자세히 관찰하니 무언가를 머리에 이고 가고 있었다. 참으로 열심히도 움직이고 있었다. 한참을 바라보았는데 끝이 없는 것 같았다. 그렇게 개미에 빠져 잠깐이지만 나의 불편함을 잊었다.

나는 아침 일찍 굴뚝 뒤로 갔다. 이슬에 흠뻑 젖은 풀잎들 사이에 새똥이란 풀을 뜯었다. 청개구리가 눈을 끔벅끔벅하며 풀 사이로 걷고 뛰다가 축축이 젖은 몸으로 나를 쳐다봤다. 마치 아침 인사를 건네는 듯이 나를 반겼다. 뜯은 풀은 토끼를 갖다 주었다. 가끔은 새똥을 찾았다. 토끼가 제일 맛있게 먹는 풀이었기 때문이다. 집 앞에 없을 때는 나갔다 올 때 새똥이나 칡이 보이면 뜯어 왔다. 아침이슬에 젖은 싱그러운 풀과 청개구리를 보면 기분이 좋았다.

겨울 아침에는 자주 나가지 않았다. 춥기도 하지만 돌 마루를 기어서 나가야 해서 더 움츠러들고 손도 시려서 나가기 싫었다. 그런데 오빠가 밖에 눈이 온다며 나의 단잠을 깨웠다. 눈이란 단어만 들어도 자다가 벌떡 일어났다. 눈은 말만 들어도 왠지 기분이 좋아졌다. 오빠의 소리에 밖으로 나가 보았다. 그런데 종종 하얀 거짓말을 하곤 했었다. 내가 늦잠 자는 것을 별로 안 좋아해 잠 깨우려고 '눈 온다.' '눈이 왔다.' 거짓으로 말했다. 자꾸 장난치는 오빠의 말이 안 믿어지게 되어 안 속으려고 안 일어났다. 그래도 속을 때가 많았다. 나를 깨우는데 고수였는데 자주 써서 안 통하니 계속 나를 건드려서 억지로 깨웠다. 나는 눈을 좋아했다. 눈이 날리면 하룻강아지처럼 밖에서 오래 머물렀다. 추운 줄도 모르고 있다가 몸이 얼어 너무 추우면 그제야 방으로 들어갔다. 아침에 밖에 나갔을 때 밤새 눈이 내려서 온 동네가 하얗게 변한 것을 보면 미소가 절로 났다. 아무 생각 없이 기분이 날아갈 듯했었다. 아무도 안 다닌 곳에 내 흔적을 남겨 보았다. 까치도 발자국을 남기며 깍 하고 퍼드덕 날갯짓하고 갔다.

나는 이러한 소소한 것들이 행복이 아닐까? 생각했다. 수많은 고난과 시련, 고통의 시간 속에 내가 평온했던 시간이다. 자연은 혼자였던 내게 유일하게 마음의 위로가 되었기 때문이기도 하다. 그래서 나는 이것이 행복이라고 말한다. 행복은 스스로 만들 수 있다고 생각한다. 지나간 날은 어쩔 수 없지만, 앞으로의 날들은 어떻게 얼마만큼 노력하는가에 따라서 만들어질 수 있다고 본다. 난 작은 행복이 더 가치가 있다는 것을 깨달았다. 소소한 것일지라도 내게는 소중한 행복이다.

2부

희망으로 가는 길

이별과 시작

때는 6월 초, 날씨가 좋았다. 한 번도 집을 떠나 본 적이 없고 남의 집에서 잠을 자본 적도 없었다. 내 나이 14살, 처음으로 부모님 품을 떠나게 되었다. 나이만 먹었지 세상 물정, 아무것도 모르는 시골 사람이었다. 부모님 품과 고향을 떠나는 것임에도 실감을 못 하고 어린아이처럼 조금은 들떠 있었다. 나는 희망과 꿈을 가득 안고 길을 나섰다.

엄마가 배웅하려고 보따리를 들었다. 가는 길에 우리 집에 자주 오셨던 아줌마가 나오셨다. 동네에 오래 묵은 큰 은행나무를 지나 도로변에 도착했다. 버스를 기다리느라 서 있는데 아줌마가 천 원짜리 지폐를 내 손에 쥐여 주시면서 받으라고 하시는 것을 엄마가 한사코 넣어 두시라고 거부하셨다.

평소 그분은 고사리 같은 나물을 뜯을 때면 독차지하시려고 다툼도 했고 남이 자신보다 많이 뜯으면 질투도 많으시고 욕심이 조금 과하신 분이었다. 그런데 용돈을 주실 줄은 몰랐다고 훗날 엄마는 말했다. 그런 소소한 다툼이나 욕심은 이웃끼리 별일 아니다. 다투

다가가도 또 이야기하고 어울리고 하는 것이 사람 사는 것이 아닐까 한다. 사람은 혼자 살 수 없다. 사람은 사람과 사람이 부대끼며 살아갈 수밖에 없는 존재이니 말이다. 그 당시 어려웠기에 욕심도 부리고 가끔은 이기적이어야 했을 듯싶다.

그분은 내가 부모 품을 떠나 멀리 가는 것에 대해 안타까워하셨는지 그 마음을 전하셨다. 버스가 도착해 엄마와 그분의 배웅을 받으며 아빠와 함께 버스에 올랐다.

엄마는 감정을 애써 감추려고 하셨지만, 얼굴에는 슬픔이 서려 있었다. 창밖으로 엄마의 모습을 잠깐 보고 똑바로 앉았다. 출발하자마자 금방 꺾어지는 곳이라 산이 가려서 엄마가 보이지 않았다. 버스는 경로당을 지나 쏜살같이 달렸다. 창밖에 펼쳐진 대자연을 눈에 담을수록 내가 태어나고 살던 고향은 멀어져만 갔다.

목적지에 도착하여 오빠를 만났다. 식당으로 들어가 잠시 이야기를 하고 식사를 하였다. 난생처음으로 음식점이란 곳에서 식사를 해 보았다. 그리곤 택시를 타고 시설을 향해 갔다. 정문 앞에서 내려 사무실을 찾아갔다. 잠시 후 방으로 가서 나를 맡게 될 담당 선생님과 대략 이야기를 나누었다. 오빠는 내가 학교 다닐 때 공부를 게을리한 것을 알고 있어 담당 선생님이 학교 다녔냐는 물음에 국민학교를 다녔어도 다시 다녀야 한다고 말했다.

오빠는 나를 맡길 때 담당 선생님의 종교가 같다는 것을 알고는 안심이 되었다고 훗날 말해 주었다. 넓은 세상을 잘 모르는 오빠의 착각이었지만 안심하고 자기 일에 집중하며 걱정 없이 지낸 것이 오히려 잘 되었다. 오빠가 걱정을 많이 했다고 말하면 내가 미안한 마음이 더 커지기 때문이니까 말이다.

아빠는 가셔야 한다며 오빠와 갈 준비를 하셨다. 지금껏 실감하지 못했는데 막상 낯선 곳에 아는 사람 하나 없이 혼자 남는다는 생각에 슬픔이 밀려들었다. 아빠도 슬픔에 젖어서 목이 메셨다. 나는 아빠가 한 번도 슬퍼하거나 우는 것을 본 적이 없었다.

나 없을 때 홀로 슬퍼하셨는지는 모르지만, 호랑이같이 무섭고 강인한 분인 줄 알았는데 아빠도 슬퍼한다는 걸 알게 되었다. 늘 무섭게만 대하여 다가가기 어려운 존재였고 나를 많이 사랑하지 않으시는 줄 알았었다. 아빠의 슬픔을 보고서야 '나를 이토록 많이 사랑하셨구나.' 하고 깨닫게 되었다.

흐르는 눈물을 애써 참으며 목멘 소리로 잘 지내고 있으라는 아빠의 한마디에 더욱 슬퍼졌다. 언니 집에 가서 하룻밤 자고 내일 다시오니까 울지 말고 있으라며 아빠는 떠나가셨다.

홀로 남겨지고 슬픔을 참을 수 없어 눈물을 흘렸다. 담당 선생님이 복도를 지나가다 들여다보고는 너보다 더 어린 애들도 있는데 다 큰 것이 운다고 한마디 하고 갔다. 어릴 때 들어오는 아이들도 있겠지만 처음에는 엉엉 울었을 것 같다. 난 사회성도 없고 낯도 심하게 가린다. 동네 사람은 물론이고 가까운 일가친척이 어쩌다가 집에 와도 낯 가릴 정도로 심하다. 그런 내가 처음으로 사람 많고, 외진 곳에 아는 사람 없이 생활하게 되었는데 어찌 슬프지 않을 수가 있겠는가?

고향과 부모님 품을 떠난 것도 슬프지만 혼자라는 것에 더더욱 슬픔과 공포에 휩싸였다. 아빠가 가고 홀로 방에 있으니 떠남과 이별이 한꺼번에 나를 덮쳤다.

먼저 와서 지내는 아이들이 학교를 마치고 방으로 들어왔다. 나 홀로 벽 구석에 가만히 앉아 있었다. 잠시 후 아이들 전부 방을 나가고 난 무엇을 어떻게 해야 하는지 몰라 방에 있었다. 아니 바닥에서 일어나지 못해 가만히 있을 수밖에 없었다.

집에서는 마루로 기어 나와 걸터앉아서 신발을 신고 일어나 밖으로 나가면 되었다. 그런데 새로운 환경에 어찌할 바를 몰랐다. 그러는 와중에 내가 식당에 안 보이자 담당 선생님은 밥 안 먹느냐고 한소리 하시고 갔다. 밥을 안 먹고 투정하는 거로 오해한 듯싶다.

어디서 몇 시에 식사하는지 아무도 알려주지 않았다. 눈치로 이해하고 아무도 없는 틈에 익숙하지 않은 작은 책상을 지지해서 재빨리 일어나려고 바둥댔다. 아이들이 보면 자기 물건 만졌다고 뭐라고 할까 봐서 걱정이 이만저만이 아니었다.

그렇게 일어나 식당으로 가서 둘러보니 같은 방 아이들이 식사하고 있었다. 난 옆에 앉아 눈치껏 남아있는 식판의 밥을 먹었다. 처음으로 식판에 밥을 먹었고, 간이 엄청 싱거웠다. '왜 싱겁지?' 생각하면서 간이 맞을 때까지 밥 한 숟가락에 국물 열 숟가락쯤 떠먹었다. 기분도 안 좋고 눈치를 살피느라 밥이 코로 들어가는지 입으로 들어가는지 모르게 얼렁뚱땅 첫 식사를 마치고 방에 왔다.

엄마가 처음으로 사주신 내 이불만 가지고 창문 밑에서 자려고 했다. 선생님이 와서 살피더니 같이 자라고 해서 아이들이 창가 남는 자리에 자라고 했다. 이불을 까는데 처음 본 요가 신기했다. 집에서는 맨바닥에 생활해서 이렇게 깔고 자는 것이 있는 줄 몰랐다. 속에는 구멍이 숭숭 난 스펀지가 들어있고 아이들이 실수할 것을 대비해 비닐이 씌워져 있었다. 처음으로 요에 누워보니 참으로 푹신했다. 등에 난 뼈들 때문에 맨바닥이 불편했었는데 이제는 푹신하게 잘 수 있겠구나 하는 생각이 들었다.

우리 집 방바닥은 흙으로 되어 있어 세월이 가면서 꺼지는 부분들이 생겨나 갈수록 울퉁불퉁해졌다. 특히 아궁이와 가까운 아랫목은 심했다. 추락사고 후 등에 혹이 난 뒤로 방바닥이 울퉁불퉁하여 불편해졌다. 엄마에게 자리 바꾸자고 말씀드렸지만 허락하지 않으셨다. 엄마의 완강한 반대에 어쩔 수 없이 아랫목에서 불편하게 잠을 청했다. 등이 너무 아플 때는 왼쪽 다리를 벽에 대고 세우고 잤다.

그런 나를 본 엄마는 잠버릇이 나쁜 줄 아시고 추울 때는 다리를 내리고 이불을 덮어 주셨다. 그렇게 낯선 곳에서 낯선 이들과 잠자리에 들고 떠남의 아픔을 가슴에 안았다.

첫날 아침이 밝았다. 얼떨떨하게 아침을 먹고 방으로 왔다. 아이들은 학교에 가려고 하나둘 방을 나갔다. 다른 방 아이들도 학교로 가고 나 홀로 덩그러니 남겨져 무엇을 해야 할지 몰랐다.

9시가 훌쩍 지나서 선생님이 따라오라고 했다. 책상을 짚고 일어나 서둘러 신발을 신으며 어디로 가는지 살폈다. 그런데 조금 가다가 방향을 틀었다. 내 시야에 보이지 않아 걱정하며 꺾어진 복도로

부랴부랴 갔더니 2층으로 올라가는 계단이 있었다. 높은 계단을 보고 눈앞이 깜깜했다. 그러나 한숨 쉴 새도 없이 선생님이 나타나 빨리빨리 오라고 하고 되돌아갔다. 계단을 오르는 것만도 벅찬데 빨리 오라는 말에 앞뒤 생각할 시간이 없었다.

벽에 어깨를 기대고 부들부들 떨었다. 오로지 여기를 가야 한다는 생각만 하고 왼쪽 다리를 처음 칸에 올렸다. 지팡이를 그 위 칸에 기울여 짚은 후 온 힘을 다해 오른쪽 다리를 들어 올렸다. 그렇게 한 칸 한 칸 열심히 올랐다. 어느 칸에서는 난간이 있었더라면 헛된 갈망을 하기도 했다. 적막 속 뜨거운 날숨은 가슴 속을 헤집었다. 공포에 사로잡혀 나대는 심장을 달래지 못한 채로 끝을 향했다.

내가 계단을 오르는지 계단이 내려가는지도 모르게 엉겁결에 오르고 나서 복도를 보니 선생님은 사무실 앞에서 대화 중이었다. 또다시 어디론가 가기에 뒤를 따라갔더니 계단이었다. 더 높은 층계를 보고 망연자실하였다. 순간 과거의 악몽과 공포가 물밀 듯이 한꺼번에 머리를 치고 벗어날 수 없는 쇠사슬에 묶였다.

'여기서도 계단 지옥이 시작되는구나.' 하고 생각하며 앞으로 어떻게 버텨야 할지 막막했다. 힘들게 계단을 올라 3층에 도착했다. 복도를 지나 나무문이 있는 곳으로 들어갔다.

작업대와 사람도 많았다. 선생님은 과장님과 공장장님을 만나서 대화를 잠깐하고 갔다. 공장장님은 내게 이렇게 하는 것이라며 시범을 보인 후 해 보라고 하였다. 난 가르쳐준 대로 일을 시작했다. 공장장님은 한참 지나서 나를 부르더니 다른 일을 하라고 해서 그 일도 해냈다. 시키는 것을 곧잘 하는 것을 보고 어른들이 나에 관한 대화를 했다.

그렇게 기계 옆에서 열심히 일하는데 아빠가 오셨다. 아빠를 보자 반가움을 금치 못하고 나의 시선은 아빠를 따라갔다. 공장장님한테 인사하고 외출을 허락받으셨다. 아빠를 따라 작업장을 나왔다.

아빠와 언니, 오빠와 외출을 하였다. 언니가 나를 시설에 맡기게 돼서 떡을 해서 가져오느라 함께 왔다. 밖에서 식사하고 돌아와 이별할 순간이 다가왔다. 같이 있을 때는 미처 느끼지 못했는데 아빠가 가야 한다는 말에 나도 모르게 슬픔이 밀려들었다. 아빠는 "잘 지내고 있어. 잘하고 있어."라고 하며 또 보러 온다고 목이 멘 목소리로 말을 이었다. 이번엔 정말로 아빠와 이별을 했다. 그렇게 둘째 날을 이어가고 있었다.

담당 선생님은 내게 와서 화장실 물을 안 내렸다고 야단을 치셨다. 내가 화장실에서 나온 후 다른 선생님이 들어갔었다. 그분이 담당 선생님께 말한듯싶다. 네모난 구멍이 뚫린 학교 화장실과 달리 물이 고여 있어서 물 내리는 버튼을 찾았었다. 나는 처음 본 장치라서 사용법을 알지 못했다. 바닥에 무언가 있었지만 잘못 만졌다가 고장이 날까 봐 살짝 건드려 보고 무서워서 그냥 나왔다. 사용법은 가르쳐 주지도 않고, 무조건 언성만 높였다. 1층에 있는 많은 사람이 듣게 되어 창피한 생각이 들었다.

물을 꼭 내려야겠다는 생각에 바닥에 있는 쇳덩이를 유심히 살폈다. 건드려 보니 길쭉한 것이 움직여서 물이 나올 때까지 눌렀다. 물을 안 내려 혼나나 망가트려 야단맞으나 어차피 혼나기에 끝까지 꾹 눌렀었다. 결국에는 조금 누르면 물이 안 나오고 끝까지 길게

눌러야 하는 방법을 알게 되었다.

몇 번 오고 가다 보니 물을 안 내리는 사람들이 있었다. 처음인데 시설 안내도 못 받았고, 모르는 것은 알아가야 하는데 아무도 가르쳐주는 사람이 없었다. 단체 생활이 무엇인지 모른 채 난생처음 시작했다.

갈증

낯선 그곳의 생활은 만만치 않았다. 하나부터 열까지 어려움투성이였다. 식사 후 물을 마시려고 보니 양동이에 물을 받아서 바닥에다 가져다 놓았다. 아이들은 컵을 집어 양동이 물을 떠서 먹었다. 목이 너무 타서 마시고 싶어도 몸을 굽힐 수 없어서 양동이에서 물을 뜰 수 없었다. 나는 식당에서 물 먹기를 포기했다. 1층 세면실에 갔더니 문이 잠겨 있어 2층 세면실을 갔으나 수도가 높았다. 그래서 그냥 출근했다.

목마름을 참고 일을 계속하다가 한계에 다다라 일어났다. 3층 세면실을 갔지만 2층 수도보다 더 높았다. 어쩔 수 없이 돌아가서 하던 일을 했다. 쉬는 시간이 되어 아래층 세면실로 갔다. 여기도 수도가 높긴 하지만 끝쪽으로는 낮게 되어 있었다. 수도꼭지를 돌리려고 세면대에 몸을 밀착했다. 최대한 좌측으로 몸을 굽혀 왼손을 뻗으며 오른쪽 다리를 들었다. 어렵사리 물을 틀고 들었던 다리를 내려고 섰다. 왼손으로 물을 받았지만, 수도가 멀어서 물을 입까지 떠 올리기 쉽지 않았다.

한쪽 팔이라도 내 마음대로 되었으면 물을 먹을 수 있었을 텐데……. 늦을까 봐 걱정되어 가슴은 쿵쿵 울렸다. 조금이라도 먹으려고 씨름 끝에 겨우 목만 축였다. 쉬는 시간이 지난 것 같아서 걸음을 재촉했다. 한 층을 내려갔다가 올라오려면 10분으로는 턱없이 부족했다.

3층의 수도가 제일 높았고, 성인 남자들이 생활했다. 휠체어를 타는 사람들도 있었지만, 정상적인 팔 동작이 가능해서 수도를 못 트는 사람은 1명 외에는 없었다. 난 못 하는데 휠체어에 앉아 있어도 높은 선반 위의 물건을 잘 내렸다. 3층에서는 청소용 걸레를 빨려고 해도 물을 사용 못 하여 2층으로 내려갔다 와야 했다.

2층 세면실이라도 낮은 곳이 있어 다행이었다. 2층도 수도가 다 높으면 1층까지 가야 하니까 말이다. 차츰 세면실을 사용하는 타이밍을 익히고 실내 어디가 어딘지 알게 되었다. 나는 목이 타면 세면실 수도를 찾아 물을 마시곤 했다. 처음에는 물에서 이상한 냄새가 났지만, 언제부턴가 익숙해지니 냄새가 나지 않았다.

처음에는 물 한번 먹기 힘들었다. 목이 타들어 가니 고향의 우물이 그리웠다. 뜨거운 태양 아래 지친 몸으로 집에 와 마루에 앉으면 엄마가 우물에서 시원한 물 한 바가지 떠다 주셨다. 바쁠 때나 집에 없을 때는 못 챙기지만, 한여름 더위 속에 집에 오면 시원한 물을 챙겨 주셨다.

우물에서 바로 떠 온 물을 마시면 머리까지 시원했다. 물도 마시고 마루도 시원하니 언제 더웠냐는 듯 더위는 사라졌다. 목마름에 허덕일 때면 우물물이 생각났다.

단체 생활

아무런 설명도 없이 따라오라고 하여 영문도 모른 채 첫 출근을 했던 작업장으로 매일 출근을 했다. 처음에는 계단을 보고 암담했는데 사면 계단을 보고 안심이 되어 마음이 놓였다. 사면 계단은 휠체어가 다닐 수 있게 만든 길이다. 사면 계단과 사무실 옆에 난간이 있는 계단이 있음에도 불구하고 선생님은 일반 계단으로 나를 데리고 갔었다. 처음엔 계단 때문에 괜한 걱정으로 노심초사했다.

엄마가 없는 살림에 옷과 양말, 운동화를 사 주셨다. 생전 처음 받은 것이라 서랍과 가방에 고이 넣어 두었었다. 일을 마치고 내 물건을 정리하던 중 없어진 것들이 있었다. 난 의아했지만, 속옷이라서 찾을 길을 몰라 속상했다. 그런데 한방 쓰는 연이가 옷을 벗을 때보니 내 것이었다. 내 것이 아니냐고 묻자 나중에 준다며 돌려주지 않았다. 실컷 입고 다니다가 돌려주었다. 마구 입어 이미 늘어지고 때가 묵어서 헌 옷이 되었다. 내가 애지중지 아꼈던 새 옷인데 너무 속상했다.

내 힘으로 연이를 이기지 못해 참을 수밖에 없는 처지였다. 연이는 키도 크고 양팔을 올릴 수 있어서 때리면 이길 수 없다. 더욱이 까치발로 서 있어서 밀면 넘어져서 다치기 때문에 무조건 참아야 하는 현실이었다. 연이는 나의 운동화를 비롯해 아껴두고 소중히 여겼던 물건들을 말도 없이 가져가서 사용했다.

그리고 내 월급에도 손을 댔다. 작업장에서 일하면 각자 통장으로 저축이 되었다. 통장 관리는 사무실에서 하고 매월 용돈 식으로 찾아주었다. 받은 월급을 가방 안에 깊이 넣어 두었는데 손을 댔다. 옷과 신발은 망가지면 돌려주었는데 돈은 돌려받지 못했다.

그 당시에 돈 관리를 어떻게 해야 하는지 모르는 나는 월급 받는 족족 고스란히 잃었다. 그리하여 월급을 찾는 날 찾지 않겠다고 말했지만, 꼭 찾아주었다. 본인이 필요하지 않아 안 찾겠다는데 들어주지 않는 이유를 알 수 없었다. 매번 말해도 나의 말을 무시해 버렸다. 결국, 찾아주는 대로 받았다.

어느 날 선생님께 샤워를 안 했다고 꾸중을 들었다. 세면실에 갔지만, 사람이 있어서 2층으로 갔다. 마침 세면실에 아무도 없어 문을 잠그고 턱이 허리만큼 높은 데를 겨우 넘어가 대야에 물을 받았다. 씻으려고 하는데 노크 소리가 요란하게 들렸다. 나무문을 사정

없이 마구 두드리고 문고리를 비틀어 대며 뭐라고 말을 했다.

잘 듣지 못해서 턱을 넘어 나와서 "누구세요?"하고 물었더니 여자 목소리가 들려 문을 열어주었다. 다른 방 담당 선생님이었다. 다시 턱을 넘어 물에 들어가 씻고 있는데 다른 사람들이 하나둘 들어오더니 남자애들이 우르르 들어왔다. 그분이 문을 잠그지 않았다. 곧 남자애들이 온다고 말이라도 해주었다면 나왔을 텐데……. 아무리 장애가 있어도 지킬 건 지켜줘야 하는데 보호받지 못했다. 당황스럽고 창피하고 속상했다. 샤워 때문에 저녁도 굶어가며 씻고 있었는데 어린 마음에 억울했다.

다들 저녁 식사하고 있어 세면실이 비어있고 빨리 안 하면 선생님께 야단맞을까 봐 바로 행동으로 옮겼다. 시계가 없었고, 시설에 온 지 얼마 안 돼서 아이들의 생활방식을 전혀 몰랐다. 식사 시간 동안 샤워를 거의 끝낼 수 있었는데 높은 턱을 왔다 갔다 하느라 지체되었다. 처음이라 단체 생활이 어떻게 되는지 몰랐기 때문에 그런 일이 발생했다.

일하는 시간은 일정하지 않았다. 저녁을 먹고 야근을 하거나 밤늦게까지 할 때도 있었다. 토요일도 오후까지 하거나 야근까지 하기도 했었다. 그래서 일요일 밖에 시간이 별로 없었다. 종일 일하고 저녁 후에 모처럼 방에서 쉬고 있는데 선생님이 와서 큰 소리를 냈다. "이늠에 가시나들이 빨래를 안 하고 쌓아 두었네."

"냄새나는데 이렇게 처박아 두면 돼?"

"모아 놓지 말고 제때제때 안 빨 거야?"

"가시나가 되어서 말이야."라고 하며 야단을 치셨다.

나의 빨랫감도 아니었고, 시설에 온 지 얼마 안 돼서 아무것도 모르는 상황이었다. 아이들이 학교 갔다가 나보다 일찍 오는데 빨래를 하지 않고 쌓아 놓았다. 더욱이 그 통이 빨래를 보관하는 것인지도 몰랐다. 나는 남의 물건에 손을 대지 않으니까 말이다. 그리고 아이들의 나이가 나와 같거나 많은데 혹여 내가 빨래를 하라고 해도 말을 들을 것도 아니었다. 선생님 말씀도 잘 안 듣는데 내말이 먹힐 일은 없었다.

새내기이고 나이도 어린 내게 건물 안이 울릴 정도로 야단을 치시곤 횅하니 가버렸다. 평일에 그 많은 빨래를 할 수 없어 일요일을 기다렸다. 중도에 여태 안 했냐고 또 야단을 맞았지만 내 능력 밖이라 혼날 수밖에 없었다. 일요일이 되어서 큰 빨래통을 끌고 세면실에 갔더니 세탁기는 선생님들이 다 쓰고 있었다.

2층 세면실 세탁기도 마찬가지였다. 손빨래하기에는 옷도 크고 양도 많아 어쩔 수 없이 다른 세면실로 가서 세탁기가 비기를 기다렸다. 오래 서 있으니 발가락이 아팠다. 기다린 끝에 빨래할 수 있게 되었다. 처음 보는 세탁기였지만 글자를 보고 이것저것 눌러보며 헤맨 끝에 돌아갔다. 한글마저 몰랐다면 전부 손으로 해야 했을 텐데 다행히 글자대로 세탁기가 움직여 주었다.

나의 빨래는 늘 하던 대로 손으로 빨아서 짜는 것만 기계 힘을 빌렸다. 빨래양이 많아 세탁기에 다 돌릴 수 없고 세탁기가 내 것이 아니라서 한 번 더 쓰기도 불안했다. 또한, 빌 때까지 기다리려면 종일 서 있어야 할 때도 있었다.

졸업 후에 옆집 친구가 빨래터에서 빨래하고 집으로 가는 도중 저만치에 서서 나를 보며 손을 흔들었다. 너는 빨래도 못 하지. 나는 빨래해서 효도한다고 자랑하며 약을 올리고 자기 집으로 들어갔다. 세숫대야에 빨래를 들고 가는 친구를 보며 부러웠었다.

나는 쪼그려 앉아서 해야 하는 빨래터에서는 빨래를 못 한다. 그러나 이곳은 서서 할 수 있게 되어 있어 내 옷은 내 손으로 빨아 입을 수 있기에 참으로 다행이었다. 빨래마저 못 했다면 끔찍한 일이 벌어질 텐데 생각하기도 싫었다.

일요일이면 빨래를 하는데 무거운 큰 빨래통을 2층까지 가지고 가는 것이 문제였다. 사면 계단에 미끄럼방지를 해놔서 빨래통이 잘 끌리지 않아 애를 먹었다. 그리하여 정이에게 휠체어를 빌려 달라고 부탁했다. 여러 번 부탁한 끝에 허락을 받아 냈다. 그 후로는 빨래통을 휠체어에 싣고 사면 계단으로 밀고 올라갔다. 빨래통 무게 때문에 쉽진 않았지만 끌고 올라가는 것보단 나았다.

어느 날. 여느 때처럼 세탁기를 돌리고 있었다. 선생님이 나를 찾아와 세탁기 안을 보더니 호통을 치셨다. "가시나야 속옷은 손으로 빨아야지. 세탁기에 돌리는 가시나가 어디 있냐?"고 하며 소리 높여 한바탕 퍼붓고 가셨다. 여기 와서 세탁기를 처음 써 보았다는 말도 속옷은 세탁기에 넣으면 안 되는 것을 몰랐다는 변명도 하지 않았다. 선생님은 세탁기 사용법과 빨래하는 방법도 알려 주지 않았다. 혼낼 때 쩌렁쩌렁해서 다른 사람들도 다 듣는다. 더더욱 세면실 옆으로 남자 방인데 말이다.

세탁기에 빨래해도 끝까지 지켜야만 했었다. 선생님들이나 아이들이 세탁이 끝나지 않은 빨래를 빼고 자기 것을 돌리는 경우가 있어서였다. 빨래를 맨바닥에 건져 놓으면 내가 주울 수 없고 하나라도 잃어버리면 아이들이 가만두지 않을 것 같아 미리 싸울 일을 만들지 않으려는 예방책이었다.

어떤 사람은 세탁이 끝났는데도 가지러 안 와서 서 있어야 하는 시간이 길어져 다리와 온몸이 아팠다. 다된 빨랫감이어도 남의 빨래를 빼고 돌릴 수 없었다. 자기 것을 뺐다고 난리가 날 테니 말이다. 오후가 되도 안 가져가는 사람도 있었다. 오전에 못 하면 다시 가지고 내려가야 하고 점심 식사 후에 다시 2층에 가야만 했다.

1층과 2층 세탁기 쓰기는 하늘 별 따기만큼 어려워 큰사람들 세면실 세탁기를 눈치 보며 쓰느라 힘들었다. 유일하게 쉬는 날도 마음 편히 쉴 수 없었다. 나의 몸을 보호해가며 단체 생활을 하는 것이 14살인 내겐 큰 바위가 누르고 있는 것과 같았다.

첫 휴가

일반 직장인들이 휴가를 받듯이 내가 속한 작업장도 휴가를 주었다. 납품이 급할 때는 뒤 늦게 줄 때도 있었다.

집에 가라고 휴가를 주었지만 바로 갈 수 없었다. 전에 아이들이 나가자고 하는 걸 거부할 수 없어 따라갔다가 선생님께 된통 야단을 맞았다. 그때까지만 해도 단체 생활에 어떤 규칙이 있는지 아무것도 모르고 아이들 따라가서 혼난 것이었다. 외출에 자유가 없다 보니 친구가 편지를 보내와도 제때 답장을 보낼 수 없었다.

내가 집에 있었을 때 엄마는 눈이 침침해 편지를 볼 수 없다며 나에게 읽으라고 하셨다. 그래서 굵은 펜으로 크게 써서 봉투에 넣고 보니 봉투 겉에서 검은 것이 보였다. 크게 또박또박 쓴 첫 편지를 받아보신 엄마는 좋아하시며 기쁨을 동네 사람들과 나누었다. 부모님께 편지로 안부를 자주 전하고 싶었는데 써 놓은 편지를 부칠 수 없어 속만 탔다.

그곳은 비밀이란 것도 없었다. 작업장에서 일을 끝내고 오니 편지가 왔다고 하여 방으로 가 편지를 집어 들었다. 읽으려고 보니 뜯어져 있었다. 편지 왔다는 말에 좋았다가 칼로 뜯긴 편지에 기분이 썩 좋지 않았다. 중요한 내용은 없지만, 나의 설렘을 빼앗아 갔다. 편지조차 마음대로 부칠 수 없어 친구와 인연도 끊어졌다.

작업장 사람들은 휴가라고 다들 집에 가는데 외출에 대한 공포 때문에 방에 있었다. 부모님도 보고 싶고, 고향도 그립고, 당장에라도 달려가고 싶은데 어쩔 줄 몰라 애만 태웠다. 선생님은 뒤늦게 내가 방에 있는 것을 보고 "집에 안 가?"라고 물으셔서 간다고 대답했다. 드디어 보따리를 싸 들고 길을 나섰다.

길을 걸으며 '이제야 집에 가는구나!' 하고 생각하니 눈물이 절로 앞을 가렸다. 그리고 "이제야 숨을 제대로 쉴 수 있겠구나" 하는 해

방감이 서서히 들기 시작했다. 마음을 옥죄였던 무게를 내려놓고 잠시나마 지옥에서 벗어날 수 있어 가슴안에는 억눌렀던 강물이 흘렀다. 초행길이라 길도 잘 모르지만 처음 왔던 기억을 더듬으며 버스를 탔다. 갈아타야 하는 부근에서 행여 놓칠세라 창밖을 열심히 주시했다. 보따리를 들고 버스에서 내려 다음 목적지를 가기 위해 터미널을 찾았다. 또 버스를 타고 읍내에 도착했다.

곧바로 집으로 가기엔 빈손이라 시장을 보기 위해 내렸다. 시장을 찾아 골목을 걸었다. 다행히 장날이 아니었는지 복잡하지 않아 보따리를 들고 지팡이를 짚고 걷는데 좁지 않았다. 드디어 닭집을 찾았다. 나무판 진열대 위에 있는 닭에 물을 뿌렸다. 나는 시장도 처음이고, 닭을 사 본 적이 없어 어떻게 구매하는지 몰랐다. 가게 주인에게 "이 닭 주세요."라고 했더니 비닐봉지에 넣어 주셨다. 집에 가려고 시장을 벗어나 정류장을 찾았다.

버스에 적힌 목적지를 정확히 확인하고 버스에 올랐다. 나의 고향은 정류장이 없어서 버스를 세워야 했었다. 초행길에 시골은 다 거기서 거기인지라 지나칠세라 창문을 뚫어지게 바라보았다, 아랫마을 경로당이 순간 보여서 재빨리 기사 아저씨를 부르며 "세워 주세요."라고 외쳤다. 고개를 향해 올라가는 버스를 뒤로하고 마을을 보고 땅을 내려다보는 그 순간 왠지 마음이 시렸다.

고향을 그리워하고 갈망해서일까? 속박에서 벗어나서일까? 엄마의 배웅을 받았던 자리에 서니 눈물이 핑 돌았다. '그 얼마나 엄마 품이 그리웠던가?' 빨리 한달음에 달려가 안기고 싶었지만, 현실은 그렇지 않았다. 마을 깊숙이 자리한 내 집은 한참 걸어가야만 했다.

한 손엔 보따리, 다른 손에는 시장에서 사 온 묵직한 봉지와 지팡이를 들고 오로지 다리 힘만으로 걸어야 했다.

더욱이 우리 집에서는 고기를 사는 일이 없기에 닭을 2마리 사고, 소주도 있어서 엄청 무거웠다. 봉지 무게로 인해 손가락이 너무 아팠다. 엄마는 평소에 가족들 먼저 챙기시느라 고기를 안 드셨다. 그리고 아빠는 고기를 좋아하셔서 한 마리로 두 분이 드시기에 부족 할 것 같기도 했다. 그래서 이 기회에 1마리씩 드리면 좋겠다는 생각에서 2마리를 사기로 한 것이었다.

처음으로 고향에 왔는데 까치발로 걷느라 힘든 나머지 풍경이 눈에 다 들어오지 않았다. 오래된 은행나무가 있는 길은 비만 오면 땅이 파여 길이 나빴다. 이 길을 걸으니 고향에 온 것이 비로소 실감이 났다. 땀을 흘리며 무거운 짐을 들고 걷고 또 걸었다. 지나가는 사람도 없고 동네가 왠지 모르게 쓸쓸하게 느껴졌다. 아랫집 옆에 늘 건너다녔던 도랑을 만났다. 이렇게 짐을 많이 들고 건너기는 처음이었다. 힘이 빠져 짐을 들고 건너려니 쉽지 않아 헤맸다.

거기서 엄마를 부르면 소리가 작게 들리겠지만 정확하게는 들리지 않는다. 내가 오는 것을 알고 있으면 소리가 날 때 확인하러 나오시겠지만, 모르신다. 집에 안 계실지도 모르니 부르지 않았다. 도랑을 건너 좁고 비탈진 길을 오르는데 발이 푹푹 들어가고 숨이 턱까지 찼다. 조금만 더 가면 집이었다. 마당에 들어서서 그제야 떨리는 소리로 "엄마" 하며 불렀다.

씩씩하게 부르고 싶었는데 몸이 천근만근이라 목소리가 좋지 않았다. 부르는 소리에 방에서 나오시는 엄마. 소식 없이 와서 기쁨

반 놀람 반. 엄마는 너무나 반가운 나머지 미처 말이 나오지 않아서 더듬거리다가 아빠를 부르셨다. "나와 봐. 딸이 왔어."라고 목멘 소리로 아빠가 있는 방향에 대고 급한 듯이 불렀다. 아빠도 버선발로 나오셔서 나를 반기셨다. 아빠도 말을 잊지 못하셨다.

부모님은 내게 방문을 못 하셔서 무척 보고 싶었을 듯싶다. 꿈에도 내가 올 줄 모르셨는데 휴가를 받아 혼자 집을 찾아와 기특해하셨다. 나 홀로 외진 곳에서 지내다가 집에 오니 모든 긴장감을 내려놓을 수 있었다. 눈치 볼 사람도 없고, 불안에 떨지 않아도 되었다. 나에게 휴식과 안정을 주는 것은 돌 마루였다. 무겁게 걸어오느라 지친 몸뚱이. 마루에 앉아 숨을 돌렸다.

짧기만 한 휴가를 보내고 돌아가야 할 시간이 되었다. 속으로는 무척 가기 싫은데 부모님께는 그 어떠한 말도 할 수 없었다. 부모님께 떼를 쓰거나 걱정을 끼치고 싶지 않았다.

"나 그냥 집에 있으면 안 돼?" 이 한마디를 하고 싶었으나 올라오는 속내를 억누르며 가슴에 묻었다. 한 번이라도 여쭈어볼 수 있지만 나는 어려서부터 늘 침묵했기에 그러기로 마음을 다졌다. 돌아갈 때는 아빠가 데려다주시기로 하여 엄마와 집을 나섰다. 나의 두 발에 바윗덩이를 묶어놓은 듯 떨어지지 않는 걸음을 힘겹게 옮겼다. 엄마는 눈시울이 젖어 슬퍼 보이셨다. 좋은 얼굴 하려고 애쓰시며 배웅 해주셨다. 난 엄마가 웃는 것을 별로 본 적이 없었다.

엄마를 뒤로하고 아빠와 버스에 올랐다. 떠날 때처럼 버스는 쏜살같이 내달려 경로당을 지나 산과 들이 늘어진 도로를 달렸다. 그렇게 목적지에 도착해 아빠는 나를 음식점으로 데리고 들어가셨다.

아빠는 처음으로 자장면을 사주셨다. 그런데 아빠는 자장면을 안 드시고 반주로 허기와 목마름을 채우실 뿐이었다.

한 푼이라도 아끼시려고 본인 자신의 끼니는 챙기지 않으셨다. 철 없는 나는 아빠 생각도 못 하고 주는 대로 먹기만 했다. 자장면을 먹어 본 경험이 없는 난 맛에 빠져들기도 했었다. 아빠와 나누어 먹었으면 좋았을 텐데 하는 아쉬움이 남는다.

식사를 마치고 걸어서 시설로 돌아와 방까지 데려다주셨다. 아빠와는 3번째 헤어짐인데도 슬픔은 좀처럼 가시질 않았다. 아빠도 처음보다는 덜하시지만 나와 다르지 않았다. 그리움과 설렘보다 몸과 마음이 조금 더 무거운 첫 휴가였다.

첫 재발

올림픽으로 전국이 떠들썩했지만, 나만은 딴 세상에 사는 듯했다. TV나 라디오를 안 들어서 세상이 어떻게 돌아가는지 알지 못했다. 작업장에서 라디오를 켜 놓는데 주로 음악이 나왔고, 가끔 뉴스가 나와도 알아들을 수 없었다. 그렇다고 누군가와 대화하는 일도 없으니 도시에 살면서도 갇혀 있는 듯 정보에 어두웠다. 온종일 일만

하다 퇴근하고 반복적인 일상이 돌고 있었다.

어느 날 오후 일이 일찍 끝나서 퇴근했다. 그런데 아이들이 어디를 간다며 건물 밖으로 나갔다. 잘 듣지 못해 눈치껏 밖으로 나왔다. 전체 원생들이 밖으로 나오고 있었다. 아이들은 방별로 줄지어 이동하였다. 영문도 모른 채 단체로 가는 것 같아서 따라갔다. 단체로 다 가는데 혼자 방에 남았다가는 야단맞거나 맞는 것이 두려워 어쩔 수 없이 똑같이 행동해야만 했다. 안 그래도 찍혀있고 계속 찍히면 사람들이 말 안 듣는 아이, 문제아로 보는 것도 걱정되었다.

매일 앉아서 일만 하다가 오랜만에 걸었더니 얼마 못 가 발목이 아프기 시작했다. 그래도 가야 하기에 참고 갔는데 점점 통증이 심해졌다. 한발 딛기가 너무 아파서 휠체어 손잡이를 잡고 걸으면 좀 나을 것 같다는 생각이 들었다. 그래서 정이에게 같이 가자고 말했다. 휠체어 손잡이는 휠체어를 밀어줄 때 잡고 미는 용도였다. 막상 잡으려고 하니 손잡이 위치가 높아서 잡을 수 없었다. 또한, 전혀 지탱할 수 없어 불편은 커지고 더 힘들었다.

발목에 무리가 계속 가해지는데 중도에 되돌아오지도 못하고 끝까지 갔다. 휠체어를 타는 아이들을 보며 나도 휠체어가 있었으면 생각했다. 멀리 갈 때 타고 갈 수 있을 텐데…….

돌아온 후 계속 발목이 아팠다. 방바닥에서 일어날 때나 걸을 때 의지하고 지탱하는 다리였다. 주로 많이 쓰는 왼쪽 다리라서 한발 디디고 뗄 때마다 통증이 심했다. 한발 이동하려면 눈물이 절로 핑돌고 얼굴이 일그러졌다. 복도를 나가는 것도 오래 걸리는데 3층까지 출근하려니 어떻게 해야 할지 막막했다. 일을 안 하면 야단맞을까 봐 어찌할 수 없어 출근했다. 그래도 출근 시간은 여유가 있어 지각은 면했다.

통증도 문제지만 점심 식사가 더 큰 문제였다. 점심시간은 짧은데 1층으로 내려갔다가 올라와야 한다. 평소에도 걸음이 느려 남들 다 가고 꼴찌로 내려갔다. 시간적 여유가 없는데 큰일이었다. 너무 고통스러운 나머지 한번 식당에 안 갔더니 선생님은 야단이었다. 오랜 시간 고통에 시달려야 해 점심을 거르고 싶었지만 야단맞을까 봐 내려가야 했다.

다들 후다닥 내려가고 사면 계단에 덩그러니 홀로 남겨졌다. 통증의 전율이 머리끝까지 치고 올라와 몸을 가눌 수 없는 순간이 여러 차례 닥쳤다. 그 순간마다 내면의 나락 속으로 떨어졌다, 그리고 고독과 서러움이 나의 영혼을 갈가리 찢어 놓았다. 난 그 자리에 주저앉고 싶었다. 경사진 사면 계단은 평지보다 통증이 더 심했다. 한 발 내딛거나 뗄 때마다 온몸에 전율이 일고 한마디로 지옥이었다.

어느 날 정이에게 휠체어를 잠시 빌렸다. 사면 계단 앞에서 올라가려고 핸드림을 돌렸다. 그러나 아무리 애를 써도 비탈을 오를 수 없었다. 팔이 뒤로 되지 않아 굴리는 범위가 작아 오르지 못했다. 팔의 힘도 관건이지만 어깨를 쓸 수 없고, 팔이 굽혀지지 않아 불가능하였다. 누군가 밧줄로 묶어놓은 듯 팔을 쓸 수 없었다. 내려오는 것은 손바닥으로 조절하면 되지만 오르는 것은 불가항력이었다.

평지에서는 바퀴를 짧게 굴려도 굴러갔다. 다른 사람보다 느리지만, 왼손만 사용하여 밀어도 걷는 것보다 빨랐다. 결국, 휠체어가 있다고 해도 사면 계단을 오를 수 없어서 무용지물이었다. 방법이 없는 현실 앞에서 나의 마음은 절망으로 무너져 내렸다. 계속된 무리로 인해 오랫동안 고통 속에 머물러야 했다.

지겹도록 통증이 오래 가서 병원을 갔었다. 그러나 의사는 골배기라며 별말 없었다. 의사도 나의 심한 통증을 이해하지 못하는 듯싶다. 이해는 못 해도 조금은 말 한마디 해주길 바랐다. 어린 마음에 누군가로부터 '많이 아팠겠네.' 이말 한마디가 듣고 싶었다. 생판 남인 의사한테 위로를 기대한 것은 아니지만 외로웠다.

왼발이 아프면 오른발에 지탱을 더하고 힘을 쓰면 좋은데 오른쪽 다리는 굽힐 수 없고 일자로 굳었다. 그래서 오른발을 먼저 내디딜 수 없어서 전진하지 못해 왼발을 대신할 수 없다. 오로지 왼발을 먼저 내디디고, 당겨야 오른발을 옮길 수 있었다.

병원에서 어떤 조치나 관리에 대하여 무슨 말이 있었다면 덜 힘들게 생활할 수 있었겠지만, 별말 없어서 아무런 도움을 받지 못했다. 아픈 다리를 이끌고 3층까지 계속 오르내려야 했다. 아무도 쉬라고 하는 사람이 없었다. 누군가가 휠체어를 3층까지 밀어주었다면 고통을 참아가며 애써 걷느라 몸부림치지 않아도 되었을 텐데……. 아니 점심 식사만이라도 가져다주었다면 한 번의 고통을 줄였을 듯싶다.

미치도록 심한 통증에 시달리며 식당에 도착해 어렵사리 의자에 앉았다. 온몸을 부들부들 떨며 식어 빠진 밥 한술을 떠 넣으니 눈물이 흘렀다. 매일매일 서러운 눈물 밥을 꾸역꾸역 삼켰다. 사면 계단을 오르내리지 않았다면 통증이 그렇게까지 오래 안 갔을 테고 고통도 덜했을 듯하다.

그 당시 의사는 꼼꼼히 관찰을 안 했는지 뼈에 이상 있는 것을 눈치채지 못했다. 분명 일반인과 다른데 자세히 안 본 듯싶다. 원래 장애가 있으니까 대충 보고 넘겼는지도 모른다. 어쩌면 그냥 넘어간 것이 다행이지 싶다. 이 병의 특성상, 뼈가 이상하다고 수술했다면 걷지도 못하게 되었을 듯싶다. 몇 달 몇 날이 흐르고 언젠가 통증의 지옥으로부터 나오게 되었다.

첫 추석

시설에 오고 처음 맞는 추석이었다. 휴가를 주었지만 외출해야 해서 고민되었다. 담당 선생님의 눈치도 살펴야 하고 다리도 아파서 걱정이 이만저만이 아니었다. 몸과 마음이 아프니까 집 생각이 더 났다. 나에겐 익숙한 환경인 집도 불편한 부분이 있지만, 며칠만이라도 무거운 마음을 잠시 내려놓을 수 있으니 시설보다 낫지 싶었다. 그래서 한걸음 떼기가 고통스러웠지만 길을 나섰다.

아픈 다리로 의지할 것이라곤 지팡이 하나. 손바닥이 얼얼하지만, 힘껏 짚으며 내 몸뚱이를 이끌고 어찌어찌해서 터미널에 도착했다.

추석이라 오빠도 집으로 올라간다는 것을 알기에 같이 가려고 생각했다. 오빠가 있는 곳이 고향보다 가깝고, 빨리 보고 싶기도 해 내린 결정이었다. 또한, 버스도 한 번만 타면 되니 아픈 다리로 집으로 가는 것보다는 나을 것 같았다.

오빠가 있는 곳은 초행길이었다. 지역 이름대로 표를 사고 버스에 올랐다. 잘못 가는 줄도 모른 채 오빠를 곧 볼 수 있다는 설렘으로 가득 찼다. 깜짝 놀라게 하고 싶기도 했다. 드디어 터미널에 도착했다. 오빠는 한창 일하고 있는 시간인 데다 만나려면 공장으로 찾아가야만 해서 내가 가면 방해가 될 것 같았다.

그래서 터미널 근처에 사는 큰오빠 집에 먼저 가기로 생각을 바꾸었다. 앞서도 말했듯이 나는 낯가림이 심하다. 내게 큰오빠는 큰 산과 같고 아빠보다 어렵다. 명절에 얼굴 한번 보는 것이 다다. 그러나 작은 오빠는 같이 자라서 낯가림이 없다. 그렇기에 작은 오빠를 먼저 찾는 게 당연했다. 큰오빠 집에서 오빠를 기다렸다가 모두 함께 집으로 내려가려고 생각했었다.

어릴 때 한번 와 본 기억을 더듬으며 골목으로 들어섰다. 어렴풋이 생각나는 파란 대문을 찾으며 골목 거의 끝까지 들어갔는데 파란 대문이 안 보였다. 다시 왔던 길로 돌아와 터미널 밖으로 빠져나와 공중전화를 찾았다.

2번째 보는 공중전화인데 크고 색과 모양이 달랐다. 처음 사용할 때 전화가 높아서 한쪽 다리로 버티며 전화를 쓰느라 땀을 흘리고 힘들었었다. 이번에는 충격을 받아 힘들어할 겨를도 없이 오른쪽 다리를 가운데로 옮기고 발을 최대한 까치발로 세웠다. 몸을 우측으로 기울이며 왼쪽 다리를 더 들어 올리고, 공중전화에 매달렸다. 수화기에 손이 닿으려면 하체를 최대한 꼿꼿이 세우고 몸을 우측으로 기울여야 했다.

수화기를 옆에 내려놓고, 동전을 넣은 후 번호를 눌렀다. 왼손으로 수화기를 들어 왼쪽 귀에 대고, 수화기 너머로 들려오는 소리에 귀 기울이며 숨을 골랐다. 그제야 땀이 흐르는 것을 느꼈고 전화 통화가 낯설어 가슴이 두근두근 뛰었다. 어떤 여자가 받기에 오빠를 바꿔 달라고 말했다. 그런데 웬 요란한 음악만 계속 나오는 것이 아닌가? 그때는 전화가 익숙지 않아 왜 음악이 나오는지 몰랐다. 기다리고 기다려도 사람 소리가 안 나서 그만 전화를 끊었다.

처음으로 겪는 일이라 어떻게 해야 할지 몰라 막막하고 슬픔이 밀려들었다. 공중전화 부스에서 나와 서성이다가 감정을 추스르고, 용기를 내보기로 마음을 다졌다. 그리곤 전에 오빠에게 한 번인가 얼핏 들어 본 지역을 기억해냈다. 읍 지역 이름은 몇 번 들어서 그곳으로 가면 되는 줄 알고 자신 있게 출발했었다. 출발할 때의 기쁨도 오빠를 볼 수 있다는 설렘도 온데간데없이 사라지고 한순간에 근심·걱정으로 바뀌었다.

길을 잃었으면 고향 집으로 가면 되는 것을 감정에 억눌려 미처 생각지 못했다. 혼자서 버스를 타는 일이 두 번째였고 어디를 다녀본 경험이 없다. 처음 길을 잃은 나머지 시내 한복판에 서서 아무 생각도 못 했는데 생각이 나서 참 다행이었다.

나는 용기를 내어 떨리는 목소리로 지나가는 아줌마께 여쭈었다. 안면 있는 사람에게도 말을 못 건네는 난 큰 용기가 필요했다. "여기가 아니에요?"하고 물었더니 아니라고 하셨다. 그곳에 가려면 거기 가는 차를 타야 한다고 하셨다. 그런데 알려준 지역 이름은 처음 들었다. 그리하여 잘못 온 것을 알게 되었다. 큰 시내치고는 시내가 크지 않았고 어릴 때 봤던 터미널하고 너무도 비슷했다.

시내로 진입하기 전 다리도 있고, 터미널도 도로 옆이었다. 시멘트 포장에 골목도 똑같이 왼쪽으로 있었다. 똑같았으니 잘못 온 것을 그때까지 알지 못했다. 터미널로 다시 들어가 시간표를 살펴보았다. 아줌마께 들은 지역 이름을 찾아보니 있었다.

그러나 처음 듣는 이름이라 혹시나 또 잘못 갈까 봐 걱정되었다. 그리하여 표지판에 두 지역이 있는 차를 타고 버스 기사 아저씨께 그곳에 가는지 확인하였다. 아줌마가 말해 준 지역이 아닌 오빠에게 얼핏 들었던 지역의 터미널에서 내렸다. 그 당시에는 지역 이름에 혼동이 있었는지 잘못 알고 있는 듯싶다.

아무튼, 그분 덕분에 목적지에 올 수 있었다. 터미널에 내려서 보니 역시나 비슷한 구조였다. 시내 진입 시 다리를 지나는 것까지 어쩜 이렇게 위치나 방향까지 비슷할 수 있는지 의아했다. 또다시 왼쪽 골목으로 들어가 파란 대문을 찾아다녔다. 그러나 골목 끝에 다다라도 파란 대문은 보이지 않았다. 이번에는 수월하게 찾을 수 있을지 알았다. 다리까지 아픈데 무리는 무리대로 하고 헛걸음만 한 셈이다. 결국, 오빠에게 가기 위해 택시를 타기로 했다. 택시도 택시라고 다 탈 수 있는 것이 아니었다. 간신히 택시를 잡아타고 오빠가 일하는 공장으로 향했다.

공장 마당에 내려 사무실로 보이는 작은 건물에 들어가 오빠를 보러 왔다고 말하고 기다렸다. 잠시 후에 드디어 오빠를 보고 안도의 숨을 쉬었다. 여기서 기다리라고 하고 일하러 돌아갔다. 식사 시간에 나온 오빠는 식판에 밥을 타다 주었다. 식사를 마치고 오빠가 묵는 집으로 데려다주며 일 끝나면 올 테니 놀고 있으라고 했다.

그리하여 낯선 집의 작은 방에 혼자 있었다. 심심하던 차에 물건들을 살피다 작은 카세트를 발견했다. 테이프에는 내가 아는 곡들이 꽤 많았다. 작업장에서 늘 듣는 장르라 귀에 익숙한 음악들이었고 오빠도 이런 노래를 좋아한다고 생각했다. 그렇게 테이프를 들으며 시간을 보냈다.

그 집에는 할머니가 사셨고, 작은 방을 세를 주었다. 오빠 혼자 자취하고 있어 할머니가 가끔 밥을 차려 주시곤 하셨다. 퇴근한 오빠는 주인 할머니께 동생이 온 것을 말씀드렸다. 할머니는 모처럼 식사를 차려 주셨는데 낯설어 대충 끼니를 때웠다.

오빠는 어두운 마당에서 나의 양말과 함께 간단한 손빨래를 했다. 오빠도 아직은 부모님 손이 필요한데 그래도 오빠라고 동생 양말도 빨아 주었다.

여태껏 화장실을 못 가 화장실에 가려고 오빠에게 말했다. 화장실을 알려 주는데 옛날 화장실인 데다 턱이 높았다. 다리가 아프지 않아도 문을 열면서 높은 턱을 오르지 못한다. 오빠가 수돗가에 있는데 아픈 발 때문에 부들부들 떨렸다. 한 발 내딛는 것이 지옥 같은데 울퉁불퉁 고르지 못한 길을 걷기가 곤혹스러웠다. 더욱이 어두워서 발밑이 잘 보이지 않아 돌부리 때문에 애를 먹었다.

평소보다 많이 걷고 무리해서 뼈를 깎는 듯 통증이 심했다. 얼굴이 일그러지고 눈물이 고이는데 오빠는 어두워서 눈치채지 못했다. 한발 한발 가다가 도저히 갈 수 없어서 오빠에게 더는 못 가겠다고 말했다. 오빠는 그 옆에 빈 곳에 보라고 했다. 그 옆까지 가는 것도 내겐 크나큰 고통이 따랐다. 이를 악물고 눈물과 통증을 삼키며 겨우겨우 볼일을 봤다. 그렇게 우여곡절인 하루가 흘렀다.

오빠도 휴가를 받아 큰오빠 집으로 함께 내려왔다. 모두 고향으로 함께 가려고 준비하고 버스를 탔다. 중간에 갈아타야 해서 내린 후 표를 끊고 버스를 기다렸다. 그런데 오빠가 갑자기 무슨 일인지 뒤 차를 타야겠다며 먼저 가라고 하였다. 드디어 버스가 도착했다. 그러나 아픈 다리로는 빨리 타지 못해 맨 나중에 타려고 서 있었더니 큰오빠가 내 앞에 앉으면서 등을 내어주셨다.

업히라고 손짓하면서 업어 주시려고 하는데 거부하고, 뒤로 물러났다. 큰오빠는 춘추가 많으신 데다 힘이 없어 보이셨다. 더욱이 나를 처음 업는데 뻣뻣한 내 몸뚱이를 어떻게 조절하실지 걱정되었다. 무엇보다 넘어지면 둘 다 다치기 때문에 거부했다. 나는 어쩔 수 없이 낯선 사람들과 버스를 타고 읍내로 갔다. 읍내에서 시내버스 정류장으로 가는데 오빠가 앞에서 오고 있어 안심되었다. 그렇게 처음으로 다 함께 고향을 갔었다.

고향에 와도 외로운 것은 마찬가지다. 그 누구도 다리가 아프냐고 묻는 사람은 없었다. 애초부터 나의 장애와 고통을 이해하는 사람은 없었으니 개의치 않았다. 안 괜찮았지만 언제나 괜찮아야 했다. 다만 사람들에 의해 다칠까 봐 불안한 마음의 무게를 잠시 내려놓을 수 있을 뿐이다. 고향에서는 시비를 걸어오거나 부딪혀서 다칠 일은 거의 없으니까 말이다. 나는 마치 전쟁터에서 피난 온 사람 같았다. 명절은 시끌벅적한 어른들의 날들일 뿐이었다.

한계를 극복하다

오빠는 가끔 나를 보러 왔었다. 낯선 환경에서 낯선 이들 틈바구니에 끼어 지내다가 오빠가 오면 어찌나 반가운지 어쩔 줄 몰랐다. 언제 오는지 알 수 없어서 주말이면 기다려졌다. 오빠가 오래 있다가 갔으면 싫었고 한편으로는 따라가고 싶었다. 오빠를 볼 때면 속내를 말하고 싶기도 했지만 걱정할까 봐 차마 이야기할 수 없었다.

어느 날, 여느 때처럼 오빠가 방문했다. 눈치를 살피다가 슬쩍 한마디 꺼냈다. 이유는 말하지 않고, "나 언제 데리고 가?"하고 물었다. 오빠는 무어라고 말하기 곤란했는지 "더 있다가"라고 말을 얼버무렸다. 참고 또 참고 지내다가 다시 한번 말했다.

기약 없는 대답에 그동안 참아왔던 슬픔이 한꺼번에 밀려왔다. 오빠가 가고 난 후 괴로움이 복받쳐 올라왔다. 아무것도 내 마음대로 할 수 없음에 가슴이 미어졌다. 애써 참았지만, 눈물이 앞을 가렸다. 주체할 수 없는 감정이 깊어진 채 건물 안으로 들어가려고 걸는데 경사진 곳에서 넘어지고 말았다. 나는 어쩔 줄 몰랐다.

어찌 되었든 바닥에서 일어나는 것이 당장에 문제였다. 맨바닥에서 책상이나 아무런 지탱 없이 일어나는 것은 불가능했다. 몇 걸음 가면 낮은 화단에 턱이 있었다. 손가락 높이쯤 돼 보이는데 짚고 일어나기에는 낮아도 너무 낮았다. 학교 다닐 때 넘어졌던 그 도로가 턱보다도 낮았다. 누군가의 도움을 받을 수도 없어 오직 일어나야 한다는 것에 온 신경을 집중했다.

학교 다닐 때 그 마의 구간이 떠올랐다. 그 계단에서 일어나려고 안간힘을 다해 바둥바둥했던 나 자신과 싸움을 생각했다. 계단이 아니어서 일어나다 실패해도 낙상할 일은 없지만 앞으로 엎어져도 다칠 수 있으므로 방심은 금물이었다.

지탱하는 턱은 너무나 낮아 실패는 당연했다. 나는 계속 도전을 했다. 몸을 땅에서 띄우고 발을 세우기 위해 무척 애를 썼다. 무한 시도 끝에 땅에서 하체를 띄우고 발을 세우며 중심 잡는 데 성공했다. 안전한 상황이 아니기에 안도할 새도 없이 벌렸던 다리를 천천히 모으며 일어섰다. 나의 가슴은 쿵쾅쿵쾅 마구 날뛰어댔다. 감정을 추스르고 진정하려고 많은 생각을 접기 시작했다. 가슴에 묻고 마음을 다지고 아무 일 없는 것처럼 일상으로 돌아갔다.

먹구름이 우르르 몰려오듯 감정이 한꺼번에 복받쳐 오를 때 차라리 참지 말고 엉엉 울었다면 속이라도 후련했을지 모른다. 나는 언제나 내 작은 가슴 안으로 억누르고 묻기만 했다. 그날 온 힘을 짜냈다. 내면의 힘과 영혼이 비틀어질 만치 모든 에너지를 쏟았다. 나 자신과 싸워 한계를 넘고 이겼다. 나는 불가능한 것을 가능으로 바꾸었다.

오랜 시간이 흐른 후 너무 힘들어서 또다시 오빠에게 언제까지 있어야 하냐고 물었다. "오빠 방위나 끝나고……."라고 말을 흐렸다. 오빠는 나보다 나이가 조금 많을 뿐이지 오빠도 부모님 손이 필요한 나이에 불과했다. 아직 누구를 책임지거나 맡을 수 있는 상황이 아니었다. 난 부모님이 걱정할까 봐 집에 오고 싶다고 차마 말을 못 꺼냈다. 그래서 오빠밖에 없었다.

오빠도 나와 마찬가지라 부모님께 말씀드리지 못하는 듯싶었다. 갑자기 동생이 물어오니 처음엔 생각나는 대로 답했을 듯싶다. 그 후로도 오빠는 어떻게 해야 할지 몰랐다. 오빠가 보낸 것도 아니었고 결정할 수 있는 문제가 아니었다. 오빠의 방위가 끝나고 직장 다니는 것을 뒤늦게 알게 되었다. 내심 조금은 기대를 하고 오빠가 데려가 주길 소리 없이 기다렸다.

집으로 돌아가고 싶은 마음이 굴뚝같았다. 오빠를 볼 때면 나 좀 구해달라고 속에 있는 말이 목까지 올라오는 것을 참고, 삼켰다. 어린 나는 참고 견디다 보면 언젠가는 오빠가 집에 데려다줄 줄 알았다. 그러나 세월은 흐르는데 아무 말도 없었다.

난 더는 말을 꺼내지 않았다. 집에 돌아갈 수 없다는 것을 느꼈기 때문이었다. 언제부턴가 집에 가는 기대를 접었다. 아니 체념하고 살았다. 나의 고충을 말할 곳도 없고, 보호받지 못한 채 주어진 운명을 받아들이고 살아가야 하나 싶었다. 나의 삶은 그렇게 계속 이어져갔다.

나의 바람은

같은 방 아이들을 포함해 전체 원생 중에 팔이 올라가지 않는 아이는 없었다. 중증장애로 휠체어를 탄 아이 중에는 더러 있었지만 걷는 아이 중에는 없었다. 그 많은 사람 중에 나와 같은 비슷한 장애가 있는 사람은 단 한 명도 없었다. 휠체어를 타지 않고 걸어 다니니 겉보기에 심하지 않아 보여 오해도 많이 받았다. 자신들이 모든 것을 다 한다고 타인도 똑같을 리 없는데 내가 못 하는 것을 안 하면 투덜대며 매서운 눈으로 쳐다봤다.

추운 어느 날 아침 같은 방 민이 언니가 머리를 감으라고 막 뭐라고 했다. 나는 팔이 올라가지 않아 머리를 감을 수 없다고 말했다. 따라오라는 말에 갔더니 학교 뒤편에 수도가 있었다. 아침에는 실내 세면실에 사람이 많아 종종 그곳 수도를 이용했다. 다른 아이가 쓰고 가고 나서 내 차례가 되었다. 세숫대야에 머리를 대자 화가 잔뜩 났는지 수도 밑에 머리를 밀고는 찬물을 틀었다. 민이 언니는 내 머리를 손으로 퍽퍽 치면서 마구 감기기 시작했다. 끝날 때까지 화를 내면서 쳤다.

선생님이 시켜서 마지못해서 하는 것이라 화가 난 듯싶다. 선생님은 자신이 담당하고 있으니 혼을 내더라도 본인이 도와주면 되는데 아이들한테 맡겼다. 오빠가 방문하면 머리 감기를 부탁했었다. 난 한 번도 타인의 손을 빌려보지 않았고, 오빠도 누구를 씻겨 본 적이 없었다. 나는 선생님께 혼나기 싫어 오빠에게 해달라고 한 것이었다. 둘 다 어색하지만 어쩔 수 없었다.

오빠는 어떻게 하느냐고 물었다. 신발장 위에서 샴푸를 가지고 세면실로 들어갔다. 바지에 물이 튈까 봐 욕조가 있는 곳에 들어가 몸을 굽혔다. 긴 줄이 있는 샤워기 물을 틀라고 한 후 머리에 뿌리라고 했다. 처음으로 오빠의 손을 빌려 머리를 감았다. 그런데 한동안 머리를 못 감았다.

작업장에서 아줌마가 숙이 언니에게 "쟤한테 냄새난다. 머리도 안 감고 다니니?"라고 말했다. 아줌마는 외부에서 줄퇴근하는 분이었다. 숙이 언니는 자신과 관련이 없는데 그런 소리가 귀에 거슬린 듯싶다. 숙이 언니를 통해 방에까지 전해졌다. 그래서 민이 언니가 감겨주게 되었다. 민이 언니는 언어장애가 조금 심하고 다른 부분은 괜찮은 편이었다. 내게 냄새가 나면 직접 말하면 되는 것을 왜 타인에게 말하는지 그 당시엔 어른들의 생각을 이해할 수 없었다.

돌봄이 필요해 부모들은 시설에 보내는 것인데 선생님은 관리만 할 뿐이다. 직접 도와주는 것은 반찬이 준비된 식판에 밥과 국을 떠서 지정된 식탁에 가져다 놓는 것 외에는 없었다. 선생님은 머리를 감겨주거나 샤워를 도와준 적이 없었다. 잘못 한 것이 눈에 보이면 야단만 치셨다.

학생들은 방학하면 집에 가서 있다가 개학 날 돌아왔다. 우리 방 아이들도 하나둘 가족이 와서 집으로 데리고 갔다. 아무도 없으니 눈치 볼 사람도 없고 마음이 조금은 가벼워졌다. 처음 이곳에 온 날 오빠가 동생은 국민학교부터 다시 배워야 한다고 말한 적이 있지만 난 학교로 보내지지 않았다. 아무튼, 학생들과 생활하니 혼자 남게 되었다. 작업장 사람들과 사정이 있어 집에 못 가는 아이들 몇 명뿐이라 방학 동안 식당도 한산했다.

저녁 후 나는 이부자리를 펴지 않았다. 내가 가져온 이불을 접고 접어서 작고 두껍게 해 꿰맸다. 손수 만든 이불로 상체만 깔고 자려고 했다. 등에 난 혹들 때문에 상체만 편하면 되기에 그렇게 만들었다. 아무도 없어 어떤 위치에서 자도 상관없는데 늘 자던 창문 밑에 자리를 잡았다. 혼자일 때는 늘 창문 밑에 웅크리고 잠을 청하곤 했었다.

어느 날, 여느 때처럼 퇴근하고 잠자리에 들었다. 갑자기 선생님이 방문을 활짝 열더니 누워있는 나를 보고 소리쳤다. "가시나야 이불을 펴고 자야지."하며 야단을 쳤다. 나는 또 혼날까 봐 불안했다. 이불장은 3단 서랍이 있어서 너무 높았다. 어쩔 수 없이 머리로 위에 있는 이불을 막고 밑에 있는 이불을 천천히 당겼다. 위에 있는 이불이 밀려 내려와 떨어지려고 해 가슴이 두근두근했다. 미끄러지는 이불을 막으려고 머리로 밀었다.

온몸에 신경을 집중하고 이불을 떨어뜨리면 안 되어 긴장을 늦추지 않았다. 양쪽으로 왔다 갔다 하며 천천히 조금씩 요를 땅겨 빼냈다. 땀이 나고 마치 십 년 감수한 사람 같았다. 이불장 문을 닫고 이부자리를 폈다. 아침에 이불을 농에 올릴 수 없어 잘 개서 농 옆에 쌓아 놓고 출근을 했다. 저녁에 퇴근해서 쉬고 있는데 갑자기 선생님이 오셔서 "가시나야 이불을 덮고 잤으면 치워야지."라고 하며 이불장에 넣지 않았다고 호통을 치셨다.

나는 팔을 머리 위로 올리지 못해 높은 이불장에 이불을 올리거나 내릴 수 없다. 그래서 이불을 덮을 생각도 안 했다. 등에 까는 요만 쓰고 있었는데 덮으라고 해서 덮었건만 야단치셨다. 이러나저러나 혼나는 것은 매한가지 이불을 사용하지 않기로 했다. 사용하고 나면 정리하는 것은 당연한데 못하기에 그렇게 결정했다.

자다 일어난 채로 놔둔 것도 아니고 잘 개서 한쪽에 두었는데 마음에 안 들은 듯싶다. 장롱이 없으면 바닥에 두고 사용하기도 하는데 말이다. 내가 스스로 장롱에 이불을 올리지 못하기에 아이들이 없는 겨울 방학 때도 나의 작은 등 깔개만 상체에 깔고 잤다. 그리곤 낡은 겨울 잠바를 입고 매일 밤 창문 밑에서 웅크리고 잠을 청했다. 내가 추운 겨울을 버텨내며 살아가는 방법이었다.

시설 생활을 하면서 시간이 흐를수록 움직임에 제한이 없는 팔이 절실히 필요해졌다. 또한, 나의 전체적 장애에 관한 생각도 깊어져만 갔다. 팔이 많이 불편하여 시설 생활은 여러 가지 애로사항과 어려움이 많았다. 살면서 이토록 소원을 간절히 애절하게 원해 본 적이 없었다. 한쪽 팔만이라도 쓸 수 있게 해달라고 어두운 밤 눈물로 빌고 빌었다.

생사의 길목에서

몸을 보호하고자 항상 주변을 살피며 불안에 떨고 1시간 1시간 겨우 이어지는 삶. 삶에 관한 생각이 깊어져만 갔다. 일을 끝내고 방으로 돌아오면 나의 간식은 아이들이 다 먹고 없다. 가끔 우유만이 덩그러니 책상 위에 있었지만, 먹지 않았다. 당연히 안 먹은 내 몫인데 시비가 붙을 것을 미리 차단하기 위해서였다. 어려서부터 챙겨 본 적 없는 간식, 그까짓 것 안 먹어도 그만이었다.

연이가 방학도 안 끝났는데 집에 사정이 있어서인지 중간에 돌아왔다. 방에 있는 것을 보고 조금 실망을 했다. 방학 때라 방에서만이라도 불안을 조금 내려놓고 지내고 싶었기 때문이다.

연이가 가져온 것인지 간식인지 모르겠지만 포도가 있었다. 연이는 혼자 포도를 실컷 먹다가 심심했는지 포도 한 알을 따서 바닥에 굴려 내 쪽으로 보냈다. 주워 먹으라는 뜻이었다. 연이를 이길 수 없기에 눈치를 살피다 주워 먹었다. 안 먹으면 어떤 일이 일어날지 모르기에 어쩔 수 없었다. 연이는 재미있었는지 몇 알 더 굴렸다.

나는 그때 포도란 과일을 처음 먹어보았다. 애초부터 '내 것이 아니다'라고 생각했다. 그래서 넘보지 않았고, 참을 수 있었다. 그러나 내 앞에서 포도를 치켜들고 흔들면서 쩝쩝거리며 약을 올리니 흔들렸다. 어린 마음에. 먹고 싶은 생각을 완전히 떨쳐버릴 수 없었다. 연이는 남겨 주지 않고 나를 멸시했다. 나 자신이 너무 작아졌고 이렇게 먹어야 하나 싶었다.

야근이 없어 방에 일찍 들어와도 아이들 눈치를 봐야 하고 단 하루도 긴장감과 불안을 내려놓을 수 없었다. 1주 내내 일도 해야 하고 야근까지 하며 유일하게 쉬는 날은 아이들 빨래를 하느라 오래서 있어서 힘에 부쳤다.

하나부터 열까지 도움이 필요한 나. 혼자서는 머리도 못 감고, 발에 손이 닿지 않아 한겨울 양말을 신지 못했다. 휴가인데 외출해야 하는 부담 때문에 집에 가는 것을 눈치 보았다. 시설에서는 양말을 신지 않아 불편해도 참으면 되었다. 그런데 한겨울 맨발로 집에 가면 엄마가 걱정하실 것을 생각하면 속상했다.

다음날 방구석에 앉아 양말 신을 고민에 빠졌다. 양말을 반쯤 뒤집어 접고 입구를 둥글게 벌려서 바닥에 놓았다. 그리고 구멍에 발가락 쪽부터 넣으며 방바닥에 대고 앞으로 밀었다. 더 밀어 넣기 위해 벽으로 밀며 문질러 댔다. 그렇게 발 앞쪽은 끼웠다. 접은 부분을 당겨서 올려야 발목까지 올라오는데 쪼여지는 부분이라 아무리 애써 봐도 꼼짝도 안 했다. 손이 닿으면 간단한 일인데 힘만 빠지고 양말을 신을 수 없었다. 그때는 막대기도 귀했기 때문에 그어떤 도구도 없었다.

고민하다 처음으로 선생님의 도움을 받으려고 했다. 양말을 들고 선생님 방 앞에 서서 노크하고 문을 열었다. 선생님이 보이는데 자다 일어난 듯싶었다. 낯설고 어려워 다가가기 힘들었지만, 용기 내서 신발을 벗고 방 안으로 들어갔다. 마음속에 말들이 가슴으로 치고 올라오다가 떨려서 말이 안 나왔다. "선생님 저…. 집에 갔다 와도 돼요?" 한마디 겨우 던졌다. 양말은 신었는지 기억이 안 난다.

이불도 장롱에 올릴 수 없어서 추운 겨울 낡은 잠바만 상체에 덮고 창문 밑에서 웅크리고 긴 밤을 보냈었다. 혼자여서 더 추위를 느낀 것인지 방학 때라 그런지 불도 잘 안 들어왔다. 창문 밑에는 방바닥 가장자리여서 보일러 시공이 되어 있지 않아 온기가 없는 공간이기도 했다. 겨울밤 홀로 쓸쓸히 추위와 싸워야만 했었다.

전신을 내 마음대로 움직일 수 없어 수많은 난관을 건너야 했고, 언제 어디서 어떻게 불똥이 튈지도 모르기에 항상 주위를 살펴야 하는 삶이었다. 많은 사람과의 부대낌 속에 몸을 보호해야 하는 것이 중요한 의무이자 문제로 어린 두 어깨를 사정없이 내리눌렀다.

처음 시설에 올 때 가졌던 것들, 희망의 불씨는 꺼지고, 꿈마저도 사라졌다. 크고 작은 어려움, 고통, 외로움, 모든 것을 빼고 나면 그저 붙어 있는 생명줄만이 남은 구차한 삶이었다. 죽지 못해 하루하루 연명하고 가슴 졸이며 살아가고 있었다. '내 몸 관리도 못 하면서 살아서 무엇 하나?' 겨울밤 소리 없이 울었다. 강이 되고 바다가 되도록 눈물을 흘렸다. 밑바닥인 삶 안에서 기댈 곳이 없었다.

이 삶에서 죽음이 아니면 벗어날 길이 없었다. 기다리고 기다렸지만 데려간다는 말이 없고, 언제라는 기약도 없어 더 힘들었다. 그 언제라는 때가 있었다면 그것을 위안 삼아 버텨내며 내 생각이 거기까지 미치지 않았을지도 모른다. 또한, 무언가 의지가 되거나 붙잡을 것이 있었다면 수많은 시련을 감내하며 벗어날 날을 기다렸을 수도 있었다. 그것이 훗날 하얀 거짓이 되어 사라질지라도 끊어질 지푸라기 한줄기였다 해도 말이다.

그러나 죽을 수 있는 방법이 없었다. 3층 옥상에서 떨어졌다가 살아남으면 장애만 심해지고, 더 많은 고통을 감수해야 하는 것에 공포와 좌절이 가슴을 갈가리 찢어 놓았다. 그러다 어느 날 하느님이 떠올랐다. 하굣길에 뜨겁게 내리쬐는 태양 아래서 하느님을 떠올린 적이 있었다. 달궈진 아스팔트 위에 내 몸뚱이도 뜨거웠다. 그때 하느님께 시원한 바람을 불어 달라고 기도했었다. 한두 번 기도하고 하느님을 더는 찾지 않았었다.

그런데 갑자기 하느님이 생각나 기도를 드렸다. 저 좀 데려가 달라고 제발 데려가 주시라고 눈물로 간절히 호소했다. 내 나이 14살, 주어진 삶이 너무나 버거워 내려놓았었다. 시설에 온 후 첫해 겨울은 유난히도 추웠고, 매일 밤 괴로움에 몸부림치며 그렇게 삶과 싸웠다.

납기 작업을 하다

한번 가르쳐주면 다 하니까 납을 입히는 작업을 하라고 했다. 일손이 부족한지 부르기에 갔더니 작업 설명을 해주셨다. 처음에는 멋모르고 자리에 앉아 앞 사람이 하는 것을 눈여겨보았다. 네모난 기계 안에 납 물이 미세하게 출렁이고 있었다. 뜨거우므로 목장갑을 끼고 일을 시작했다. 주로 왼손을 많이 쓰지만 섬세하게 움직여서 하는 작업은 오른손으로 한다. 그런데 오른팔이 작업대 위에 올라가지 않아 불가능하였다.

어른이 시키면 다 해야 한다는 부담감 때문에 어떻게 해야 할지 막막했다. 안 하면 말 안 듣는다고 어떤 일이 일어날지도 모르기에 내 몸을 지켜야만 했다. 하는 수 없이 왼손을 사용하기로 하였다. 왼손잡이가 아니라서 서툴겠지만 어떻게든 해내야 했다. 그러나 납을 입힐 때 눈으로 보면서 해야 하는데 위치상 보이지 않았다.

납기 작업대에서는 의자 밖으로 오른쪽 다리를 내리고, 왼쪽 엉덩이와 허벅지만 의자에 걸터앉는다. 또한, 상체도 우측으로 기울여야 왼손이 납기 위에 닿을 수 있었다. 비뚤어진 자세로 오래 해야 하기에 쉽지만은 않았다. 왼쪽만 의자에 걸터앉아있는데 상체도 오른쪽으로 기울이면 무게 중심이 우측으로 쏠리기에 그냥 있으면 바닥으로 넘어가고 만다. 그래서 우측 발로 바닥을 딛고 지지 역할을 하였다.

결국, 납기 작업하는데 전신을 사용해야만 했고, 반만 의자에 앉은 채 내 몸을 지탱하느라 힘도 계속 써야 했다. 그래서 몸의 근육은 종일 긴장 상태였다. 나도 다른 사람들처럼 양쪽 엉덩이로 앉아 똑바른 자세로 일하고 싶었다. 그렇게 불편한 자세로 하는데도 불구하고 아무도 신경 쓰지 않았다. 작업량을 늘리는 데만 신경 쓸 뿐 내가 힘든 것은 아랑곳하지 않았다. 공장장님은 비장애인도 아니고 장애가 있음에도 말이다.

왼손이라 섬세하게 못 해서 긴장하고 신중하게 천천히 시작하였다. 처음보다 작업이 빨라셨으나 앞에 아줌마보다 느렸다. 정상적인 팔로 하는 사람하고 차이가 날 수밖에 없었다. 부품을 집어 들고 납기에 팔을 한번 올리는 것이 나에겐 어려웠다.

납 물에 넣고, 입혀야 하는 곳까지 집중해서 입힌 후 찌꺼기가 붙지 않게 들어올려야 했다. 찌꺼기가 붙으면 부품 가치가 떨어지기 때문이다. 조금이라도 덜 입히면 불량이라 다시 해야 했었다. 원래 나는 무엇을 하든 꼼꼼하게 하는 성격이었다. 팔 힘이 떨어져서 팔이 내려가면 악으로 통증을 견디어내서라도 웬만하면 불량을 내지 않았다. 내가 버티지 못하면 부품이 납 물에 빠져서 완전 불량이 되기 때문이다.

시킨 일이라 어렵게 열심히 했는데 불량이 나오자 아줌마는 내

핑계를 대며 모두 내 탓으로 돌렸다. 한두 번도 아니고 불량이 나오면 무조건 범인은 나였다. 아줌마는 덜된 것을 골라서 다시 납을 입혔는데 그 위치는 내가 만든 쪽이 아니었다. 팔이 뻗어지지 않기에 내가 한 것은 거의 내 앞쪽에 있었지 그리 멀찍이 놓지도 못했었다. 본인이 한 것임에도 덜된 것을 고르면서 내게 잘못했다고 뭐라고 하였다.

나도 실수로 불량을 내기도 했지만, 그때 고쳤다. 그리고 내가 한 것은 아줌마 본인이 이미 확인을 마친 후였다. 그렇기에 내가 한 것이 있다고 해도 전부는 아니었다. 억울했지만 어른한테 따져 물을 수도 없었다.

팔을 납기 위까지 올릴 수 없는 나에겐 맞지 않는 일이었고, 누명까지 쓰고는 하기가 점점 싫어졌다. 납땜하려면 상체를 옆으로 기울이고 팔을 한계치보다 높게 들어야 했다. 팔의 사용범위를 벗어나면 겨드랑이에 있는 뼈끼리 맞닿게 되어 아파지고, 힘 조절이 어렵다. 힘이 빠지거나 조절이 잘 안 되면 원하는 대로 움직일 수 없다. 또한, 고통에 시달리는 동시에 부품을 납 물에 놓치지 않기 위해 무척 애를 써야만 했다. 무관심하게도 팔이 올라가지 않는 데 어려운 일을 시켰다.

어느 날 출근하여 전날 남은 일을 하지 않고, 다른 작업을 시작했다. 그 일은 양쪽 엉덩이로 앉아서 할 수 있다. 작업대도 넓고 방석을 깔고 앉으면 오른팔을 작업대 위에 올릴 수 있다. 그래서 오른손 작업이 가능했다. 나 나름대로 본래의 '일을 하고 있었는데 공장장님은 납기 작업을 하라고 강요했다. 어쩔 수 없이 납기 작업을 계속하였다. 그러던 어느 날 얼굴에 무언가가 나왔다. 납 연기 때문에 얼굴 피부가 가려워지고 시일이 지날수록 하나둘 늘었다. 그리하여 말을 하게 되었고, 병원을 갔다 왔다.

납기 일할 때 자세도 나쁘고 한쪽 엉덩이로만 앉아서 하니 다리도 힘을 써야 하고 팔은 팔대로 힘들었다. 문제 생기면 내 탓을 하는 아줌마도 피하고 싶었다. 그래서 원래 하던 작업을 하기로 마음먹었다. 나는 출근하면 무조건 조립 단계작업부터 잡았다. 납땜 일감이 늘자 공장장님은 납기 일을 하라고 말했다. 싫다고 내색하자 거친 턱수염으로 내 얼굴을 문질러 아프게 했다. 말을 안 들으면 수염으로 얼굴을 얼얼하게 하고 괴롭혔다. 그래도 때리지 않는 것만도 참 다행으로 여겼다. 일을 안 한 것도 아닌데 조금 억울했다.

방에서 아이들이 책상 앞에 있어 매번 비켜 달라고 하기 눈치 보였다. 그래서 바닥에 앉기도 어렵고, 아이들과 선생님을 피하려고 아침 식사 후에 바로 출근했다. 일찍 출근한 탓에 청소하는 시간이라 복도에서 서성였다. 공장장님은 복도에 서 있는 나를 보고 다가와 얼굴을 문질러댔다. "납땜 작업할 거지? 응? 안 할 거야?"라고 말하면서 문질러댔다. 대답할 때까지 문지르니 아픈 나머지 "싫어요."라고 대답하며 몸을 뺐다.

어느 날은 공장장님을 피하고자 사면 계단 중간에 서 있었다. 휠체어를 타고 다니기 때문에 비탈진 사면 계단에서는 괴롭히지 못할 것 같다고 생각해서였다. 그러나 나의 착각이었다. 사면 계단 중간에 있는 내게 내려오더니 휠체어 브레이크를 잠갔다. 그리곤 한 손으로 난간을 꽉 잡고 다른 한 손으로 나를 잡은 후 얼굴이 빨갛도록 턱으로 비벼댔다. 양팔이 자유로운 공장장님은 팔 힘이 정상인 못지않게 세었다. 아니 팔을 많이 쓰고 휠체어를 밀고 다녀서 정상 인보다 훨씬 셌다.

팔 근육이 발달해 딱딱하고 강했다. 시설에 온 지 오래되지 않아 내가 몰랐을 뿐이었다. 휠체어에 앉아서 유치원 정도의 어린아이도 번쩍번쩍 들어 올렸다. 그러니 내가 걷는다고 해도 힘으로 이길 수 없고, 도망가 봤자 바퀴 달린 휠체어가 엄청 빨라서 금방 따라 잡 힌다. 결국엔 사면 계단에 피해 있어도 소용없었다.

다른 곳에 있다가 출근하려고 해도 시계가 없었고, 마땅한 장소도 없었다. 그리고 선생님이 없어진 줄 오해하고 찾으면 한바탕 난리 가 나기 때문에 이러지도 저러지도 못했다. 난 어느 쪽도 피할 수 없었다. 공장장님한테 말도 못 하고 괴롭혀도 몸만 조금 꼬고 참았 다. 참고 또 참고 버티어 갔다.

어느 날 남자가 새로 왔다. 나보다 나이도 많고 시골에서 왔다. 공장장님은 제일 쉬운 일을 시켰고, 시일이 지나서 그다음 단계를 시켰다. 곧잘 하는 걸 알고는 납기 일을 맡겼다. 그 사람은 잘 해냈 다. 그 후로 공장장님은 내게서 떨어졌다. 나는 그분 덕분에 마음 편히 본래 하던 일만 하면 되었다.

그러던 어느 날 아줌마가 빠져서 일이 밀렸다. 내게 하라고 할까 봐 조금은 걱정이 되었으나 곧 아줌마가 오시려니 생각했다. 결국 엔 공장장님이 "납땜 좀 해." 하는 것이었다. 안 하려고 거부하니 얼굴이 변해서 무슨 사달이 날 것만 같아 어쩔 수 없이 납기 쪽으 로 향했다.

새로 온 그분은 세상의 때가 묻지 않은 순수하고 맑은 영혼의 소유자였다. 그래서 같이 지내기 괜찮았다. 내가 납 물이 잘 안 된다고 하자 납 물 위의 찌꺼기도 밀어주었다. 아줌마는 납 물도 팍 걷어내 종종 납 물이 흐르지만, 그분은 납 물이 흐르지 않게 부드럽게 걷었다. 나는 일을 하다가 칼을 들고 납 물을 걷기에는 시간이 걸렸다. 왼쪽이라 내가 납을 입히기 불편하여 조금이라도 미리 걷으려고 하면 아줌마는 뭐라고 했다.

아줌마와 할 때는 내 마음대로 찌꺼기를 걷어내지 못했다. 그분처럼만 대해줘도 얼마나 좋을까마는 사람들은 그렇지 않았다. 나중에 아줌마가 정상출근하게 돼서 더는 납기 일에 손을 대지 않았다. 만약 그분이 납기 일을 못 했다면 그 일에서 벗어나지 못했다 그 후로 더는 새로 오는 사람이 없었으니까 그리고 장시간 오랜 무리로 인해 장애도 심해졌을 듯싶다. 그분은 사막에서 우물을 찾은 듯 위안이 되었다.

목욕

나는 혼자 목욕하기 어려웠다. 옷은 시간이 걸릴 뿐 그다지 어렵지 않았다. 팔다리를 굽힐 수 없어서 늘 큰 옷을 입어야 했다. 윗도리는 머리 위로 던져 머리를 골인시키고 굽히지 못하는 우측 팔을 먼저 낀다. 그리고 좌측 팔을 넣고 앞 단추를 왼손으로 잠갔다. 아랫도리는 방바닥에 앉아서 바지를 멀찍이 펴놓고 발로 허리 고무줄을 들어 올리고, 들썩들썩해서 무릎 위까지 넣는다. 그리곤 손으로 허리 고무줄을 당겨 올린다.

숙이 언니는 시설에 온 지 오래고 나보다 8살이 많았다. 그런 숙이 언니가 목욕을 도와주기 시작했다. 그래서 언니의 방식대로 해야 해서 옷 입는 방법을 바꿔야 했다. 목욕을 끝내고 세면대와 바닥에 수건을 깔았다. 옆으로 서서 세면대에 기댄 후 바지 왼쪽 주머니가 있는 쪽 허리 고무줄을 잡고 반대쪽 허리 고무줄을 바닥 쪽으로 쳐지게 한다. 우측 다리를 먼저 넣고 좌측 다리를 넣은 다음 고무줄을 당겨 올렸다.

바지 고무줄을 여유 있게 해서 허리통을 넓게 만들었기에 길이가 길어 바닥 가까이 닿을 수 있었다. 그래서 바지 허리가 헐렁해서 걷다 보면 힘없이 내려갔다. 일상생활할 때 불편하지만 스스로 옷을 입는 것이 더 중요하기 때문에 불편을 감당했다. 한 가지라도 타인의 도움받지 않기 위해 혼자 하려고 얼마나 많이 노력하고 애를 썼는지 모른다.

바지를 입으면서 한쪽 까치발로 중심 잡기는 매우 어렵고 아슬아슬했다. 지탱하지 않아 위태로운 자세여서 넘어질까 봐 불안에 떨며 온 정신을 집중해서 힘겹게 입었다. 실패와 좌절을 반복하며 노력 끝에 가능했던 일이었다. 방에서 입으면 위험성도 없고 수월하게 입을 수 있는데 깔끔한 언니는 방바닥에 앉는 것을 허락하지 않았다. 방은 청소한 후임에도 불구하고 깨끗이 씻겨 놓았는데 몸을 더럽힌다고 무척 싫어했다.

목욕 또한 세면실이 조금만 지저분해도 언니는 청소하고 목욕을 했다. 세면실 청소를 시작하면 난 불안에 떨어야만 했다. 청소하다 언제고 폭발하기 때문이다. 내가 도우려고 하면 못하게 했다. 언니 혼자 청소하는 것이 미안한 마음에 곁을 지키고 있으면 눈앞에 보인다고 화를 내었다. 그래서 자리를 피해 방에 있었더니 자기는 힘들게 청소하는데 넌 편하게 놀고 있느냐며 화를 냈다. 이러나저러나 결과는 같았다.

세면실을 청소해 놓으면 잘 지켜야 했다. 기껏 청소했는데 다른 사람이 와서 지저분해지거나 먼저 차지하고 목욕을 하면 내게 화가 돌아왔다. 화를 내는 언니로 인해 세면실 자리를 빼앗길까 봐 조마조마했다. 또한, 경이 언니가 목욕을 안 하려고 이리저리 피해 다니고 샤워 도중에 세면대 위로 올라가는 등 말썽이 일어나면 내게 화를 냈다. 잡지 않고 가만히 서서 뭐하냐고 소리를 지르며 화풀이를 했다. 나도 잡으려고 노력은 했으나 육체적으로 정상인 사람이라 힘이 세서 놓쳤고 쫓아가지 못해 잡을 수 없었다.

더욱이 세면대 위로 올라가 버리면 높은 곳에 못 오르는 난 방법이 없었다. 그래서 "제발 내려와. 경이 언니 말 좀 잘 들어." 목이 아프도록 애원했지만, 고집불통인 경이 언니는 아랑곳하지 않았다. 경이 언니는 씻는 것을 싫어해 매번 말을 잘 안 들어 힘들게 했다.

어느 날 목욕하는 도중에 온수가 끊어졌다. 물이 안 나오자 숙이 언니는 한겨울인데도 찬물을 내게 마구 퍼부으며 화를 내기 시작했다. "너만 아니면 벌써 끝났다. 너 때문에 늦어서 온수가 끊어졌잖아."라고 하며 사정없이 찬물 세례를 했다. 머리가 너무 시려 깨질 듯이 아려왔고 몸의 근육은 얼어 감각이 없어지고 뻣뻣해졌다. 언니는 지칠 때까지 찬물을 퍼부었다.

온수가 나오지 않는 평소에도 물이 나오는데 찬물 쪽 수돗물보다 덜 차갑다. 그냥 물이라도 계속 나오면 좋은데 어떨 때는 물을 아예 끊을 때도 있었다. 목욕하다 그렇게 되면 완전 찬물 쪽 수도만 써야 하는 상황이라 너무 춥고 힘들었다. 낮으로 작업장에서 일하다 화장실 가려고 세면실에 들리는데 어떨 때는 뜨거운 물이 철철 나왔다. 학생들도 학교에 가 있는 시간임에도 뜨거운 물이 나왔다. 빈 세면실을 보며 지금 하면 좋은데 하는 생각이 스쳤다.

말을 잘 안 듣는 사람이나 장애가 심한 사람은 별도로 돌봄이 필요하다. 경이 언니 같은 경우 선생님이 옆에서 지켜만 주어도 혼자 씻는다. 또한, 나처럼 장애가 심한 사람은 가끔이라도 도와주면 싸울 일도 줄어들고 늘 도와주는 사람도 덜 힘들 텐데 말이다.

그리고 선생님들은 내게 냄새가 나면 언니에게 말했다. 엄연히 담당 선생님이 있는데 왜 언니에게 말하는지 난 이해가 가지 않았다. 아니면 본인에게 직접 말하면 좋으련만 언니에게 말을 해 화만 돋웠다, 선생님들은 나를 무시해서인지 나와 대화 한 적이 없었다. 아무튼, 선생님들이 언니에게 내게서 냄새난다고 그런다며 언니는 말해 주었다.

언니 말이 사실인지는 확인할 길이 없지만 그래서 내게 화를 낸 것이라고 말했다. 안 그럼 그렇게까지 하지 않았다면서 정당화시키며 말했다. 선생님들이 매번 그랬을 리는 없고, 어쩌다가 한 말로 나를 괴롭힌 것에 대한 변명 같았다. 언니의 성격상 아예 안 그럴 사람은 아니지만 말이다. 안 그래도 무척 깔끔한 언니는 선생님의 한마디에 예민해져서 나를 더 괴롭혔다.

밤늦게까지 일을 하게 되면 라면을 끓여 줄 때가 있다. 다들 빠르게 먹기 때문에 뜨거운 라면을 바로 먹으면 땀이 더 났다. 더욱이 여름에 뜨거운 것을 먹고 3층까지 빨리 가야 하는데 땀이 안 흐를 수 있는가? 땀 흘리는 것만 보면 땀 흘리지 말라고 윽박질렀다. 약간만 흘러도 야단을 치니 나로서는 매우 곤란한 상황에 놓인다. 점심시간처럼 여유가 조금이라도 있으면 친친히 3층을 오르는데 야간작업 중에는 남들과 같이 행동해야 하는 사정이 있었다.

왜 그리 남들보다 땀을 많이 흘리는지 알 수 없었다. 턱이 불편해 식사도 어렵고, 팔과 다리는 뻣뻣해 행동 하나하나가 버거운 데다 남들을 따라잡기 위해 애쓰다 보니 땀이 비 오듯 했다. 그렇다고 야간에 일도 안 끝났는데 안 먹을 수 없었다. 그리고 언니의 식사를 타다 주어야 하기에 내가 안 먹더라도 어차피 움직여야 했다.

한방 사람끼리 서로 도우며 생활하는 것은 나쁘지 않다. 그러나 그런 일들이 계속되거나 한 사람으로 몰릴 때 아무리 좋은 사람이라도 해주기 싫을 때도 있고 짜증도 나게 마련이다. '왜 내가 해줘야 하나.' 생각하며 억울해하거나 힘이 들면 화를 내고 상대를 괴롭히기까지 한다. 선생님이 가끔 와서 같이하거나 칭찬도 해주고 좋은 말로 타이르고 한다면 얼마나 좋겠냐마는 현실은 그렇지 못했다. 아이들이 대가 없이 아무런 보상이나 칭찬도 없이 하게 되니 억울할 만도 하다.

본인들도 장애가 있어 힘들 때도 있고 하기 싫을 때도 있지만 어쩔 수 없이 도와준다. 그 일로 인해 도움받는 아이는 화풀이 대상이 된다. 물론 숙이 언니같이 심각하게 화를 내는 사람은 없지만 말이다. 싸우는 소리가 나도 말리는 사람도 관심 있는 사람도 없었다. 당연시 여겼고 마치 다른 세계 사람들 같았다.

언니는 나를 도와주며 본인도 씻어야 해서 시간이 걸렸다. 물론 깔끔한 성격의 소유자인 언니는 간단한 샤워가 아닌 목욕을 해서 시간이 오래 걸리기도 했다. 머리는 2번, 몸은 3번을 비누칠한다. 그런데 중간에 때까지 밀다 보니 시간이 오래 걸린다.

아무튼, 나 때문에 늦어져서 찬물로 하게 되었으니 내 탓이 맞아서 나는 할 말이 없었다. 도움받는 처지기에 죄인처럼 아무 말도 못 하고 나를 잡고 흔들고 뜯고 화를 내도 받아들일 수밖에 없었다. 목욕하는 날이면 정말이지 싫었고, 온수가 끊어질까 봐 전전긍긍하며 가슴 졸였다.

평소 온수가 안 나오는 시간에 언니가 물이 나온다며 목욕하자고 하면 가슴이 철렁 내려앉았다. 온수가 제발 안 끊어지길 빌고 빌며 바랐지만, 종종 일이 터졌다. 뜨거운 물이 나오는 시간을 정해 놓거나 미리 시간을 알려주면 좋았을 것 같다. 이런저런 일들의 원인이 어떠하든 상관없이 모든 불똥은 내게 튀었다. 언니는 불평불만으로 가득했고, 전부 내 탓으로 돌렸다. 목욕은 나에게 고통이자, 공포 속에 떨어야 하는 날이었다.

이별 그리고 약속

어린 시절. 어느 날 경로당에 다녀오신 아빠는 주머니에서 귤 하나를 꺼내 내게 주셨다. 밭일에 그을린 주름진 아빠의 손이 떠오른다. 고향을 떠나 이사한 집 앞 산기슭에 작은 밤나무 한 그루가 있었다. 아빠는 밤이 떨어지면 하나둘 주워 모으셨다. 그렇게 모은 밤을 주말에 집에 온 내게 주셨다. 얼마 되지 않았지만, 밤을 보고 무척 좋았다. 껍질을 까보니 주운 지 시간이 꽤 흘러 잘 까졌다. 속껍질도 훌렁 잘 벗겨졌다. 살짝 마른 밤은 생밤보다 달콤하고 식감도 좋아 맛있었다.

어느 날 오전 사무실로부터 연락을 받았다. 아빠가 떠나셨다고 말이다. 감당 안 되는 슬픔이 밀려들고 가슴이 미어졌다. 정작 나는 죽음을 그토록 많이 생각하며 살아왔어도 부모님의 죽음은 생각지 못했다. 집에 가면 언제나 계시는 줄 알았지 아빠가 그렇게 허무하게 떠날 줄은 미처 몰랐다. 사람들에게 눈물 보이고 싶지 않아 잠시 밖에 나가 눈물을 억눌렀다. 아무 생각도 안 들고 그저 집에 가야겠다는 생각뿐이었다.

왠지 모르게 자꾸만 슬픔이 밀려와 일이 손에 잡히지 않았다. 언니는 그런 나를 보고 뭐가 슬프냐고 꾸중을 했다. 언니는 가족이란 존재를 부정적으로 생각하고 있어 또 그 이야기를 늘어놓았다. 너를 버렸는데 왜 가느냐고 하며 가지 말라고 말했다.

"너를 가족으로 생각하지 않으니 연락을 이제 했지. 가족에게 화도 안 나냐? 이제 연락하는데 밉지도 않아?" 그런 가족도 가족이냐면서 집에 못 가게 발목을 잡았다. 결국, 내 마음과 달리 본의 아니게 출발을 못 하고 있었다.

점심시간 아무도 없는 틈에 잠깐 목메어 울었다. 사람들이 올 시간이라 다시 눈물을 억누르려 애를 쓰며 일할 준비를 했다. 눈물을 참으려고 노력해도 눈물이 고여 앞을 가렸다. 부품이 제대로 보이지 않았지만 늘 하는 작업이라 일은 되고 있었다.

사무실 사람이 작업장에 볼일이 있어 들렀다가 나를 보더니 "아직 안 갔네." 하며 돈을 찾아주느냐고 물었다. 차비가 없어 못 갔다고 생각한 모양이다. 평소에는 정해진 금액보다 더 찾으려고 하면 안 찾아주더니 돈을 찾아주겠다는 말에 괜찮다고 하였다.

돈 문제가 아니라 언니가 못 가게 해 잡혀 있을 뿐이었다. 언니는 사무실 사람이 간 후 드디어 허락을 해주었다. 나는 대충 준비하고 길을 나섰다. 정문을 벗어나 아무도 없어 마음 놓고 울었다. 눈물은 저절로 끝없이 흘러내렸다. 억눌렸던 것이 한 번에 쏟아져 가슴이 답답하고 목이 메어왔다. 누가 들을까 봐 큰 소리는 못 내고 가슴으로 아빠를 불렀다.

버스를 타고 종점에 내려 공중전화를 걸었다. 목멘 소리를 애써 가다듬고 도착했다고 알렸다. 오빠는 바빠서 나의 언니가 마중을 와서 큰오빠 집으로 향했다. 큰오빠 집에 들어가 한구석에 가만히 앉아 있었다. 슬픔이 자꾸만 밀려들어 참으려고 노력했다. 누군가 볼까 봐 재빨리 눈물을 닦고 울지 않은 척 괜찮은 척하였다. 사람들은 울지 않는 나를 보고 아빠가 돌아가셨는데 울지도 않는다며 혼잣말처럼 말했다.

'나는 오는 길에 그 얼마나 서럽게 울었던가?' 눈물은 멈출 줄 모르고 나도 모르게 두 뺨 위에 흘러내리는 것을 억누르고 있었건만 내 속도 모르고 말이다. 결코, 아빠가 미워서도 아니고 나 자신이 강하거나 독해서 울지 않는 것이 아니있다. 난 싫은 소리를 들었어도 눈물을 보여 주지 않았다. 그냥 마음 편히 울 것을 누군가가 있는 데서 우는 것을 창피해했다.

나에겐 모두가 낯선 사람일 뿐이라 방에 있는 것조차도 편하지 않았다. 단지 아빠를 큰오빠 집에 모셨으니 있었을 뿐이다. 가시방석 같은 남의 집에서 하룻밤을 자고 산으로 향했다. 차를 타고 가서 논길 옆에 내렸다. 작은 길로 물건을 들고 가기에 나도 뒤를 따랐다. 가다가 도랑이 나오는데 건너뛸 수 없었다. 비석을 지고 먼저 간 오빠를 기다렸다가 오빠 등에 업혀서 도랑을 건넜다.

도랑이 넓어서 넘어질까 봐 걱정되었지만, 왼팔로 오빠 어깨를 꼭 안았다. 오빠는 짐을 날라야 한다며 논에 내려주었다. 내 발로 걸어

산으로 향했다. 올라갈수록 경사가 조금씩 심해져서 방향을 돌려 뒤로 올라갔다. 오빠가 짐을 나르느라 힘든 데 도움받기 미안해서 천천히 혼자 올랐다. 그렇게 오른 산꼭대기에 아빠가 계셨다.

일하는 사람들한테 걸리적거리지 않게 한편에 서서 눈물을 참으며 아빠를 한없이 바라보았다. 땅이 좋지 않아 돌이 부서지고, 붉은 색이라 초라해 보였다. 잔디가 자라면 나아지겠지만 돌 땅이라 많이 좋아지진 않을 것 같아 마음이 좋지 않았다. 다른 사람이 듣지 못하게 속으로 아빠와 대화를 했다.

그리고 나중에 혼자서 아빠를 만나러 오겠노라고 약속을 했다. 산을 오르기 위해 타인의 도움이 필요하지만 도움받아서라도 꼭 온다고 했다. 그렇게 아빠와 약속하고 산을 내려다보았다. 이제 아빠가 없다는 것에 허전하고 쓸쓸했다. 오빠가 내게 먼저 내려가라고 하여 내려왔다. 돌아가는 길에 또 도랑을 건너야 해 오빠를 기다렸다. 하필 트럭이 빠져서 도랑이 올 때보다 넓어져 걱정되었다.

형부가 도랑 앞에서 업어 준다고 앉았는데 다칠까 봐 겁이 나서 거부했다. 오빠가 짐을 가져다 놓고 업어줘서 도랑을 무사히 건넜다. 평지에서 형부가 업히라고 해 또 거절할 수 없어 업혔는데 일어날 때 중심을 못 잡으셔서 기울어졌다. 다칠 것이 염려된 나는 걸어가겠다고 했다. 큰오빠 집에 갔다가 집으로 올라왔다.

아빠가 그렇게 떠나실 줄은 몰랐다. 장례가 끝날 무렵에 갔어도 오빠는 일하랴 나를 신경 쓰랴 힘들고 바빴다. 그러한데 첫날부터 내가 있었다면 오빠는 더 힘들고 정신없었을 듯하다. 엄마가 계시지만 엄마도 약간의 도움이 필요할 만치 연세가 드셨다. 또한, 아빠는 교통사고를 당해 혼수상태이셨고 생사의 갈림길에 병원을 큰 병원으로 옮겨야 했다. 갑작스레 터진 일로 오빠는 정신이 없었다.

많은 일 처리를 감당해야 하는데 나까지 챙기려면 몸이 둘이어도 부족했다. 큰오빠도 연세가 드셨고 결국은 나를 챙길 사람은 오빠밖에 없었다. 이런저런 사정으로 늦게 연락한 것인데 사정을 모르는 사람들과 숙이 언니는 부정적으로 보았다. 그렇게 언니는 나의 모든 걸 관여 했고, 가족사까지 자기 마음대로 좌지우지했다.

나에게 아빠란 잘해주고 못 해주고를 떠나서 아빠가 있다는 존재 이유만으로 만족해왔다. 가난을 원망해 본 적 없고 아빠가 엄해도 크게 불만 없었다. 표현에 서툰 아빠의 아주 작은 관심 하나, 소소한 것 하나하나였어도 난 그것으로 사랑이라는 것을 알게 되었고 교감 또한 충분했다. 시설에 들어간 첫날 아빠의 더 깊은 사랑을 알게 되었고, 첫 휴가 때도 알 수 있었다. 그런 나의 마음과 달리 아빠를 잃었다.

부모님께 많은 것을 바라는 것은 욕심에 불과하고, 많이 받아도 더 큰 것을 바라게 되고, 아무리 주어도 받은 것을 인정 못 하거나 사랑을 깨닫지 못할 수 있다. 깨달음은 물질적으로나 육체적으로 많은 것을 받든 못 받든 상관이 없다.

집으로 가는 길에 목적지가 가까워지면 차 창밖으로 아빠를 모신 곳이 보였다. 산을 바라보며 '아빠 오늘도 집에 가는데 아빠를 보러 못 가네.' 하며 눈시울이 젖었다. 아무도 찾지 않는 산에 홀로 외로이 계시는 아빠가 보고 싶었다. 주말에 집에 가면 봉당 위에 앉아 계시는 아빠가 눈에 선하다. "외로야~ 외로야" 강아지를 부르던 것이 엊그제 같은데 아빠는 만날 수 없다.

내가 오랜만에 집에 와도 무뚝뚝한 아빠는 '왔니.'하고 한마디 건네시진 않으셨어도 눈을 보면 속으로는 '딸이 왔네.' 하시는 아빠였다. 버스를 타고 지날 때마다 창밖으로 산을 보며 '아빠 언젠가는 꼭 갈게.' 하며 또 약속하고 또 했었다. 차에서 내려 달려가고 싶었지만, 도랑이 가로막아 저만치 보임에도 갈 수 없었다. 산은 어릴 때 경험으로 어떻게든 오르기가 가능한데 도랑은 어떠한 방법도 없었다. 그리운 아빠를 뒤로하고 집에 가는 것이 마음이 편치 않았다.

나는 연락을 받기 전에 꿈을 꾸었다. 고향 집이 보였고 식사를 준비하는데 아빠가 보이지 않아서 부르러 가는 도중에 꿈이 깼다. 3일 연속으로 같은 꿈을 꾸었지만, 그때는 꿈을 생각지도 못했다. 산소에 갔다 온 후 시일이 지나서 알게 되었다.

어쩌면 내가 보고 싶어 꿈을 통해 아빠에게 오라는 뜻이었을지도 모른다. 난 아빠가 돌아가셔서 꿈에 안 계셨다는 것을 알아채지 못했다. 나는 아빠를 볼 수 없어도 아빠는 내게 왔다 가신 듯싶다. 그 후로 아빠가 너무 보고 싶어 꿈에라도 만나길 간절히 바랐다. 그러나 아빠를 쉽게 만날 수 없었고 먼 훗날 나타나셨다.

시설에 있을 때는 몸이 매여서 못가 보고, 자유의 몸이 되고 여유가 생기면 산소에 가려고 했다. 그런데 장애가 심해져서 영영 못 가게 되었다. 결국, 아빠와의 약속을 끝내 지키지 못했다. 아빠와 함께 한 시간이 짧기만 하고 추억도 별로 없는데 후회도 아쉬움도 많이 남아 가슴이 시렸다.

먼 훗날 산 쪽에 다리가 놓였다며 오빠가 사진을 찍어 보여 주었다. 일찍 좀 만들지 하는 아쉬움이 들었다. 그때 그 다리가 있었다면 아빠와의 약속을 지켰을 텐데 너무 늦었고 과거가 되었다.

오빠는 특별한 날이 아니어도 종종 아빠를 보러 갔다. 동물이 땅을 파서 구멍을 내거나 아까시나무가 자라면 손을 보곤 했다. 좋지 않은 자리라 마음이 편치 않았는데 그래도 오빠가 있어서 산소 관리가 되고 있으니 다행이었다. 오빠는 아빠를 보고 와서 어떠한지 이야기해주었다. 세월이 흐르고 개발이란 이유로 산소도 없어지고 화장을 했다.

교통사고는 이별을 준비할 시간도 주지 않은 채 낯선 슬픔을 안겨 주었다. 아빠와 짧은 시간을 함께하고 이별을 고했다.

사랑으로 품다

언니는 내 가족을 험담했다. "네 가족은 너를 버렸어. 버렸으니 안 데려가지. 영영 버린 거야." "너한테 신경도 안 쓸 거야. 네 가족을 믿지 마라." 귀가 따갑도록 지겹게 들었다. 언니는 가족에게 사랑받지 못했다고 했다. 엄마가 다른 사람의 잘못까지 자신만 나무라고 혼냈다고 말했다. 그리곤 내게 너도 가족을 절대로 믿지 말라고 했다. 가족이 많고 며느리와 함께 사는 언니의 엄마는 며느리를 꾸중할 수 없으니 친딸인 언니를 꾸중한 듯싶다.

누가 잘못을 하였든 언니가 혼나니 억울했을 것 같다. 친딸만 감싸고돈다면 가정에 평화가 깨질 것을 염려해 며느리를 혼내지 못한 것 같다. 그래도 남보다는 내 딸을 혼내는 것이 가슴은 아프지만 낫다는 생각을 하는 것이 엄마의 입장인 듯싶다.

언니의 엄마는 아들과 아들 가족을 우선시했으니 언니가 못마땅해한 것도 당연했다. 언니는 집에 있을 때 조카도 돌봐주고 키우다시피 했다고 한다. 다들 일을 하니까 집에 있는 언니가 돌본 듯싶다. 그런데 돌아오는 것은 따뜻한 말이 아닌 사건이 터지면 혼나는 것뿐이니 언니는 가족들을 미워하게 되었다.

그리고 언니는 시설에서 지내면서 못난 부모들을 여럿 봐왔다. 자식을 맡겨 놓고 한 번도 보러 오지 않다가 갑자기 방문해 살갑게 대하면서 집으로 데려갔다. 같이 살 계획이라며 편한 집을 얻어서 데려온다고 꾀인 것 같았다. 그 사람 부모는 며칠 함께 지내며 잘해주고 달콤한 말로 속여 통장을 손에 넣었다.

부모님이 같이 살자고 하는데 안 좋을 리가 없지 않은가? 시설에서 오랫동안 외롭게 지내 무척 기쁜 얼굴로 좋아하며 집에 간다고 표현했다. 그 사람은 언어장애가 있어 말을 못 하고 소리만 내고 상대가 말하는 단어에 소리와 팔로 표현을 했다. 약간의 소리와 행동으로 어느 정도 소통이 가능해 사람들은 잘 가라고 했다. 나는 곧 집에 갈 수 있게 된 그분이 조금은 부러웠다.

난 평지에서 휠체어를 어쩌다가 밀어주곤 했었다. 사면 계단에서는 발가락으로 걷기 때문에 힘이 부족해 가벼운 사람도 밀어주지 못했다. "집에 가서 좋아?"라고 물었더니 고개를 끄덕이며 팔을 벌리고 많이 좋다고 했다. 그래서 정말 집에 가는 줄 알았더니 얼마 후 작업장으로 돌아왔다. 사람들이 사정을 물으니 돈만 빼앗기고 집에 못 간다고 했다. 엄청나게 기뻐했는데 실망이 컸을 듯싶다.

그 사람 얼굴을 보니 묻지 않아도 알 수 있었다. 속도 상했을 것이고 돈도 다 빼앗겼으니 마음이 심히 아팠을 듯하다. 월급은 적지만 작업장에서 일한 지 오래되어 꽤 모았을 텐데. 그 돈과 또 다른 직업이 있어 번 돈이 많은데 그것까지 전부 가져가 버렸다. 그 후로 부모는 또다시 그 사람을 보러 오지 않았다.

또 한 사람은 나보다 늦게 들어왔고 양손이 자유로워 월급을 많이 받았다. 한 달에 한 번 돈을 찾을 때 안 찾겠다고 강력하게 거부할 만치 자기주장이 강했다. 그리고 아껴 썼는지 세월이 흐른 후 몇백은 모은 것 같았다. 어느 날 부모가 찾아와 외출하더니 벌어 놓은 돈을 홀랑 가져갔다.

그는 청각장애와 언어장애가 있었다. 그래도 보청기가 있어서 크게 말하면 듣고, 표정과 손짓으로 좋고 싫고를 잘 표현했다. 누구한테 지지 않는 강한 사람이었다. 대충 알기로는 부모가 돈을 가져갔다고 했다. 자신을 데려가는 것도 아니고 자주 보러 오는 것도 아니었다. 그런데 열심히 모은 돈을 빼앗겼으니 속상했을 듯싶다. 말은 못 해도 표정을 보고 상처받았다는 것을 알 수 있었다.

어떤 부모는 정문 앞에 아이를 내려놓고 정문에서 놀고 있는 사람한테 잠깐 봐 달라고 하고 차를 몰고 가더니 돌아오지 않았다.

어떤 부모는 식당 뒤편 물이 흐르는 하수도 밑에 아기를 버리고 가는 사람도 있었다. 저녁 일이 끝난 뒤에 아기를 버려 다행이었다. 식당에서 쓰는 물이 흐르는 곳인데 식당 일이 끝나지 않은 때 버렸으면 아기는 질식사했을지도 모를 일이다. 그래도 아기는 한창 귀여운 시기여서 선생님들이 예뻐하고 안아주고 업어 주고 했다. 자라서 걷게 되니 미운털이 박히기 시작했다.

안 그래도 사랑 못 받았다고 부모를 부모로 안 보는 언니인데 그런 못난 부모들을 보게 되니 점점 부모에 대한 믿음이 없어져 버린 것일지도 모른다. 그런 일이 일어날 때마다 언니는 버리고 간 부모를 뭐라고 했다. 물론 부모가 다 그런 것은 아니었다. 잘하는 부모가 더 많았는데 언니는 못난 부모들만 눈에 보인 듯싶다.

사랑을 못 받고 살았다고 하여 언니가 안쓰러웠다. 언니가 화가 나면 나를 공포 속으로 몰아넣고 괴롭히는 그때는 밉기도 하지만 나는 언니에게 사랑을 주기로 했다. 사랑을 모르는 언니에게 사랑은 이렇게 하는 것이라고 가르쳐 주기 위해서이기도 했다.

비록 엄마나 가족이 아니고, 언니보다 아랫사람이지만 안쓰러워 동생인 내가 언니를 사랑으로 품었다. 저녁 후 모든 일과를 마치고 이부자리에서 한 요에 누웠다. 같이 잠자리에 누운 지는 꽤 되었다.

처음에는 다른 사람이 자신에게 굴러와 닿거나 지저분한 것이 싫어서 나를 방패로 삼아 다른 사람 옆에 누웠었다. 이제는 내가 창가 쪽에 누웠다.

언니 기분이 괜찮으면 아무런 조건 없이 내 팔을 내주었다. "언니 내 팔을 베고 자." 팔베개를 해주고 오른팔로 감싸 안았다. 언니는 품이 그리웠는지 싫지 않은지 내 품 안에 쏙 들어왔다. 다음에는 팔을 내어주면 자연스레 파고들었다. 시간이 오래되면 팔이 저리고 아팠지만 참았다. 사랑을 주는 방법이 많이 있겠지만 내가 할 수 있는 것은 품어주는 것뿐이었다.

몸이 불편하여 도울 수 있는 것이 별로 없었고, 도와줘도 도운 걸 인정 안 했다. 그리고 마음에 안 들면 돌아오는 것은 구박이었다. 잘해주려고 많이 노력했는데 모르는 듯싶다. 아무튼, 나는 진실한 마음으로 품어주었다.

휴가 때 남들이 집에 가면 부러워하고 내가 집에 가면 언니는 혼자다. 엄마가 손님 오는 것을 안 좋아하시지만, 집에 데리고 갔다. 엄마는 손님이 오면 가장 걱정하시는 것이 반찬이었다. 없는 살림에 식구끼리는 아무렇게 대충 놓고 먹지만 남에게 초라한 밥상을 차려 주며 먹으라고 해야 하는 것이 싫으셨다.

아무래도 손님이 있으면 신경 쓰이실 테고 만들 반찬거리도 없었다. 시장을 보지 않으시고 밭에서 나오는 것들로 소박하게 밥상을 차려야 하는 엄마는 손님이 엄청나게 부담스러웠다. 겨우 한두 가지 반찬뿐이었으니 말이다. 엄마가 손님 데리고 오지 말라고 하셔도 난 혼나가면서 언니가 안쓰러워 데리고 다녔다.

그렇게 생각 해주고 사랑으로 품었건만 언니는 나를 대하는 태도가 여전했다. 나의 노력에도 불구하고 극심한 가뭄에 갈라진 논바닥에 소낙비 뿌린 듯 언니의 마음은 조금의 변화도 없었다. 사랑도 정도 없는 사람 같았다. 사랑은 어릴 적에 받아야 하는지도 모르겠다. 언니는 평소에도 내 생각을 안 해주었고, 화만 나면 언제나처럼 내게 매정했다.

언니는 자기 엄마에게 차갑게 대했다. 엄마가 보러 왔는데 퉁명스럽고 쌀쌀맞게 말했다. 이제 세월도 많이 흘렀고, 연세도 드셨으니 후회하시는 것 같았다. 미안한 마음에 무언가 해주고 싶어 하셨다. 그런 엄마의 마음을 생각 안 하고 여전히 차갑게 굴었고, 엄마를 믿으려 하지 않았다.

그런 언니의 모습을 지켜보며 언니의 엄마도 안쓰러웠다. 사랑으로 치유될 수 없을 만치 메말랐는가? 사랑을 나누어 줄 줄 모르는가? 언니의 마음과 성격은 너무 어려웠다. 그래도 진심으로 품어주고 안아주며 한편으로는 구박받으며 변함없이 함께했다.

지갑을 잃다

처음 시설에 와서는 돈 관리를 할 줄 몰라 서랍이나 가방에 넣어 두고 다녀 도둑맞기도 했었다. 어느 날부터 바지 주머니에 넣어 다니기로 했다. 그런데 언니 것까지 넣으니 주머니가 비좁고 무거웠다. 더욱이 마트나 시장을 보고 나면 더 무거워져 바지 허리가 처져 속옷이 보일 지경이었다.

청각장애가 있어 잘 듣지 못하는 나는 계산 할 때 얼마를 달라고 하는지 제대로 들을 수 없었다. 그래서 지폐를 주어야 했다. 대충 가격을 알 때는 작은 지폐를 건네고, 모르는 것은 큰 지폐로 넉넉히 건네주었다. 그러니 작은 지폐가 많아질 때는 지갑이 두꺼워지고 잔돈이 많아지면 주머니가 무거워졌다.

지금처럼 물건에 가격표가 있거나 계산대가 있는 것이 아니어서 물건 가격을 알 수 없었다. 언니가 옆에서 듣고 말해 주면 좋겠지만 먼저 밖으로 나갔다. 물건을 구매하면 나의 지갑을 열었고, 나 혼자 계산하고 물건을 들고 나왔다. 그리하여 동전이 많으면 헐겁게 만든 바지 고무줄이 처져 속옷이 다 보이는데 윗도리를 큰 것을 입어 다행이었다. 허리를 구부리고 다니기에 주머니 부분까지 가려져 다른 사람들에겐 안 보였다.

또한, 다리를 굽히고 걷기 때문에 넓적다리 안쪽에서 지갑이 유지가 되었다. 계산할 때 동전만 덜 생겨도 지갑 2개를 가지고 다니기 나을 텐데 언니는 자신의 지갑을 맡겨 놓은 채 신경도 안 썼다.

그러던 어느 날 아침 이부자리에서 일어나는데 바지가 허전했다. 만져 보니 주머니가 비어있었다. 이불과 방바닥을 살피고 여기저기 찾아봐도 지갑은 온데간데없었다. 난 하늘이 무너지는 것만 같았다. 언니의 지갑도 없어졌기에 더 초조하고 어쩔 줄 몰라 발만 동동 굴렸다. 언니에게 지갑을 잃어버렸다고 하자 때리면서 면박을 주었다.

"어떻게든 찾아 놓지 않으면 죽을 줄 알아."라고 하며 본인은 찾으려고 하지 않았다. 나 혼자 어떻게 찾으라는 건지 눈앞이 캄캄하고 머릿속이 하얬다. 혼자 전전긍긍하며 속상해 건물 밖으로 나가서 정원을 보았다. 그런데 의자에 앉아 있던 우리 방 지우가 "경이 언니가 줍더라."라며 한마디 해주었다. 학교에 다녀서 저녁으로만 볼 수 있고, 대화해본 적도 없었다. 친하지 않은데 말을 해주니 정말 고마웠다.

범인을 알고 나니 화가 났다. 나 자신이 이렇게까지 화가 난 것이 난생처음이었다. 지갑을 잃어버려 언니에게 호되게 혼나고 맞고 책임까지 져야 할 판이었다. 그래서 순간 화가 많이 났던 것 같다.

경이 언니는 작업장에서 일하고 내 옆자리에서 잤다. 내가 자다가 돌아누울 때 지갑을 흘린 것을 집어 가진 듯싶다. 난 잘 때도 지갑을 빼놓지 않고 24시간 몸에 지니고 있었다. 주머니를 몸 앞으로 돌리고 자고, 돌아누울 때도 빠지지 않게 하고, 자주 주머니를 확인했다. 언니 것까지 있어 늘 신경 써왔다. 그렇게 어렵게 관리 중이었는데 잠결에 빠진 듯싶다.

경이 언니는 발견했으면 돌려주어야 하는데 가져갔다. 경이 언니를 찾아가 "언니 지갑 가져갔지?" 하고 물으니 아니라고 했다. 전에도 내 물건에 몇 번 손을 댄 적이 있어서 가지고 있다는 생각이 들어 돌려 달라고 했다. 그러나 돌려주려고 하지 않았다.

전에도 내 물건을 돌려받지 못했기 때문에 "언니 제발 돌려줘." 라고 하며 애원해 봤지만, 주지 않으려고 고집을 부렸다. 지갑을 찾지 못하면 죽는 거나 다름없는 난 속이 새까맣게 타들어 갔다. 어쩔 수 없이 언니에게 경이 언니가 가져갔다고 말해 겨우 뺏다시피 했다. 경이 언니는 몸은 정상인이라 내 힘으로는 지갑을 찾지 못했다. 언니가 있어서 찾았다.

어느 날 사건이 또 터졌다. 언니가 저축하자고 하여 개인 통장을 만들었다. 은행이 너무 멀어 힘들지만, 언니의 말을 안 따르면 안 되기에 꼬박꼬박 저금하러 다녔다. 그런데 통장은 커서 주머니에 넣을 수 없고 가지고 다니기엔 어려웠다. 할머니들처럼 바지 속에 주머니를 달면 되지만 그때는 할머니를 만나본 적이 없어 그 방법을 몰랐다.

통장을 잃어버릴까 봐 노심초사하다가 서랍에 자물쇠를 걸기로 했다. 경첩과 자물통, 못을 구매했다. 난 못을 박아 본 경험이 있긴 하지만 나사못은 박아 본 적이 없었다. '어떻게 해? 못을 박기만

하면 되지.' 혼자 속으로 생각했다. 언니는 나만 바라보고 있었다. 박아야 할 나사못이 한두 개도 아니고 오래 걸렸다. 양쪽에 자물쇠를 잠그고 나니 안심이 되었다. 그렇게 안심하고 생활하고 있던 어느 날 외출하고 돌아와 보니 통장이 사라졌다.

나는 가슴이 철렁 내려앉았다. 내가 저축한 돈을 잃어서가 아니라 언니의 구박과 원망을 감당하려니 눈앞이 캄캄했다. 나의 통장을 잃은 것은 나중 문제였다. 아무리 찾아도 없었다. 내가 팔이 올라가지 않아 두 번째 서랍에다 자물통을 단 것이 문제를 일으켰다. 팔이 올라갔다면 첫 번째 서랍에다 했을 텐데…….

시일이 지나 여차저차 해서 찾게 되었다. 누구 짓인지는 밝혀지지 않았다. 그런 일이 있고는 어쩔 수 없이 제일 위의 서랍에 자물쇠를 달아야 했다. 망치질은 오른손이어야 할 수 있는데 전혀 손이 닿지 않아서 못을 박으려면 팔을 더 높여야 했다. 그런데 바닥에 받치고 올라설 수 있는 받침대가 없어서 상체를 펴는 방법뿐이었다. 왼쪽 다리를 들고 오른쪽 까치발로만 딛고 서면 팔 높이를 조금 높일 수 있었다.

왼쪽 다리를 들어 올리면서 상체를 펴고 오른쪽 다리를 바짝 붙였다. 그런 후 오른쪽 까치발에 힘을 쓰며 내 무게를 버티어낸다. 한발로 버티면서 거친 숨을 몰아쉬며 못을 박았다. 힘든 나머지 이불장 위에 왼쪽 팔로 지탱해 잠깐 쉬다가 망치질을 반복했다. 다리를 내리고 원래 자세로 돌아가서 쉬고 싶어도 무거운 망치를 들고 있어서 안 되었다.

그렇게 자물쇠 경첩을 다느라 땀을 뻘뻘 흘렸다. 문이라면 한 쌍만 달면 되지만 서랍이라 양쪽에 달아야 해 너무 힘들었다. 다 끝내고 다리를 내리며 원래 자세를 취했다. 왼쪽 무릎이 굽혀져 있어서 두 발로 서려면 왼쪽 다리에 오른쪽 발을 맞추다 보니 평소 상체를 구부리고 설 수밖에 없다.

한번은 콘크리트 벽에 못을 하나 박으라고 했다. 팔이 올라가지도 않는데 언니는 위치가 낮다고 못을 높게 박기를 원했다. 콘크리트 벽은 난생처음이었는데 나무하고는 차원이 달랐다. 한번 치면 뼛속까지 진동이 크게 일며 팔이 흔들리고 아팠다. 몇 번을 쳐도 꼼짝도 안 했다. 그래서 한참을 때려 박았다. 나무에 못을 박는 것도 엄청 힘든데 콘크리트 벽은 몇 년 치 힘이 나간 것 같았다.

높이가 낮고 편한 위치였다면 조금은 수월했을지도 모르겠지만 아무리 때려 박아도 너무 안 들어갔다. 그렇게나 어려운데 언니가 만족하고 되었다고 할 때까지 못 길이를 맞추어야만 했다.

내게 지갑을 맡기기 전엔 어떻게 관리했는지 잘 모르지만 난 너무 부담스럽고 신경 쓰여 맡고 싶지 않았다. 강제로 떠맡겨 놓고 문제 생기면 나를 탓했다. 나는 이래저래 신경 써야 할 것들이 많았다. 그렇게 불안에 떨며 통장과 지갑 관리를 했고 힘쓰는 일마저도 나의 몫이었다.

위험한 순간들

어느 날 언니는 영이 언니와 같이 목욕탕을 가자고 했다. 그리하여 휠체어를 탄 영이 언니와 함께 나란히 시내로 향했다. 목욕을 마치고 나와 언니는 택시를 타자고 했다. 나하고 둘이 있을 때도 택시가 안 잡혔는데 휠체어까지 3명이나 태워줄 택시가 있을 리 희박했다. 언니는 택시가 잡히지 않으면 너 때문이라고 내게 화풀이를 했었다. 이번에도 어김없이 또 화가 올라왔다.

목욕하느라 힘든 것을 이해는 하지만 무엇이든 뜻대로 안 되면 화부터 냈다. 조금 더 기다려 보고 안 되면 화를 내도 되건만 얼마 되지도 않아 그냥 지나가는 택시만 보면 화부터 냈다. 화가 난 언니는 우리에게 화를 내며 실랑이가 시작되었다. 영이 언니는 몸집도 나보다 크고 힘도 있어 밀리지 않자 언니는 늘 그래왔듯이 나를 밀치기 시작했다.

까치발로 서 있는 나는 힘없이 밀려가니 넘어져 버리라고 뒤에서 세게 밀어 댔다. 영이 언니는 따로 가고 난 들어갈 때까지 밀어 대는 공포를 버텨야 했다. 빠르게 목발을 내디디며 넘어지지 않으려고 필사적으로 허우적거렸다. 힘들어지는 것이 그렇게 싫으면 애초에 외출하지 말든가? 끝이 어떤지 알기에 외출이 내키지 않았다. 나를 데려가 놓고 끝은 좋지 않았다.

그 후 언니와 둘이 목욕탕을 갔다. 먼저 갔던 곳보다는 가깝지만, 내겐 멀었다. 그곳 목욕탕을 한번 가더니 기회만 되면 가자고 하였다. 어느 날, 여느 때처럼 목욕을 끝내고 실내로 나오려고 턱을 오르려는 찰나에 문이 닫혔다. 다른 사람이 지나가며 닫았다. 사람이 나가는 중이면 그냥 두어야 하는데 말이다. 문이 확 닫히는 순간 손가락을 부딪치고 유리문 사이에 끼었다.

목욕탕 바닥은 미끄럽고, 턱이 높아 그냥 오를 수 없어서 무언가 지탱하는 것이 있어야 했다. 그래서 유리문을 잡고 의지를 해 올랐었다. 언니가 손을 잡아 주는 것까지는 아니이도 문을 지켜주면 좋지만, 항상 먼저 나갔다. 언니 뒤에 나가지만 바닥이 미끄러워 걷는 속도가 늦다 보니 언니가 열어 둔 문을 다른 사람이 지나가며 닫아 버릴 때도 있다. 문이 닫히면 미끄러운 바닥에서 문을 여느라 바둥바둥 힘들게 밀었다.

신발을 신으면 바닥이 미끄러워도 덜 불안한데 내 마음대로 할 수 없었다. 나갈 때는 문에 머리라도 박아 넘어질까 봐 매번 공포가 스며들고, 가슴이 뛰었다. 목욕탕에 가기 싫은 가장 큰 이유는 미끄러운 바닥 때문이다. 늘 넘어질까 노심초사하며 바닥을 골라 딛고, 지나가는 사람하고 안 부딪치게 천천히 조심조심 다녔다. 내가 먼저 문 앞에 서 있어도 문이 크다 보니 다른 사람들이 먼저 지나갔다. 그렇게 다칠까 봐 걱정했는데 현실이 되었다.

손이 물에 불은 상태에서 부딪혀 아프기도 하고 둔했다. 부딪친 부분이 움푹 들어갔는데 문질러도 올라오지 않더니 손이 마른 후에 보니 부어 있었다. 이미 일어난 일 어쩔 수 없어 속상한 마음 가득 안고 시설로 돌아왔다. 아파도 마음대로 쉴 수 없으니 빨래도 하고 출근을 했다.

심란한 마음 부여잡고 작업을 하다가 '피를 빼면 부기가 빠질까? 나쁜 피를 빼면 뼈가 안 생길까?' 하는 생각이 문득 들었다. 손가락까지 더 불편해져 일을 빨리 못하거나 지금보다 일상생활에 지장이 생기면 어떻게 하나 걱정이 컸다. 더 많은 언니의 구박을 받으며 살아가야 할 날들을 생각하니 미칠 것 같았다.

그래서 테이프 작업하는 칼과 휴지를 준비했다. 칼을 대고 막상 하려니 가슴이 콩닥콩닥 뛰는데 손끝까지 닿았다. 마음을 굳게 다지고 부은 곳을 칼로 그어서 피를 빼냈다. 손가락을 칼로 그을 때 마치 심장을 긋는 듯했다. 피가 생각만큼 나오지 않아 부은 거로 봐서는 더 빼야 할 것 같았다. 시간이 지나 서너 번을 더 시도했다.

성인도 안 된 그때 혹이 자라지 않기를 바라는 마음에 아무것도 모르고 한 행동이었다. 애쓴 결과도 없이 부기가 빠져나간 자리에 혹만 덩그러니 튀어나와 있었다. 목욕탕에 가는 것이 무척 싫었지만 내 마음대로 할 수 없어 속상했다. 나에게 목욕탕은 위험한 장소이고, 장애와 상처를 남길 뿐이었다.

어느 날 언니와 시내를 걷고 있었다. 걷느라 힘이 들고, 목을 옆으로 돌리지 못해 언니의 기분을 살필 겨를이 없었다. 앞만 보고 가는데 언니가 갑자기 등을 밀었다. 순간 놀라서 속으로 '왜 그러지.'라고 했다. 한 번으로 끝날 줄 알았는데 계속 밀었다. 언니는 화가 나 있었다. 난 넘어지지 않으려고 목발을 빨리 움직여 걸었다. 앞으로 넘어지면 여러 곳을 다치기 때문에 온 정신을 집중했다.

높은 인도로 올라가야 하는 부근에서도 멈추지 않았다. 나는 넘어지지 않기 위해 온 힘을 다해 필사적으로 걸었다. 목발밖에 의지할 것이 없는 인도에서 목발을 꽉 잡고 빨리 걷는 방법뿐이었다. 바닥만 보고 목발 사용에 집중한 나머지 겨드랑이는 신경 쓸 수 없었다. 목발을 빠르게 막 움직여서 나무가 겨드랑이에 있는 뼈를 쳤다.

평소라면 목발이 겨드랑이에 닿지 않게 간격을 두고 조심하여 짚는데 그럴 수 없는 상황이었다. 추락사고 후 양쪽 겨드랑이에 큰 뼈가 자라났다. 그리하여 어깨를 쓰지 못해 팔을 올릴 수 없었다. 보통 사람의 겨드랑이는 비어있지만 난 그렇지 않기에 목발을 사용할 때 뼈가 닿았다. 또한, 뼈에 자극이 잦으면 재발을 불러오는 상황인데 애써 빠르게 걷는 내내 고스란히 겨드랑이 뼈에 자극을 줄 수밖에 없었다. 힘없이 바보인 양 당할 수밖에 없었다.

언니는 때와 장소 상관없이 화가 나면 밀어 댔다. 어느 날에는 목발을 빼앗아 내가 꺼낼 수 없는 세면실 구석에 던졌다. 그리고는 계속된 화에 실랑이는 벌어지고 난 손으로 잡을 수 있는 것들이 있으면 최대한 잡았지만 미는 힘이 대단히 세서 밀려 나갔다.

어느 날은 방문을 열고 신발을 벗고 방에 들어가는 도중에 갑자기 밀쳤다. 다행히 저녁이라 이불이 깔려 있어 이불에 몸이 쓰러졌다. 바로 일어날 수 없어 가만히 있었더니 "죽은 척하냐."고 소리쳤다. 나는 넘어진 충격이 가시지도 않았는데 바로 안 일어나자 마구 퍼부었다. 가만히 있으면 언니의 화가 조금은 내려가거나 넘어졌으니 더는 안 괴롭힐 줄 알았는데 더 야단이었다.

보통 사람이라면 그렇게 쓰러져도 아무렇지 않겠지만 난 팔로 지탱을 못 하는 데다 관절이 굽어 있어 타격을 받는다. 언니는 내 속도 모르고 괴롭힘은 계속되었다.

사면 계단에서도 세면실과 옥상에서도 장소를 불문하고 시도 때도 없이 언제 터질지 예측하기도 어렵다. 어느 날 이불을 빨래한다고 해 같이했다. 세면실 안쪽에 대량의 큰물이 나오는 수도관이 있었다. 그 안은 무릎보다 높은 턱을 넘어가야 해서 들어가지 않았다. 바지가 턱에 안 닿고는 넘을 수 없어서 언니의 눈치를 봐야 했다. 언니는 옷에 뭐가 묻을까 봐 전전긍긍해 시킬 때만 들어갔었다.

그 안에 들어가 큰 대야에 이불을 담갔다. 언니는 발로 조금 밟더니 "네가 해."라고 하여 대야에 들어가 밟았다. 그런데 내가 밟는 것이 마음에 안 들어서 짜증을 내고 자신이 한다고 발 빼라고 했다. 발가락으로 걷는 내가 이불을 밟는데 당연한 결과였다.

그냥 막대기로 찌르는 것처럼 될 뿐이라 언니의 눈에 차지 않았다. 언니처럼 무릎을 써가며 양발바닥 전체로 밟는 것과는 큰 차이가 있는데 모르는 듯싶다. 다른 이가 보면 하기 싫어서 깨작깨작 꺼리는 것으로밖에 안 보인다. 이불을 밟는 것이 나에게 쉬운 일이 아니다. 오른 다리는 일자로 뻗어져 있어 밟기는 불가능하고, 굽어져 굳은 왼 다리로 이불을 밟아야 했다. 무릎을 쓸 수 없어서 상체를 펴고 다리를 올리고 다시 상체를 구부리며 다리를 내렸다. 한번 밟을 때마다 상체를 펴는 동작을 반복해야 하는 난 힘들었다.

다행히 수도관을 짚을 수 있어서 손으로 지탱하고 이불을 밟았다. 그것이 내가 할 수 있는 최대한의 한계였다. 힘들게 돕는 것은 몰라주고 마음에 안 들어 했다. 이때부터 화가 나 있었다. 다 빨고 건져내어 물이 좀 빠진 후 타인의 도움을 받아 옥상으로 가져갔다.

언니는 이불이 바닥에 닿아 흙이 묻어 화를 내기 시작했다. 옥상에 이불을 널 때 옷도 같이 널 때가 있는데 옷이 바닥에 떨어질 때도 그랬다. 떨어진 옷만 다시 빨면 되는데 남아있는 옷까지 패대기쳐서 전부 다시 빨라고 했다. 본인의 실수지만 다시 빨아야 하니까 화가 난 것이었다.

내가 빨래 너는 것을 도울 수 없기에 나 자신이 죄인이 된 것 같아 내게 화를 내도 아무 말도 하지 못했다. 언니가 날 좋은데 옥상에 빨래를 널자고 하면 난 싫었다. 계단에 빨래통을 가지고 가는 것도 문제지만 기분이 안 좋으면 화를 내니 감당키 어려웠다. 옥상에 빨래를 널어놓고 비가와도 화를 내니 말이다. 그리되면 다시 빨아야만 했다.

나는 이불 빨래할 때나 옥상에 빨래를 널 때 가슴 졸였다. 하도 화를 내 차라리 여기서 떨어져 죽을까? 라고 말했더니 누구 감옥에 보낼 일 있냐고 소리쳤다. 그래도 자신이 감옥 갈까 봐 겁이 좀 나는지 죽지는 못하게 했다. 난 계속 시달려야 하기에 한 말이었다. 3

층 옥상이니 떨어져 봐야 다칠 확률만 높아 진짜 죽으려고 시내 높은 건물을 찾으려고도 했었다.

　방에서도 화가 나면 실랑이를 해야 했다. 그래도 방이 제일 안전한 장소였다. 대부분 앉아 있는 상태에서 싸우니까 앞으로 엎어질 염려는 없었다. 한번 화가 나면 두 시간이고 세 시간이고 끝나지 않는 실랑이에 진저리가 나고 지쳤다.

　이제는 언니와 함께한 지도 오래고 조금씩 말도 하게 되었다. 언니의 화가 좀체 누그러지지 않아서 머리 박고 죽는다고 하며 벽에 머리를 박았더니 "그래. 머리 박고 죽어라."라고 하면서 자신도 벽에 머리를 박았다. 붙잡아도 힘이 세 막기 어려워서 언니가 다칠까 봐 벽에 손바닥을 댔더니 손이 아팠다. 손으로 막자 옆으로 가서 박아서 언니를 힘껏 꽉 잡고 당기며 말렸다. 결국, 이 방법이 통하지 않았다.

　식사 시간이 되어 눈치를 보다가 밥을 타서 식탁에 가져다 놓았는데 먹으러 오지 않고 나만 먹었다고 화를 냈다. 아직 화가 많이 난 것 같아서 나도 굶었는데 식사 시간 지나서 너 때문에 밥 못 먹었다고 뭐라고 했다. 이러나저러나 매번 반응이 달라 어려웠다.

　그 당시에는 '이 세상에 이렇게 오래 화를 내는 사람이 있을까?' 하는 의문이 들었다. 평소에 연약하고 힘없어서 무거운 것은 못 든다고 나한테 맡기는데 그런 힘은 어디서 나오는지 모를 일이다.

　나는 장이 약하고 예민해서 평소보다 안 좋을 때가 종종 있었다.

어느 날 일을 하다가 급하게 화장실을 갔다. 가까운 3층은 변기가 막혔고 한쪽도 시원찮아서 2층 화장실로 향했다. 너무 급해 억지로 참으며 겨우 화장실에 들어가 문을 잠갔다. 여기까진 버텼는데 바지를 내리려는 순간 약간의 실수를 하고 말았다. 어쨌든 급하니 먼저 해결하고, 확인하니 살짝 1방울이 묻어 있었다. 다행히 크게 실수하지 않아 '속옷만 갈아입으면 되겠구나.'하고 생각했다.

그러나 대수롭지 않게 생각했던 것이 큰 잘못이 되어 버렸다. 1방울이었지만, 냄새날까 봐 방에 가서 갈아입고 작업장으로 갔다. 돌아와 작업하는 나를 보며 언니는 뭐하다 이제 오느냐고 꾸중을 했다. 난 아무렇지 않은 듯 살짝 실수해서 갈아입고 왔다고 말했다. 그 말을 듣는 순간 열을 내기 시작했다. 사람들이 있으니 소리는 크게 못 지르고 물건을 던지고 툭툭 쳤다. 그것으로 부족한지 쟁반에 가득 담아 놓은 일감을 내 다리 위에 쏟아부었다.

화난 얼굴로 계속 괴롭히더니 분이 안 풀려 급기야 나를 밖으로 끌고 나갔다. 언니가 휠체어를 미는 힘이 장난 아니게 셌다. 핸드림을 꼭 잡아도 밀려서 손으로 바퀴 자체를 잡았다. 그러나 바퀴가 굴러가지 않아도 타이어가 둥그니까 힘없이 밀렸다. 언니는 비탈진 사면 계단으로 방향을 틀고 나를 밀어붙였다.

언니는 내가 사면 계단을 내려가다 꼬꾸라지거나 저만치 끝에 있는 벽에 처박히길 바랐다. 나는 안간힘을 다해 바퀴를 잡으며 다치지 않으려고 발버둥 쳤다. 실랑이를 벌이다가 난간에 닿게 되어 난간을 잡았다. 그러나 난간이 너무 굵어서 내 손아귀 안에 들어오지 않아 꼭 잡을 수 없었다. 언니는 두 손으로 휠체어를 사정없이 밀어 댔다, 늘 한 손이라고 강조했지만 나보다 힘이 세었다. 도저히 이길 수 없는 힘을 가지고 있었다.

사면 계단 끝에 다다라 멈출 줄 알았다. 아직도 분이 안 풀렸는지 벽 쪽으로 밀어붙였다. 난 벽에 다리를 부딪치지 않으려고 바퀴를 있는 힘껏 잡고 모든 힘을 짜냈다. 그렇게 계속 실랑이를 벌이다가 벽에 다리가 닿았다. 언니는 그러거나 말거나 밀어 댔다. 하지 말라고 수 없이 애원해도 언니의 마음은 조금도 변하지 않았다. 나의 몸을 보호하고자 필사적으로 버텨야 했다. 제풀에 지치거나 스스로 가라앉아야 끝나는 싸움이었다.

언니는 워낙에 깔끔한 성격이라 일감을 다리에 쏟은 일도 있고 해서 샤워를 했다. 샤워하는 동안 온갖 구박을 받아야 했지만 하라고 해서 안 할 수도 없었다. 언니는 자신이 화가 나서 나를 괴롭히느라 일하는 시간에 자리를 비우고는 공장장님한테 내 핑계를 대었다. 물론 나 때문인 것은 맞지만 언니의 말 때문에 사람들이 많아 창피했다. 같은 여자임에도 남자들만 있는 데서 내가 창피한 것은 전혀 개의치 않고 어쩜 그리 당당히 말하는지 기분이 좋지 않았다. 공장장님한테만 작게 속삭여도 될 텐데 말이다.

나는 언니의 화가 다 풀린 후라도 말 꺼냈다가 무슨 사달이 일어날지 몰라 말하지 않았다. 그런데 어쩌다가 언니가 먼저 말이 나와서 내가 상황을 다 말해 주니 "그랬었어?"라고 말했다. 언니는 실수했다고 먼저 말했으면 안 그랬다고 말했다. 먼저 말했어도 실수로 인해 화를 냈을 것이 뻔한 결과인데 말이다.

자신의 허락도 안 받고, 옷을 갈아입느라 방을 더럽게 해 놓았다는 생각만 하고 화가 났다. 언니가 깔끔한 성격인 것을 아는 내가 한두 살 먹은 어린 애도 아니고 설마 방을 더럽게 해 놓을 리가 있겠는가? 깔끔한 성격이라 청소할 때 여러 번 닦아도 더럽다고 생각하는 사람이었다. 본인 눈으로 닦는 것을 봤을 때도 반신반의하는 성격인데 보지 못한 현장은 오죽할까? 나의 말은 끝까지 듣지도 않고, 물어보지도 않고 더러움을 혼자 상상하고 욱했던 것이었다.

난 일이 이렇게까지 커질 줄은 미처 몰랐다. 이미 상처받아 내 마음은 멍들고 문드러졌는데 '별것 아니었구나!'라는 한마디뿐이었다. 내게 큰 공포를 안겨줘 놓고 하는 말이 '미안하다'도 아니고 '다음에는 안 그럴게'도 아니었다. 큰 사고가 날 뻔했고 위험은 아주 가까이 내 앞에 언제나 도사리고 있다. 나는 바람불면 언제 떨어질지 모르는 벼랑 위의 불안한 삶을 견디어내고 살아냈다.

긴 하루

이른 새벽에 일어나 눈치껏 이불을 개고 세면을 했다. 그래도 혼자 세면을 할 수 있어 참 다행스럽지 않을 수 없다. 오른손으로 못해도 왼손이 얼굴에 닿았다. 하지만 왼손도 움직일 수 있는 범위가 작아 왼쪽 얼굴은 씻기가 어려웠다. 화장실과 세면을 스스로 못 했다면 하루가 더 힘들었을 듯싶다.

방에서 복도를 나갈 때는 언니가 나갈 때만 나갈 수 있었다. 경이 언니가 있을 때는 신발을 집어 줘서 볼일이 있으면 나갔다가 왔다. 경이 언니가 떠나고 신발을 집어 주는 사람이 언니밖에 없어서 빨리 움직이거나 기다려야 했다. 신발을 복도에 두면 이리저리 뒹굴고 휠체어 바퀴에 밟혀 흙도 묻고 빨리 망가진다. 흙이 묻으면 발에 묻으니 언니도 좋아하지 않았다. 그래서 언니가 세면이나 화장실을 가면 그때 따라나섰다.

어느 때부턴가 엄지발가락의 굳은살이 심하게 단단해지고 깊숙이 갈라져 속살이 비쳤다. 낮에는 피가 양말에 묻어도 내가 빨기 때문에 괜찮은데 저녁에는 방바닥이나 이불에 묻어 문제가 되었다. 이불을 깔기 전까지는 화장지를 접어 발에 받치고 질질 끌고 들어가는데 이불이 깔려 있으면 비켜 가야 해 곤란한 상황이었다.

한번은 갑자기 밀리는 이불에 발이 닿아 피가 조금 묻었는데 된통 야단맞았다. 또다시 실수로 이불을 버리는 날에는 언니의 화를 감당해야 하기에 어찌할 바를 몰랐다. 두 번째는 더 심하게 화를 낼 테니 말이다. 더욱이 발을 씻고 난 후 자기 전 화장실 갈 때나 아침에 갑자기 일어날 때 피가 나온다. 물에 젖었다가 말랐을 때 일어나면 더 아프고 더 갈라지거나 피가 더 나왔다.

나는 바닥에서 일어날 때 작은 책상을 짚고 일어나는데 이불이 깔려 있어서 사용 못 하고 옷장 문을 열고 이불 넣는 곳 바닥을 짚고 일어났다. 옷장 앞에도 이불이 있어 이불귀퉁이를 걷어 놓고 일어났다. 걷어 놓은 이불이 다시 펴지면 발에 닿아 피가 묻을 수 있어 가슴 졸였다. 또한, 사람이 누워있으면 난감했다. 화장지를 도톰하게 깔고 일어서도 바닥에 피가 묻을 때도 있어 신경 쓰였다. 방바닥과 이불에 피가 묻을까 봐 전전긍긍하였고 눈치를 살피며 화장실 한번 가기도 어려웠다.

아프고 싶어서 아픈 것도 아니고 발을 많이 써서 그렇게 되었다. 언니와 함께하고 따라다니느라 서 있는 시간이 몇 배로 많아졌다. 그래서 쌓이고 쌓이다 보니 굳은살이 두꺼워졌다. 주로 많이 쓰는 왼발인 데다 짧은 엄지발가락으로 걸어야 해서 오랫동안 아물지 않아 심신이 고달팠다.

출근 준비를 마치면 밥을 타려고 식당으로 향했다. 몇몇 사람들은 식사 시간 30분 전에 와서 줄을 섰다. 그래서 나도 아침 할 일을 끝내면 어쩔 수 없이 줄을 섰다. 언니는 사람들과 가까이 서지 말라고 했다. 줄을 서는데 어떻게 멀찍이 설 수 있겠는가? 사람들은 빨리 타려고 바짝 다가오는데 어쩌라는 건지 어려운 문제였다.

"사람들과 가까이 서서 옷 버리지 마라." "침 흘리면 네게 묻는다." 언니의 성화에 생각해낸 유일한 방법이 목발을 넓게 짚고 서 있는 것이었다. 그렇게 넓게 서 있으면 눈치도 보이고 종종 문제가 생겼다. 그래서 되도록 사람들과 부딪히는 것을 줄이려고 일찍 줄을 설 수밖에 없었다. 그런데 식당 아줌마는 일찍 와서 줄 선 것을 곱게 보지 않았고 뭐라고 했다. 그리고 식판을 넘겨받기 전부터 넘치는 국물에 옷을 조금 버렸더니 언니는 호되게 야단만 쳤다.

언니에 의해 생긴 골칫거리가 있었다. 그리하여 고민하고 걱정했는데 12시가 넘어가니 고단해서 눈꺼풀이 감기기 시작했다. 잠이 쏟아지는데 어쩔 도리가 없어 졸고 있다가 깜빡 잠들었다. 언니는 나를 마구 깨우면서 야단을 쳤다. "넌 걱정도 안 돼? 지금 잠이 와?" 피곤한데 자지도 못하게 했다.

걱정거리가 있어서 그럴 때는 나도 이해가 갔고 잠을 잔 것은 나의 잘못이라 여겼다. 그런데 자신과 대화하다 잠들면 이야기 안 듣는다고 뭐라고 했다. 물론 함께 해주면 언니는 좋겠지만 내 몸이 천근만근 땅속으로 꺼져 나도 어쩔 도리가 없었다.

아침에 눈을 뜨면 나의 몸을 지키랴 불안을 안고, 이래저래 신경 써야 하는 것이 많았다. 세면실에서, 식당에서, 작업장에서, 방에서 시달려야 했고 온종일 숨통 트일 새가 없었다. 거기에 주머니에 있는 지갑도 큰 몫을 하고 있었다. 그런데 지치지 않을 수 있겠는가?

어떤 날은 새벽 4시까지 일을 하고 피곤함에 절은 육신을 이끌고 퇴근했다. 일이 끝나 '이제 좀 쉴 수 있겠구나.'하고 생각했는데 언니는 이왕 시간이 이리된 거 빨래를 하자고 하였다. 빨래를 끝내도 언니가 빨래를 다 널 때까지 서서 기다렸다. 언니는 나를 믿지 못해 꼼꼼히 검사하며 너느라 시간이 오래 걸렸다. 빨래 너는 것이 끝나면 궁둥이도 못 붙이고 아침 식사를 타러 식당으로 향했다. 언니는 그동안 휴식을 취하다가 식당에 왔다.

엉덩이에 살이 없어 오래 앉아 있는 것이 힘들고, 굽혀지지 않는 다리를 허공에 뻗치고 버티느라 애를 썼다. 밤새워 일하느라 몸의 긴장 한번 못 풀고, 비뚠 자세로 오래 앉아 있어 몸을 펴고 싶었는데 언니는 조금의 쉴 틈조차 주지 않았다. 그렇게 눈 한번 붙이지 못하고 다시 출근해야 했다. 작업장 사람들은 편히 자다가 10시에 출근을 하지만 난 내 마음대로 할 수 없었다.

재료가 없어 쉴 때도 많지만 새벽까지 할 때가 많았다. 더 늦을 때는 새벽 3~4시까지 했다. 차라리 낮에 계속하더라도 야근만큼은 일찍 끝났으면 싶었다. 나누어서 꼬박꼬박 일하면 좋겠지만 현실은 그렇지 않았다. 마지막 단계의 작업을 하는 난 한꺼번에 일이 몰릴 때 팔을 마음처럼 움직일 수 없어 너무 버거웠다. 그렇게 바쁘고 고된 나의 긴 하루가 흘렀다.

비 오는 날의 천사

언제나 그렇듯 언니와 시장에 갔다. 시장통으로 들어가면 먹을거리들이 눈에 자연히 들어왔다. '탐스러운 과일 빛깔과 과일 향에 취해 먹고 싶어지는 것이 사람 마음인가?' 어린 나는 좌판에 쌓인 달콤한 과일 냄새에 이끌려 먹고 싶었다. 걸으면서도 과일에서 눈을 떼지 못했다.

한번은 용기 내서 과일을 사자고 했는데 언니는 허락지 않았다.

시설에서 간식으로 포도가 나온 적이 있었는데 못 먹게 했다. "넌 과자 나올 때 과자 먹으니까 포도는 내가 먹을 거야. 넌 먹지 마." 라고 말했다. 시설에 온 첫해에 몇 알 먹은 것을 제외하면 접해본 적이 없어 나도 포도가 먹고 싶었다. 언니는 과자를 싫어해 간식으로 나오면 나를 주었다. 내가 뺏어 먹은 것도 아니고 주니까 먹은 것인데 그것을 이유를 대고 좋아하는 것이 나오면 독차지했다.

시장을 보다 포도가 보여 먹어보고 싶은데 못 사게 해 그럴 때면 조금 밉기도 했다. 시장에서 사면 자신도 좋아하니 마음껏 먹을 수 있고, 나도 먹고 얼마나 좋겠냐만 언니는 나와 반대로 생각했다. 어차피 무엇을 사든 내 주머니에서 나가는데도 말이다. 그래서 과일을 보고도 그냥 지나쳐야 했고 그림의 떡이었다. 시장가면 즐거움은커녕 구하기 어려운 언니 물건 찾느라 극기 훈련만 한 셈이다.

여느 때처럼 시장을 다 보고 돌아가려고 도로변으로 나왔다. 무거운 짐은 늘 내가 들기에 시장 한번 가면 발가락을 비롯해 무게로 눌리는 손가락에 온몸이 힘들었다. 택시를 타려고 기다리는데 역시나 잘 잡히지 않았다. 언니의 짜증이 얼굴에 내비치기 시작했다.

언니의 장애는 양호하지만 장 보느라 힘들었다는 것은 안다. 빨리 쉬고 싶은 마음을 누가 모르겠는가? 그래도 무거운 짐을 들고 까치발로 빠른 언니를 쫓아가느라 기를 쓰고 악을 쓰고 걷는 나보다야 낫지 않은가? 택시 안 잡히는 것을 무조건 내 탓으로 돌리고 화를 냈다. 물론 택시가 나 때문에 서지 않고 지나칠 때도 있겠지만 그냥 가는 택시도 있을 텐데 말이다. 택시가 와야 잡기라도 할 텐데 그날은 뜸했었다.

택시를 못 잡으니 언니가 몸을 꼬고 발을 구르며 화를 내기에 "조금만 기다려 봐. 언니 택시가 와야 잡지."라고 하며 달래가며 차도를 살폈다. 실랑이하는 와중에 빗방울이 떨어지자 더 야단이었다. 가만히 있어야 택시를 잡는데 내가 몸이 둘이어도 당해 낼 수 없었다. 빗방울은 굵어지더니 점점 거세게 내렸다.

'엎친 데 덮치니 무슨 날벼락인가?' 나는 누구를 탓할 수도 없으니 날씨 탓을 할 수밖에 없었다. '하필 이럴 때 비가 오나.' 그 상황에 비마저도 원망스러웠다. 택시는 비가 많이 와서 못 타게 되었다. 비로 인해 언니의 화는 더하면 더 했지 가라앉지는 않았다.

그렇게 실랑이를 벌이고 있는데 차 한 대가 와서 섰다. 여자분이 우리를 보고 태워주겠다며 타라고 했다. 평소였어도 거절하지만, 비에 젖은 몸으로 타면 차가 젖을까 봐 거절했다. 나는 "괜찮아요."라고 하며 정중히 거절했다. 그런데 가지 않으시고 타라고 권하셔서 "비에 젖었는데 괜찮아요?"라고 여쭈었다. 괜찮다고 하시며 빨리 차에 타라고 하셨다.

그 와중에도 언니는 얼굴도 안 펴고 마땅치 않은 투로 거부를 했다. 난 그분의 호의를 받아들이고 먼저 차를 탄 후 언니보고 타라고 강하게 말했다. 그리하여 언니도 타고 차는 출발했다. 차 안이 젖는 것을 개의치 않고 태워주시니 몸 둘 바를 몰랐다. 그분이 아니었다면 빗속에서 그 먼 길을 걸어야 했다. 그것도 화를 내며 밀어 대는 실랑이를 감당하면서 말이다. 언니의 화는 오래 가고 지쳐야 풀리기 때문에 끝이 언제인지 알 수 없기 때문이다.

무사히 시설에 도착했다. 모르는 사람 차를 탔다며 엉뚱한 곳으로 갔으면 어쩔 것이냐며 야단을 쳤다. 그분이 아니었으면 언니도 힘들었을 텐데 잘 된 것 아닌가? 비가 와서 택시는 못 탔을 텐데 잘 된 일에 화를 냈다. 차를 타고 무사히 도착했으면 감사해야 하는 일임에도 언니의 마음에는 보이지 않았다. 단지 눈에 불을 켜고 나만 보았다. 시장에서 본인에게 맞는 치수가 없어 찾아다니느라 더 걷고 지체돼서 힘들어진 것인데 항상 모든 것을 내 탓으로 돌렸다.

그분 덕분에 언니와 실랑이를 덜 하고, 무사히 온 것을 감사하게 생각했다. 그분이 아니었다면 비를 맞으며 오는 내내 그 공포 같은 일을 겪어야 할 것을 생각하면 끔찍하다. 언니와 실랑이를 해도 누구 하나 말려주거나 관심 가져 주지 않았다. 무관심 속에 처음 있는 일이다. 무심코 지나는 도심 속 한복판에서 만난 그분은 내게 크나큰 은인이자 천사였다.

어느 날 집에 갔다 돌아오는 길에 한 분을 만났다. 버스에서 내려 무거운 가방을 들고 우산까지 써서 목발을 제대로 짚고 걷기가 어려웠다. 가방이 2개라서 손이 부족해 우산이 기울어져 씨름하고 있는데 누군가 다가와 가방을 들어 준다고 했다. 몸을 구부정하게 굽히고 우산이 가려 얼굴을 볼 수 없었지만, 목소리는 여자였다.

나는 괜찮다고 했는데 내 손에서 가방을 집어 들었다. 짐과 우산 때문에 앞도 제대로 못 보고 어려운 상황에 손을 내밀어줘서 고마웠다. 나와 같이 가는 줄 알고 그분 시간이 지체되는 것이 죄송해서 열심히 걸었다. 걷다 보니 우산을 쓰지 않아도 될 것 같아 빨리 가기 위해 접었다. 그런데 내 주위에 아무도 없어서 뒤를 살펴보니 텅 빈 도로만 있을 뿐 사람은 한 명도 보이지 않았다.

그제야 가슴이 철렁 내려앉았다. 옷 가방에는 돈도 있어서 '다 잃어버렸구나.'하고 생각했다. 얼굴도 보지 못했고, 어디로 갔는지도 모르는 상황에 어쩔 도리가 없었다. 속상한 마음 부여잡고 시설에 들어갔다. 그런데 가방이 거기에 있었다. 내가 어디에 있는지 알고 있어서 먼저 간 것이었다. 걸음이 빠르다 보니 이미 우측 도로로 꺾어져 간 후라 내 시야에 보이지 않았다. 누구인지 알지 못해 고맙다고 전하지 못했다. 나는 긴 세월 동안에 2분의 천사를 만났다.

탈출구는 없다

집에 갈 때마다 언니를 데리고 가는 것은 아니지만 거의 같이 갔다. 처음에는 안쓰러워 데려갔는데 점차 의무적으로 되었다. 엄마가 불편해하시긴 하지만 어쩔 수 없었다. 어느 날도 일거리가 떨어져 며칠 쉰다고 하고 언제 부품이 내려올지 모른다고 했다. 일이 없다고 매번 집에 가는 것은 아니지만 며칠은 없다고 해 언니와 집으로 향했다. 언니는 너희 집에 빈손으로 자주 가면 욕한다며 먹을거리를 사서 가라고 했다. 괜찮다고 말해도 소용없었다.

그래서 슈퍼에 들려 음료를 샀다. 계산도 들고 가는 것도 나의 몫이었다. 나는 무거운 음료를 사고 싶지 않았는데 언니는 음료를 원했다. 큰 음료병 무게 때문에 이리저리 기울어져서 목발을 짚고 앞으로 이동할 때마다 휘청거렸다. 목발을 제대로 짚을 수 없어 걸음이 느려지고 더 불편해서 목발 2개를 겹쳐 한쪽으로 모았다. 그리되면 목발을 짚고 가는 것이 아닌 거의 들고 가는 셈이다.

엄마는 그냥 오라고 했다. 누가 무엇을 사 가도 엄마는 드시지 않았고, 항상 가족을 챙기셨다. 엄마는 먹지 않는다며 언니한테도 사 오지 말라고 했다. 처음에는 언니가 사 오는 줄 아셨는데 언젠가 눈치를 채셨다.

언니는 중간에 옷을 갈아입고 싶다고 해 옷을 가지고 왔다. 옷 갈아입을 때가 돼서 씻은 후 갈아입고 빨래를 했다. 세면대가 없어서 바닥에서 해야 해 난 다리를 뻗고 힘들게 빨래를 했다. 마침 얼마 전에 들여온 짤순이가 있었다. 언니는 시설 짤순이처럼 공동이 아님에도 불구하고 짤순이 안을 물로 헹구었다. 엄마만 사용하고 깨끗하게 빤 빨래만 짜는데도 더럽다고 물로 씻고 사용했다.

언니는 빨랫줄을 닦고 조금씩 가져다 널었다. 그러던 중 엄마가 빨래를 자루 위로 옮기는 바람에 자루에서 하얀 속옷에 얼룩이 묻었다. 언니는 언제나 그렇듯 화를 내기 시작했다. 집이라서 화만 조금 내고 말 줄 알았는데 돌아가겠다며 밖으로 나갔다.

집에서는 엄마가 있어 마음대로 화를 낼 수 없으니 나간 것이었다. 길에서 실랑이를 벌이고 마을을 벗어나 큰길로 나섰다. 한참 화를 받아 주며 가다 보니 도로변이 저만치 보였다. 언니만 힘든 것이 아니고 나도 힘들게 빨래를 했다. 엄마가 자루에서 물이 드는 줄 모르시고 놓은 것인데 집에서까지 그렇게 화를 낼 줄은 예상하지 못했다. 거의 도로변에 가까워지고 나서야 언니는 화를 내렸다.

옷을 책임지고 사준다고 해도 이러쿵저러쿵 화만 내더니 지쳤는지 줄어들었다. 빌고 또 빌며 살살 달래서 집으로 방향을 돌렸다. '제발'이라는 말을 얼마나 했는지 얼마나 애원했는지 목이 불편했다. 화를 내더라도 내 옆에 있어야 했다. 시설에 먼저 돌아가면 이를 갈며 벼르고 있을 텐데 생각만 해도 끔찍하다. 그러한데 내가 뒤에 가면 무슨 일이 터질지는 모를 일이다.

어쩌면 더 크게 싸움이 날 수도 있어 옆에 있으면서 달래주고 화가 풀릴 때까지 버텨야 했다. 화가 계속되어 키우기보단 당하더라도 함께 있어야 조금이라도 안전하지 싶다. 그 먼 길을 쫓아갔다가 오느라 힘이 다 빠졌다. 집에 들어와 싸우지 않은 적했고 화가 덜 풀린 언니는 인상을 쓰고 짜증 내다 시간이 흘러 풀렸다.

언니는 무언가 마음에 안 들어도 터졌었다. 그럴 때마다 밖으로 나가서 내게 화풀이했다. 그래서 언니가 요구하는 것은 해주려고 노력했다. 라면이 먹고 싶다 하면 부엌이 불편해도 억지로 끓여주었다. 나의 다리는 왼쪽이 짧고 오른쪽이 긴데 부엌 바닥도 왼쪽이 낮고 오른쪽이 높아서 매우 불편했다. 좌측으로 몸이 기울어져 다리도 아프고 기울어진 만큼 가스레인지는 더 높았다. 가스대에 겨우 매달려 라면을 끓이는데 언니의 요구는 늘어났다.

고춧가루를 넣어 달라고 하더니 파도 넣어 달라고 했다. 불편한 몸으로 불편한 구조의 집에서 식재료를 챙긴다는 것이 어려웠다. 고춧가루는 안방 항아리에 파는 높은 계단을 통과해야 하는 밭에 있었다. 힘겹게 계단을 올라 파밭에 들어갔다. 파 끄트머리에 손이 닿을락 말락 하여 다리를 최대한 벌리고 안간힘을 썼다. 윗부분으로 몇 잎 뜯었다. 파의 밑쪽을 뜯어야 하는데 손이 안 닿아 위를 뜯으니 양이 적었다. 몇 잎 더 뜯어야 해 한참을 부들부들 떨며 애썼다.

그래도 낮은 고랑이라도 있어서 그나마 끄트머리라도 뜯었지 고랑이 없는 평지였다면 불가능했다. 어렵고 위험했지만, 다행스럽게도 고랑 덕분에 언니의 요구를 들어줄 수 있었다.

냄비가 없어 스텐 그릇에 라면을 끓여 뜨거운 그릇을 가스레인지에서 들어 내리느라 어려웠다. 냄비는 손잡이가 있어서 한 손으로 잡고 들 때 지지 역할을 해주어 옮기기 수월한데 그릇은 지지할 수 없어 조심해야 쏟지 않기에 온 정신을 집중했다. 오른팔을 가스레인지 위까지 올리지 못하는데 하필 냄비가 없을 때 해달라고 했다.

엄마는 내가 불편한 몸으로 냄비가 아닌 스텐 그릇에 라면을 끓이니 뭐라고 하셨다. 위험하고 다칠까 봐 걱정되셔서 그러셨다.

그리고 설거지까지 하라고 하여 바닥에 놓여있는 대야의 물로 씻어야 해 무척 난감했다. 쪼그리고 앉을 수 없는데 어쩌라는 건지 답답했다. 엄마가 하면 된다고 미루자 화를 내었다. 나는 어쩔 수 없이 언니가 더 화나기 전에 마당 수돗가에 나와 설거지를 했다.

다리를 최대한 벌리고 바가지 끝을 잡으려고 애를 쓴 끝에 겨우 집었다. 어렵사리 물을 떠서 그릇을 닦고 겨우 일어났다. 한쪽 다리가 괜찮았다면 엉거주춤이라도 할 수 있어 조금은 수월했을 텐데……. 아니면 발목이라도 괜찮았으면 발바닥을 전부 디딜 수 있어 까치발로 중심 잡느라 그렇게까지 힘들거나 불안에 떨지 않았을 텐데 말이다.

시멘트 바닥에 정면으로 넘어지면 여러 곳을 다치게 되고 삶이 더 험난해지기에 오로지 넘어지지 않으려고 무척이나 애를 썼다. 내가 어떤 심정으로 설거지를 하는지 모른 채 언니는 잔소리만 했다. 좌절과 불안을 떠안고 서러움에 눈물을 참고 설거지를 했다.

불편한 자세로 설거지를 해서 엄마 마음이 좋을 리 없었을 듯싶다. 설거지해 놓은 것을 보시고 그냥 놔두라고 하셨는데 자꾸 하니까 꾸중을 하셨다. 난 꾸중을 들어가면서도 해주었고, 양쪽 말을 다 들어야 해 난처했다. 내가 힘든 것보다는 엄마를 걱정시키고 말 안 듣는 자식이 되는 것이 싫었지만 어쩔 수 없었다.

내가 엄마 눈치를 살피느라 느리게 일어나면 언니는 인상을 쓰고 옆구리를 찌르고 목욕시켜주는데 그것도 못 해주냐며 구박을 했다. "내가 먹는 것이 아까우냐? 공짜가 아니다." 자신에게 당연히 해줘야 한다고 말했다. 언니가 먹는 것이 아까운 것이 아니었고, 차비도 내가 내고 한 번도 아깝다고 생각한 적이 없었다. 언니는 자신이 목욕시켜주니까 네가 내야 한다고 세뇌했다. 언니가 먹는 것이 아까웠다면 집에 자주 데려오지 않았다.

언니는 내가 엄마한테 혼나고 있어도 원하는 것을 요구했고, 나의 장애는 아랑곳하지 않고 무조건 시켰다. 나는 집에서라면 언니가 화를 심하게 안내고 안전할 줄 알았다. 가족이 있으니 괴롭히지 못

할 것 같았는데 그것은 큰 착각이었다. 밖으로 나가면 되는 것을 미처 생각지 못했다. 집을 유일한 탈출구라 생각했는데 옷 사건을 겪고 크게 와 닿아 느낀바 나에겐 탈출구란 어디에도 없었다.

작업장에서 날벼락

언니는 작업장에서 일하는 것에 대하여 하나부터 열까지 참견을 해 왔다. 나는 내가 담당하는 일감이 나오지 않으면 테이핑 작업을 하거나 그 일도 없으면 그 전 단계인 조립 작업을 했었다.

그러던 어느 날 테이프 작업하는 변 아저씨가 서 있는 나를 밀쳤다. 그래서 콘크리트 바닥에 엉덩방아를 찧었다. 엉덩이에도 생긴 뼈가 있었는데 충격이 가해졌고 그 충격은 척추를 타고 목뼈까지 진동이 울렸다. 난 정신을 가다듬고 바닥에서 빨리 일어날 궁리부터 했다. 내가 바닥에 있는 것을 언니가 보면 옷 버렸다고 화를 내고 난리가 나기 때문에 아파할 겨를조차 없었기 때문이었다.

나는 일을 도와주었을 뿐인데 당해야만 했다. 뭐라고 말할 수도 없고, 힘으로 어쩌지 못해 변 아저씨에게 아무 말도 못 했다. 무슨 말이 든 했다가 화를 돋우면 때릴 수도 있기에 가만히 있어야만 하

는 처지였다. 변 아저씨는 자신의 일거리를 뺏겼다고 생각돼 화가
났다.

테이프 작업이 밀리지 않는 상황인데 언니는 놀지 말고 하나라도
나오면 하라고 시켜서 그런 일이 터졌다. 일이 밀리는 상태라면 도
와줘야 하지만 둘이 하기엔 부족한 양이었다. 언니는 내가 조금이
라도 쉬는 꼴을 못 보고, 상대방 생각은 고려하지 않았다. 변 아저
씨 얼굴이 변했는데 언니는 일 시키는 데만 신경 썼다. 공장장도
아니면서 내게 다른 일을 시켰다. 상대방 눈치를 봐야 하는 것도
나이고 시비 붙는 사람도 시킨 사람이 아닌 나였다. 정작 자신은
왔다 갔다 하면서 감독하듯 행동하였다.

작업을 번갈아 하던 어느 날이었다. 이 역시 언니의 참견이 대단
했다. 그날도 납품을 곧 하게 되니까 나오자마자 불량검사를 하라
고 잔소리를 늘어놓았다. 납품 때나 일이 밀리면 위쪽에 있던 재훈
아저씨가 내려와서 마지막 단계 조립을 담당한다. 재훈 아저씨의
눈치가 보여 조금 더 쌓이거든 가져다가 검사를 하려고 테이프 작
업을 하며 기다리고 있었다.

몇 개가 나오자 언니는 빨리 가져다 하라고 바로바로 하라면서
꾸중을 했다. 못살게 굴다시피 하여 어쩔 수 없이 서너 개 나오면
가져가고 반복했다. 일감을 집어 갈 때마다 재훈 아저씨는 인상을
쓰고 욕을 하며 중얼거렸다. 거기서 멈추어야 하는데 언니는 자꾸
재촉했다. 언니가 화나는 것이 두려워 재훈 아저씨 얼굴 한번 보고
살살 가져가서 검사했다.

재훈 아저씨는 욕을 하며 망치질 작업할 때 깔았던 두꺼운 쇠판을 집어서 내게 던졌다. 나는 테이프 작업하다가 깜짝 놀랐다. 그 순간 심장이 쿵쿵 뛰고 몸이 부들부들 떨렸다. 다행히 쇠판이 묵직해서 잘 피하지 못했어도 부딪히지는 않았다. 눌러서 찍어내는 정밀 기계에 붙어 있던 철판이라 거기에 맞았다간 큰일이 난다. 밤에 산에서 큰 나무가 떨어지는 꿈을 꾸며 꿈자리가 뒤숭숭하더니 마치 예고라도 하듯 일이 터졌다.

납품이 곧 있을 때는 만들어진 것을 더 자주 가져가게 되었다. 평소에도 쌓이기 전에 하라고 성화를 해대 조금 쌓이면 불량검사를 하기 위해 가져갔다. 나는 한 움큼 모인 다음 하려고 생각하는데 언니의 생각은 달랐다. 하필이면 마지막 단계인 불량검사 담당이라 자주 트러블이 생겼다.

재훈 아저씨는 자랑하고 싶었는지 자기 앞에 많이 쌓기를 원했다. 어차피 내가 검사를 하고 판에 담아도 쌓이는 것은 마찬가지인데 본인 앞에 쌓이길 원했다. 나도 욕까지 들어가며 자주 가져가고 싶지 않았지만, 언니 때문에 어쩔 수 없었다. 난 중간에 끼어서 이러지도 저러지도 못했다.

그러던 어느 날 곧 납품해야 해서 부지런히 가져다 검사를 하고 있었다. 조금 모일 때까지 잠깐씩 테이프 작업을 하면서 검사를 번갈아 했다. 어느새 한 움큼이나 나와서 가져가려고 집는 순간 재훈 아저씨는 일하던 망치로 내 손을 마구 때렸다. 미처 피할 새도 없었다. 손등이 아파 만지면서 애를 쓰고 있는데 아무도 거들떠보지 않았다. 또한, 손이 부어올랐지만 일은 안 할 수 없었다.

언니는 너를 그렇게 때렸는데 바보처럼 가만히 있냐고 야단을 쳤다. 틈만 나면 복수하라고 들들 볶았다. "바보처럼 맞고만 있나? 복수해야지. 사면 계단 올라올 때 기다렸다 복수해." 너처럼 맞고 가만있는 애가 있어 자기까지 만만히 보고, 당하게 된다면서 지겹도록 괴롭게 했다. 언니가 따라다니며 하도 성화하여 사면 계단에서 재훈 아저씨를 기다렸다.

재훈 아저씨가 올라오기에 못 올라가게 휠체어를 당겼다. 언니도 옆에서 거드는 시늉을 했다. 역시나 재훈 아저씨는 한 손으로 난간을 잡고 한 손으론 방어했다. 재훈 아저씨는 팔은 정상이라 휠체어를 밀고 다니고 사면 계단도 오르고 해 상체 힘이 발달했다. 재훈 아저씨는 엄청 강했다.

힘으로 안 되자 라디오를 망가트리라고 시켰다. 난 강심장이 아니어서 그럴 수 없었다. 언니는 점심시간에 망가트리라고 말했다. 시작도 하기 전부터 심장이 쿵쿵 뛰었고, 사람들이 나가길 기다렸지만, 재훈 아저씨는 늦게 나갔다. 그래서 언니는 점심을 빨리 먹고 올라가서 하라고 야단이었다. 점심을 대충 먹고 가능한 한 빨리 작업장에 올라가도 사람이 있었고, 아무도 없어도 곧 사람이 올까 봐 불안했다. 결국, 나는 복수하지 않았다.

언니가 가만히 있었으면 복수할 생각도 하지 않았다. 맞은 사람은 나인데 나보다 더 난리였다. 나를 위해 주는 것 같지만 한다는 조언이 고운 말이 아니었고 싸울 일을 만드는 셈이었다. 싸움이 나면 힘없는 나만 더 다칠 뿐 좋은 것은 없었다. 언니가 시비를 부쳐놓고 적극적으로 도와주는 것도 아니고 시작하다 뒤로 빼기 때문에 또 당하는 것은 나였다. 손을 다쳐서 속상한데 마음 편히 있지도 못하고, 복수하라고 하여 그 일로 시달렸다.

　나는 부품의 불량검사뿐만 아니라 부품에 따라서 포장도 했다. 제각각 비뚤어지거나 접혀 있는 선을 바로 편 다음 상자에 포장했다. 또한, 불량 난 부품을 다 빼고 다시 조립도 했었다. 불량을 고치면 작업량에 티가 나지 않아 언니는 여태 뭐 했냐고 핀잔을 주었다.

　재훈 아저씨는 일하다 자주 졸아 불량이 나오는데 부딪히기 싫어서 가능한 것은 내가 고쳐서 통과시켰다. 불량을 고치라고 가져다주면 짜증을 내고 욕도 했다. 어떤 때는 불량이 너무 많이 나서 공장장님한테 말했더니 나에게 화를 내며 욕을 퍼부었다. 한두 번도 아니고 자주 졸며 불량을 많이 내는데 나도 고치는 데 한계가 있었다. 언니의 잔소리까지 들어야 하니 말이다. 불량을 통과시키면 나중에 공장장님은 나를 탓하게 되니 난처한 처지다. 재훈 아저씨는 끝까지 자기 잘못을 인정하지 않았다.

　그리고 갑자기 납품량이 많으면 그 양을 채우기 위해 첫 단계를 하던 여러 명이 중간 작업을 하고, 그다음 단계에 내려와서 테이프 작업을 하면 나의 작업이 순식간에 산처럼 쌓였다. 그러나 나의 작업은 도와주는 이도 없고, 갑자기 많은 양을 해야 할 때는 너무 버거웠다. 아무도 마지막 단계인 내 생각은 조금도 하지 않았다. 평소에 중간 작업을 반만이라도 미리 해 놓으면 납품할 때 몰아서 안 해도 되고 일 처리가 더 수월하지 싶다.

　또한, 조립 재료 상태 따라서 들기만 해도 서너 개씩 빠지거나 우수수 빠질 때가 있다. 그런 재료를 웬만하면 그냥 조립하라고 하는데 그렇게 되면 안 좋은 재료를 다 쓸 때까지 빠지는 것들을 내가 다시 끼워야 했다.

불량검사를 하면서 다시 끼워 통과시켜도 또 빠져서 다시 끼워야 했다. 납품 때 이동 중에도 흔들려서 빠졌다. 그런 일이 발생하면 업체에서 불량이 나온다고 연락이 와 내가 검사를 제대로 못 한 것이 되어 나의 이미지가 떨어졌다. 결국, 일한 티가 나지 않아 꾸물거린다고 언니의 구박받고 다시 끼우느라 애쓴 나만 욕을 먹는다.

이런저런 많은 애로사항을 누가 알겠는가? 크고 작은 일이 자주 반복되고, 나는 팔을 마음대로 쓸 수 없어 빠르게 못 하여 힘들었다. 더욱이 언니가 일감을 가져다 부으며 빨리빨리 하라고 잔소리를 해댔다. 어떨 때는 홀로 남아 쌓인 일을 하기도 하고 아침 일찍 출근해서 해 놓기도 했다. 언니의 거짓말 때문에 종종 혼자 일했다.

내 자유의사대로 재훈 아저씨와 수위 조절을 하고 싶지만 모든 것은 언니 생각대로 해야 하는 현실이었다. 명령하면 해야 하는 군대나 다를 바 없었다. 사람과 사람 사이는 참으로 어렵다.

그리하여 어느 날부턴가 불량검사를 하고 싶지 않았다. 공장장님한테 안 하면 안 되냐고 물었지만 할 사람이 없다고 허락하지 않았다. 현시대의 생산직 작업은 바로바로 다음 단계로 넘겨지는 것을 보고 부럽기도 했다. 그렇게 바로 알아서 넘겨주면 눈치 볼일도 없고, 일방적으로 당할 일도 없어 얼마나 좋을까마는 현실은 가혹했다. 어른임에도 성인도 안 된 어린 내게 화를 내고 때리기까지 했다. 내가 참고 따져 묻지 않아서 그만하지 참지 않았다면 엄청나게 맞고 살았지 싶다. 그 후 손등에 뼈가 생겼고 마음은 상처로 물들었다. 긴 세월 이기적인 사람들 틈바구니에서 살아남아야 했다.

다리를 잃다

　시설 생활을 오래 해 나의 몸은 차가워졌다. 찬물에 씻고, 옷도 얇게 입고, 화난 언니에게 찬물 세례를 받아왔다. 팔을 앞으로 못 뻗어서 세면실 창문을 닫지 못해 한겨울 찬바람 맞으며 빨래를 하였다. 또한, 바지를 걷고 차가운 세면대에 무릎을 대고 빨래를 해서 물까지 넘어와 계속 다리가 얼었다. 야근하느라 늦게까지 다리를 뻗치고 앉아서 일하고 잘 때도 창가 자리에 춥게 지내다 보니 몸이 자연히 약해졌다.

　그렇게 쌓이고 쌓여 어느 날부터 찬 바람만 쐬면 잠들어 있던 가래가 불쑥불쑥 자주 올라왔다. 가슴에 가래가 있어서 손을 씻으러 잠깐 세면실에 가거나 화장실같이 추운 곳에 가기만 해도 가래가 나왔다. 어떨 때는 피도 섞여 있었고, 목구멍이 아팠다. 언니가 간호 선생님께 물어봤는지 목이 아플 때 아이스크림을 먹으면 덜 아프다고 말해 주었다. 식사 도중에 목에 걸릴 때도 있었으며 늘 가슴이 시렸지만, 방법이 없어 그냥 지내왔다.

그래서인지 감기도 쉽게 걸렸다. 약을 몇 달을 먹어도 차도가 없었다. 콧물이 흐르거나 기침만 하면 언니는 자기한테 옮는다며 핀잔을 주었다. 그래도 한번은 골골하니까 땀을 푹 내면 낫는다고 잠자리에 들면서 이불을 푹 덮어 주었다. 나는 어떻게 해야 하는지 몰라서 주어진 환경에 순응할 수밖에 없었다.

어느 날 작업장 일이 없어서 쉬는데 언니가 병원을 가라고 했다. 감기에 잘 걸리니 자신한테 피해갈까 봐서였다. 언니는 조금만 기침을 해도 들들 볶았었다. 시내 큰 병원에 가서 증세를 말하고 처방을 받았는데 주사 처방이 있어서 주사실로 갔다.

오른쪽 엉덩이에 주사를 맞고 싶었지만, 오른쪽으로 바지를 빨리 내릴 수 없어서 왼쪽으로 바지를 내렸다. 조금 더 내리려고 하는데 간호사는 벗겨져 있는 부위에 서둘러 주사를 놓았다. 조금 너 내려야 엉덩이인데 몸의 중심도 못 잡고, 준비도 안 된 상태로 엉겁결에 맞게 되었다. 그렇게 불편한 자세로 연속 두 대를 맞았다. 자세가 부자연스러워 근육에 힘이 실린 상태라 그런지 주삿바늘 들어가는 느낌이 뻑뻑했고 근육이 수축했다. 단단한 곳에 들어가는 것 같았다. 그때는 그 부위에 살이 별로 없어 그런가 보다 생각했다.

병원비 결제를 하고 약을 타서 돌아갔다. 개인적으로 진료를 본 거라 병원비가 제법 많이 나왔다. 일과를 마치고 잠자리에 들어 차가운 벽을 바라보았다. 그런데 주사를 맞은 데가 뻐근해지는 느낌이 들었다. 반대로 누워도 불편함은 가시지 않았다. 나 자신도 모르는 새에 재발은 이미 시작되고 있었다.

시간이 지날수록 강직의 강도가 심해지고 다리가 오그라들기 시작했다. 안 그래도 무릎이 굽혀진 상태로 굳어서 다리가 짧은데 위쪽으로 오그라드니 더 짧아졌다. 그래서 바닥에서 일어나는 데 지장이 생기고 설 수 없게 되었다. 두 발로 서기 위해 손으로 오그라든 다리의 무릎을 짚고 힘으로 눌렀다. 왼발을 바닥에 놓기 위해 안간힘을 썼다. 점점 강직이 심해지고 뻣뻣하던 것이 단단해지더니 아무리 눌러도 조금도 내려가지 않게 되었다. 그래서 몸의 중심이 좌측으로 기울어질 수밖에 없었다.

발이 바닥에 닿지 않아 보행이 불가하기에 억지로 몸을 세웠다. 이른 아침마다 두 다리로 땅에 서려고 혼자만의 싸움을 했다. 아무도 거들떠보지 않았고 일도 해야 해서 일어서야 하기에 괜스레 서글퍼졌다. 아침이면 강직된 왼쪽 다리와 씨름을 하고 출근하였다. 몸은 좌측으로 기울어진 채 한발 한발을 눈물로 떼었다. 팔도 자유로이 움직일 수 없어 휠체어를 타고는 사면 계단을 오르지 못하여 어떻게든 걸어서 움직여야만 했었다.

목발이 있지만, 왼쪽 다리가 바닥에 닿지 않아 무용지물이었다. 나는 왼쪽 다리를 먼저 내디디고 전진을 하므로 목발을 사용해 오른쪽 다리로 전진할 수 없다. 또한, 왼발을 든 채로 평지는 조금 걸을 수 있으나 오른쪽 다리를 굽힐 수 없어서 사면 계단은 걸어서 갈 수 없었다. 이러지도 저러지도 못하는 상황에 나의 가슴은 타들어 갔다. 일하다가도 화장실을 가려면 일어서야 하는데 강직된 다리로 서기 위해 시간이 걸리고 고통이 따랐다.

전에는 가능했던 일들이 불가능해져 생활이 힘들어져만 갔다. 바닥에서 일어서는 일이 가장 어려워 일과가 끝날 때까지 서 있었다. 어쩔 수 없는 현실에 아픈 다리로 서 있는 방법밖에 없었다. 그렇게 하루하루가 고역이고 길고도 긴 시간이었다.

그러던 어느 날 오빠와 전에 다니던 병원을 찾았다. 혼자서는 이전처럼 다닐 수 없어서 처음으로 오빠에게 도움을 청했다. 2층 진료실 앞에 겨우 도착했는데 안절부절못했다. 좁은 복도에 사람들이 있어서 상체를 구부린 채 다리를 벌리고 서 있는 것이 불편했다. 그래서 오빠에게 무릎에 앉아도 되냐고 물었다.

한 번도 누구에게 기대보거나 부탁을 한 적이 없는 나였다. 그만큼 나의 몸을 가눌 수 없게 되었고 혼자 힘으로는 버거웠다. 또한, 구부리고 있으니 지나가는 사람과 부딪히면 중심도 못 잡고 맥없이 넘어가는 상황이었다.

오빠의 무릎이 의자보다는 높아서 앉기가 수월한 줄 알았는데 생각보다 너무 낮아서 앉기 어려웠다. 어렵사리 앉았으나 뼈가 아파서 오히려 불편했다. 오빠의 도움으로 겨우 일어나 벽으로 가까이 서서 차례를 기다렸다. 의사는 수술하면 된다고 했다. 나중에 교수님은 수술은 안 된다고 했다. 그렇게 약을 처방받고 돌아왔다.

이전에도 왼쪽 다리로 방바닥에서 일어나던 일이 힘겨웠는데 이제는 바로 몸을 세우지 못해 벽돌을 추가로 사용했다. 나는 거친 벽돌을 은박지로 쌌다. 벽돌에서 가루가 부서져 나오고 책상에 흠집이 생겨서다. 먼저 1단계로 바닥에서 책상 위로 앉은 다음 준비된 벽돌을 책상 위에 세로로 세워서 짚고 바둥바둥 이슬아슬하게 몸을 세웠다.

부들부들 떨며 넘어지지 않게 몸을 세우는 것에 집중하고 온 힘을 다하여 오랜 씨름 끝에 일어나야 했었다. 그 시간 동안은 마치 발 디딜 틈 없는 절벽에 붙어 있는 것 같았다. 관절 기능을 거의 잃어 움직일 수 없는 데다 통증에 시달리며 일어나야 한다는 것은 말로 무어라고 할 수 없이 괴로웠다. 일어서는 데 성공하면 강직된 엉덩이관절(고관절)을 조금이라도 펴느라 애썼다. 전처럼 서지 못하여 푹 구부린 채 한발 한발 내디뎌 일과를 시작했다.

참을 만큼 참고 견뎠기에 한계를 넘어 언니에게 집에 가야겠다고 말했다. 책상에서 벽돌까지 추가해 높였음에도 시간이 지날수록 몸을 세울 수 있는 각도가 되지 못했기 때문이다. 나의 팔과 손도 힘을 많이 써서 아프기도 했다. 언니는 그제야 일어서는 것을 도울 테니 가지 말라고 말했다. 난 집으로 가고 싶은데 언니가 잡으니 어쩔 수 없이 있기로 했다.

아침이면 일과를 시작하기 위해 일어나는 것은 큰 숙제가 되었다. 평소 하던 대로 책상 앞에 앉아 손으로 짚고 엉덩이를 들어 올릴 준비를 했다. 언니가 다가와 우측 팔을 잡고 부축을 해주었다. 그렇게 언니는 돕겠다고 한 말을 지켰다. 언니가 일어나는 것을 돕는다고 해도 움직일 수 없는 다리로는 생활이 어렵고, 어떤 일을 하려니 괴로웠다. 전에는 가능했던 일인데 식사하러 가는 것도 출근하는 것도 화장실을 가는 것도 너무나 고달팠다.

바닥도 아닌 의자에서조차도 일어나는 것이 어려웠다. 아침마다 도와주는 것도 하루 이틀이지 언니까지 힘들 필요가 없었다. 언니의 눈치도 보이고 부담스러워 집으로 가겠다고 또 말했다. 그 순간 언니는 방바닥에서 엉덩이와 발을 구르며 가지 말라고 하여 마음이 아팠다. 난 '또 못 가는구나. 어쩌란 말인가?' 하고 답답했다.

언니는 내가 예뻐서도 좋아서도 아닌 자신이 혼자 남겨지기 때문에 못 떠나게 했다. 내가 시설에 들어올 때쯤 재봉틀과는 없어져 언니는 작업장으로 옮겨 왔고, 시간이 흘러 여자들은 다 나갔다. 그리하여 작업장에 여자는 둘만, 남은 지 꽤 오래되었다. 혼자 남겨지는 것이 싫어서 나를 몇 번이고 잡았다. 마지막에는 일어나는 것을 도우면서까지 말이다.

그러나 일어날 때 언니가 우측 팔을 당겨서 팔뼈에 자극이 되어 불편했다. 당길 때 잠시 아픈 것은 참을 수 있었지만 팔이 썩 좋지 않았다. 생활도 불가능하지만, 무엇보다 팔까지 아프게 될까 봐 이제는 진짜 떠나야 하는데 언니는 고집을 부렸다. 하는 수 없이 더 있을 수밖에 없었다. 그리던 어느 날 언니가 생각을 바꾸었는지 힘에 부치는지 놓아 주었다. "그래. 가라. 가. 가버려." 라고 하며 화를 내고 삐쳤다. 나도 내 마음대로 몸이 안 되는 것을 어쩌란 말인가? 이렇게 되지 않았다면 나도 떠나겠다고 하지 않았다.

이미 오래 집을 떠나 있어서 시설은 정착지가 되었고 나의 삶의 터전이나 마찬가지였다. 오랜 세월이 흐른 지금 집으로 돌아가기엔 내 자리가 보이지 않았다. 마음은 그렇지만 갈 곳이 집밖에 없었다. 진작 집으로 갔어야 했는데 언니가 잡아서 뒤늦게 떠날 수 있게 되었다.

언니가 혼자 남게 되어 학생들과 같이 지내게 되었는지 모르지만, 마음에 걸렸다. 깔끔한 성격이어서 다른 사람과 사시 않으려고 늘

방패막인 사람이 있었는데 그것도 걱정이 되었다.

그래도 난 어쩔 수 없이 다른 길을 가야 했다. 나의 이동성과 생활을 가능하게 했던 것은 왼쪽 엉덩이 관절[고관절]이었다. 유일하게 움직임의 제한이 덜했고 크게 지탱하는 부분이기도 했다. 더는 잃지 않으려 8년을 전전긍긍하며 불을 켜고 애쓴 노력이 단 몇 초로 인해 물거품이 되었다. 다리를 잃고 나서야 비로소 지옥에서 벗어났다. 시설에서의 8년을 끝으로 길고도 긴 여정이 막을 내렸다.

3부

희망은 내 가슴에

집으로

장애가 심해지면 어떻게 하냐고 누구한테 의견을 물었더니 요양원에 가면 된다고 했다. 그 일을 오빠에게 살며시 말을 건넸다. 오빠는 그렇게 하라고 바로 답을 하였다. 나는 오빠가 한 번쯤 생각도 해 보지 않고 조금의 망설임 없이 말을 던져서 서운했다. 실망과 함께 지난날들이 주마등처럼 스쳐 지나갔다. 여태껏 버텨냈는데 또다시 버티기에는 앞날이 캄캄했기 때문이었다.

스스로 가눌 수 없는 이 육신으로는 자신 없었기 때문이기도 했다. 어느 정도 몸을 움직일 수 있어야 지금까지 해온 것처럼 버텨낼 수 있을 텐데 지금 상태에서는 불가능했다. 그래서 오빠의 대답에 나의 가슴은 산산이 무너져 내렸다. 내가 어떻게 살았는지 어떻게 버텨냈는지 이야기를 안 해서 오빠는 모르는 상태지만 서운함이 드는 것은 어쩔 수 없었다. 그냥 몸이 좀 불편하다고만 알고 있지 나에 대하여 하나도 몰랐다.

그 답을 듣는 순간 마음이 파도치듯 일렁이고 있었지만 애써 속내를 숨기고 아무렇지 않은 척하였다. 이러쿵저러쿵하면 오빠가 속상해할까 봐 늘 그래왔듯이 침묵을 했다.

언니가 놓아주어서 보따리를 싸서 집으로 향했다. 사무실에 마지막 인사를 하고 와야 하는데 언니는 그냥 가라고 했다. 물론 너무 시일을 오래 끌어 생활이 안 되고 하루 버티기도 불가능한 상황이기도 해 하루가 급했다. 그리하여 찬 바람이 부는 겨울 어느 날에 짐만 조금 가지고 집에 왔다.

"엄마 나 왔어."라고 한마디밖에 할 수 없었다. 마음속에 하고 싶은 말들이 많고, 내가 이렇게 돼서 힘들었던 일들이 가슴속에서 메아리쳤다. 아무도 없는 산에 가서 목청껏 외쳐 보고 싶었지만, 이 몸으로 어디에도 갈 수 없었다. 소리라도 지르고 나면 속이라도 시원할까? 아니면 마음껏 울어보면 나아질까? 해 보지 않아서 모르겠다. 엄마에게 시설에서 나왔다고 말씀드렸다. 잘 듣지 못하시는 엄마는 재차 물었다.

집은 사람들과 부딪혀 다칠까 봐 걱정 안 해도 되고, 시도 때도 없이 언제 터질지 모르는 언니로 인해 불안에 떨 필요도 없었다. 그리고 작업장에서 사람들의 눈치와 트러블도 걱정 안 해도 되었다. 긴 세월 나의 두 어깨를 무겁게 내리눌렀던 짐들을 하나둘 내려놓았다. 그러나 결코, 가벼워지지 않았다. 왜냐하면, 다른 무거운 것으로 채워져 있기 때문이었다. 나는 청소년 시절을 시설에서 보내고, 자라서 다시 엄마 품으로 돌아왔다.

인연의 끝자락

 나는 사무실에 들르지 않고 그냥 집에 와서 오빠에게 퇴소하고 짐을 마저 가져오라고 했다. 걷기가 어려워 마당 건너편 건물에 있는 사무실까지 갈 수 없었다. 보호자가 와서 퇴소하고 같이 떠나는 것이 맞지만 차도 없는 오빠가 나와 짐을 다 가져오기도 불편하였다. 언니도 그냥 가라고 하여 이래저래 그냥 몸만 떠나왔다. 물론 작업장 사람들과 사무실 사람들에게 나의 이미지가 나쁘게 보이겠지만 상황이 상황인지라 어쩔 수 없었다.

 오빠에게 퇴직금을 받아 오라고 말했는데 받아 오지 않았다. 먹여 주고 재워 주는데 그런 것이 어디 있느냐고 했다. 일반 직장이 아니라서 나의 말을 듣지 않았다. 아무튼, 먼저 나간 사람들이 퇴직금을 받아서 갔기에 언니는 아저씨들에게 들어서 잘 알고 있었다. 난 언니가 말해줘서 퇴직금이란 것도 알게 되었다.

 나는 직접 갈 수 없어서 퇴직금은 포기했다. 퇴직금을 못 받아도 그만인데 언니에게 들들 볶이기 싫어서 오빠에게 말했을 뿐이다. 역시나 언니는 집으로 전화를 걸어 내게 잔소리를 하기 시작했다.

너 같은 애가 있어서 자기도 피해당하고 다른 사람도 피해 본다며 귀가 따갑도록 수화기에 대고 퍼부었다.

네가 퇴직금을 안 찾아가면 다른 사람도 못 받게 된다며 30분이고 40분이고 잔소리를 해댔다. 난 수화기를 그렇게 오래 들고 있었던 적이 없었다. 겨드랑이에 땀이 흘러내렸다. 팔과 손가락이 아픈데 전화를 먼저 끊자고 하지 못하고 언니의 할 말이 끝나야 수화기를 내려놓을 수 있었다.

엄마는 빨리 끊으라고 꾸중을 하셨다. 엄마는 나와 통화를 했을 때 몇 초도 안 돼서 끊으시는 분이라 그리 오래 통화하는 것을 좋게 보지 않으셨다. 전화비 걱정에 언니 돈 많이 든다며 빨리 끊으라고 재촉하셨다. 나도 힘들어서 끊고 싶지만, 언니가 안 끊는데 어쩔 도리가 없었다. 전화만 오면 양쪽에서 시달려야 했었다. 언니는 내가 혼나는 것을 알면서도 오래 통화했다. 한편으론 언니가 혼자라서 말할 상대가 없고 외로울 것 같아 다 들어주기도 하였다.

같이 있을 때 "너도 나가면 나와 인연 끊을 거지? 연락도 안 할 거지?" 하며 틈만 나면 들들 볶았었다. 하도 시끄럽게 해서 안 그런다고 연신 답을 하느라 힘들었다. 그때 한 약속도 있어서 언니의 전화를 받아 주었다. 나는 지킬 수 있는 약속이라면 거의 지키는 편이었다. 언니는 꽤 자주 전화를 했다. 너무 힘들 때는 전화를 받기 힘들었지만, 나중이 두려운 점도 없지는 않았다. 집을 알고 있어 언제고 올 수 있으니 말이다. 엄마 눈치와 꾸중에도 여러 가지 이유로 전화를 받을 수밖에 없었다.

시설에서 느꼈던 공포가 뼛속 깊게 뿌리 내려서 집인데도 언니와 끝나지 않는 인연으로 종종 시설에 있는 기분이 들었다. 그래서 여전히 떨쳐버리지 못했고 떼려야 뗄 수 없는 인연인가 싶었다.

시설에서 타인에 의해 다쳐도 나의 몸이 이래서 다치는 것이라고 아픈 것이 죄라 여겼다. 그렇기에 타인보다는 내 잘못이 더 크다고 생각해 누구를 원망하지 않았다. 또한, 사람들은 나에 대하여 알지 못한 상태였다. '내가 이런 병만 아니었으면 때려도 밀친다 해도 이상이 발생하지 않았지.'라며 속만 태웠었다.

언니와 나 사이에는 목욕을 혼자 못하는 내 탓이고 나 자신을 죄인이라고 생각했다. 언니가 화가 폭발해 나를 잡고 대추 털듯 흔들거나 밀어붙이면 그저 시간이 흘러가길 바라는 수밖에 없었다. 아무리 애원해도 소용이 없기에 그 순간이 지나길 기다리며 '혼자 목욕 못 하는 게 죄지.'라고 되뇌었었다. 그런 나이기에 시설을 떠나며 언니를 용서했다.

언니는 내게 "네가 이렇게 몸이 안 좋아질 줄 알았으면 많이 괴롭히지 않았지."라고 말했다. 혼자 남게 되기에 필요하니까 하는 말이었다. 장애가 심하게 나빠지지 않았다면 자기를 떠나지도 않았을 테니 말이다. 언니는 끝까지 미안하다 한마디 없었다. 어떠한 말을 했어도 진심을 담지 않을 테고 자신의 잘못을 인정하지 않는다.

언니가 빈말이라도 '미안하다.' 한마디 해주었더라면 나의 마음이 조금은 덜 아팠을 듯싶다. 그 수많은 날의 상처를 하루아침에 잊을 수 없기에 완전히 용서한 것은 아니었다. 끝나지 않은 불안함 때문에 완전한 용서를 하는 데는 시간이 걸렸다.

언니가 집에 오면 먹을 것이 부실하다고 오빠가 식사를 시켜 주었다. 나를 보살펴주어서 고마운 마음으로 대접하였다. 어느 날 나 혼자 있는데 연락도 없이 왔다. "언니 왔어? 웬일이야?" 기쁜 마음으로 맞아들였다. 나는 귀가 잘 안 들려 전화도 못 하고 식사를 부를 줄 몰라서 배고프면 밥과 반찬을 꺼내 먹으라고 했다. 마침 들어온 반찬도 있어서 다행이지 싶었다.

그런데 자신의 밥만 챙겨서 서운했다. 밥을 뜨는 김에 내 밥도 한술 떠서 주면 좋은데 그리 어려운 일이 아님에도 자신만 챙겼다. 나도 엄마가 언제 올지 모르는 상태였고 식사 시간이 많이 지나서 배가 고팠다. 더욱이 손도 안 댄 처음 보는 반찬인데 앞에서 먹으니 먹고 싶었다. 어린 마음에 언니가 혼자 먹으니 왠지 서운함이 밀려들었다. 같이 지낸 세월이 얼만데 움직이지 못하는 나를 두고 자기만 맛있게 먹었다.

하는 행동이 괜스레 얄밉고 섭섭한 것은 어쩔 수가 없는 듯싶다. 원래부터 정이 없고 본인 위주인 것을 알고 있지만 가늘 수 없는 육신 때문에 보고만 있어야 하니 서글펐다. 빈말이라도 해주었다면 조금의 서운함도 없었을 텐데…… 챙겨 주길 바란 것도 아니고, 많은 것을 바라지도 않았다. 그저 나의 배고픔을 조금은 알아주길 바랐을 뿐이다. 나 스스로 못 챙기니 굶는 것은 당연하고 늘 있는 일이라 그러려니 한다. 다만 조금도 변하지 않은 언니의 마음을 보니 슬펐다.

무수히 많은 상처로 수많은 밤에 가슴 아파했지만, 언제부턴가 완전히 용서하게 되었다. 그동안 지고 있던 깃들을 내려놓기 시작하였다. 내려놓기가 쉬운 일은 아니지만 하나둘씩, 때로는 한 번에 내려놓기도 했다. 미련이 남은 듯이 어딘가에 남아있던 마지막 용서를 하고 과거를 잊으려고 노력하기 시작했다.

언니가 나 혼자 있을 때 올까 봐 조금은 불안했다. 여전히 전화도 오래 하고 어쩌다가 한 번씩 놀러 왔었다. 양쪽으로 전화비가 나오는 줄 아시는 엄마의 꾸중에도 나는 전화를 받아 주곤 했다. 어떤 때는 정확히 들리지 않아 무슨 말을 하는지 생각해야 했고 감으로 맞추어 대답하기도 했다. 오랜 통화에 팔과 손가락이 아프고 땀을 흘리면서도 놓지 못하는 연이라 어쩔 수 없었다.

언니도 시설에서 혼자이다 보니 탈출구를 찾았다. 나와 있을 때는 중매가 들어와도 거들떠보지 않았는데 시설을 나가기 위해 결혼을 선택하였다. 소문에는 예전에 중매로 만난 사람이 결혼하고 나서 전 재산을 들고 도망갔다고 했다. 언니는 그런 일들을 들은바 중매가 들어와도 결혼은 안 한다고 거부를 했었다.

한번은 어떤 사람의 부모가 언니에게 물을 떠 오라고 했다. 물을 떠서 걸어오는 동안 출렁거리는 것을 보고 고개를 절레절레하였다. 언니는 시집가기 싫어서 일부러 더 출렁이게 걸었었다. 시설에 있는 동안 중매가 여러 번 들어왔지만 시집가면 고생한다고 전부 거부를 해왔다. 그런데 갑자기 결혼한다고 해서 조금 놀라웠다.

오빠에게 대신 결혼식에 가 주었으면 좋겠다고 했더니 흔쾌히 갔다. 나를 돌봐주었으니 당연하다는 듯 부조도 다른 사람한테 하는 것보다 많이 했다. 나는 오빠에게 시설에서 어떻게 지냈는지 한마디도 거론 안 했기에 까맣게 모르고 있었다. 만약 내가 어떻게 지냈는지 알았다면 결혼식에 안 갔을지도 모를 일이다.

언니가 내게 어떻게 대했든 상관없이 그저 가정을 이룬다니 축복해주고 싶었다. 거기까지가 언니에게 해줄 수 있는 전부였다. 이 몸으로 무엇을 더 도울 수는 없으니 말이다. 내가 외출을 못 해서 인연이 닿는 데까지는 할 수 있는 선에서 요구하는 것이 있다면 해주기로 마음도 먹었었다.

그렇게 결혼을 하고도 여전히 전화는 계속되었다. 하지만 내가 팔을 잃고는 전화를 받는 것이 더 어려워져 버거웠다. 팔이 올라가지 않아 전화를 받기 위해 무언가를 만들 구상을 했다. 그러나 집에 있는 물건들로 만들어야 해 어려움이 따르고 생각을 많이 해야 했다. 뻣뻣한 종이를 성냥갑처럼 납작하게 상자를 만들어 전화 수화기에 테이프로 붙였다. 그리고 자처럼 얇고 넓은 막대기를 상자에 끼워서 수화기를 들어 올렸다.

그런데 막대기를 오래 들고 있으면 손바닥과 손가락이 아팠다. 그래서 잡기 좋게 하려고 손으로 잡는 부분을 폭이 좁게 칼로 깎아냈다. 그런 후 양말을 접어서 막대기 끝에 두툼하게 씌우고 테이프로 고정했다. 그렇게 했어도 불편했지만 안 한 것보다는 나았다. 재료가 부족하여 더 편리하게 만들지는 못 하였다. 전화가 울리면 수화기에 붙여 놓은 상자 구멍에 막대기를 꽂아서 들고 받았는데 나무가 짧아서 팔이 아팠다. 수화기도 무거운 데다가 한번 받으면 30분이고 40분이고 오래 들고 있어야 하니까 팔도 손도 아프지만 자세 또한 불편하게 오래 있어야 해 온몸이 힘들었다.

통화가 끝날 때까지 자세를 고쳐 앉거나 꼼지락거리지도 못하기 때문이다. 진땀이 흐르며 팔이 떨리고, 아프다 보니 수화기가 귀에서 멀어져 그것을 신경 쓰랴 제대로 들으랴 바빴었다. 거기에 엄마의 잔소리까지 들어야 했다. 막대기가 조금 더 길면 좋은데 집에는 없었고 그나마 그것이 수화기에 꽂기가 나았다.

그렇게 애써서라도 안 되는 것을 하려고 여태껏 노력하였고 언니에게 최선을 다했다. 언니는 내가 그렇게까지 애쓰고 노력해서 전화를 받았다는 것을 모르지만 말이다.

그래도 통화 중에 시간이 갈수록 점점 거칠어지는 숨소리에 힘든 기색이 묻어나서 조금이라도 알 텐데. '네가 힘든데 그만 끊자.', '힘드니?' 한마디 없이 자기 할 말만 다 하고 끝냈다. 함께 있을 때 나의 숨소리가 시끄럽다며 짜증을 내었었다. 수화기로 들리는 숨소리가 꽤 시끄러웠을 텐데 어떻게 참았는지 모를 일이다.

또한, 팔만 잃은 것이 아닌 우측 엉덩이관절도 잃고 이래저래 고달프고 힘들어서인지 건강상 문제인지 알 수 없지만, 청력이 떨어지고 있었다. 그리하여 예전보다 알아듣기가 어렵고 힘들었다.

그래서 오빠가 있을 때는 대신 받으라고 부탁을 했다. 나는 차츰차츰 전화 받는 것을 줄였다. 언니가 쫓아와서 뭐라고 할 수 있겠지만 나의 한계가 이미 넘었다. 떨어진 청력에 수화기 너머로 들리는 소리를 어떻게든 알아들으려고 애쓰고 감으로도 맞추느라 힘들었다. 몸은 몸대로 힘겹고 떨어진 청력에 듣는 것도 스트레스였다. 전화 통화 한 번에 모든 에너지를 써야 했기에 내려놓게 되었다.

나의 몸뚱이는 이미 한계를 넘어 버린 지 오래라 겨우 버티고 있었다. 언니는 내가 전화를 안 받아도 궁금한 것이 있거나 하고픈 말이 있으면 여전히 전화벨을 울려댔다. 오빠가 대신 언니의 전화를 계속 받아 주었다.

언니는 한동안 방문이 없었다. 결혼했으니 가족이란 울타리 안에서 생활하느라 당연하였다. 그러던 어느 날 아기를 데리고 신랑과 같이 방문을 했다. 나는 아기를 안고 싶었지만, 안고 있다가 떨어뜨릴까 봐 걱정돼서 차마 말할 수 없었다.

언니는 아기 기저귀를 갈려고 이불 위에서 기저귀를 빼고는 엉덩이를 닦지도 않은 채 손으로 양쪽 엉덩이를 예쁘다고 토닥였다. 언니의 그런 모습에 놀라웠고 결혼을 하더니 그 깔끔했던 것들은 온 데 간 데 보이지 않았다. 언니는 많이 변했다.

그런데 기저귀를 채우지 않고 그냥 놔두어서 이불을 버렸다. 엄마가 굽은 허리 때문에 빨래하기가 힘든데 이불을 버려 놓고는 미안하다 한마디 없었다. 자신이 나를 돌봐주었다는 명목하에 당연하다는 듯 아무 거리낌 없이 젖은 이불에서 아기를 안았다.

아이를 둔 엄마가 되었어도 그 부분은 조금도 변하지 않았다. 본인이 힘든 것은 싫어하면서 타인이 힘든 것에는 무정하게 아랑곳하지 않았다. 나를 힘들게 하는 것은 받아 주겠지만 이제는 연로하신 엄마까지 힘들게 하는 것이 달갑지 않았다. 언니가 밀어 둔 이불을 엄마가 치우며 그냥 바닥에 눕히라고 하자 싫어하는 눈치였다. 엄마는 또 깔아주면 버릴까 봐 걱정된 듯싶었다.

아들 자랑을 하고 싶었는지 기저귀를 안 채워 그렇게 빨랫감을 만들어 놓았다. 엄마는 옛사람이라 언니가 아들을 떡하니 낳은 것을 기특해하셨다. 몸이 불편한데도 아기를 낳았으니 어른들 눈에는 예뻐 보이기 마련이다. 우리는 못 먹어도 오빠가 두 사람 식사를 불러서 대접했다.

어느 날 저녁 전화벨이 울려 오빠가 받았는데 어김없이 언니였다. 전화번호를 적으라고 하여 받아 적었다. 그리고는 가족 때문에 이사한다고 하는 것 같았다. 시설에 있을 때 가족과 형제들을 믿지 못하더니 가족들이 돈 뺏으러 올까 봐 이사하려는 듯싶다.

그 후로 그렇게나 울려대던 전화가 조용해졌고, 별 소식이 없어 잠적한 것 같은 생각이 들었다. 안부가 궁금해서 오빠에게 적어둔 번호로 전화를 하라고 부탁했다. 전화번호가 안 맞는지 다른 사람이 받는 것 같았다. 몇 번 통화를 시도했는데 연결이 되지 않았다. 기다려도 연락이 오지 않았고 자연히 인연이 끊어졌다. 내가 먼저 연을 끊었다고 오해할지 모른다는 생각이 종종 뇌리를 스쳤다.

그 후 찾으려고 노력하다가 더는 찾을 길이 없어 그만두었다. 내가 걸을 수 있었다면 가지고 있는 주소로 찾아가 수소문이라도 해보는데 현실은 그렇지 못했다. 혼자서는 대문 밖에도 나갈 수 없어 능력 밖의 일이었다.

나는 언니와 인연을 끝낼 생각은 없었다. 시설에 있을 때 내게 들들 볶아가며 요구해서 인연을 이으려고 한 것도 아니었다. 단지 내가 아니면 언니에게는 아무도 남지 않기에 삶이 외로울 것 같아서였다. 무정하게 딱 자르려고 했다면 그럴 수 있었겠지만 난 그 외로움을 너무나 잘 알기에 마음이 내키지 않았다.

나의 장애가 심해지고 피치 못할 사정으로 자연히 끊어지게 되었다. 한두 해가 지나고 몇 년이 가도 연락이 오지 않았다. 나는 최선을 다했지만 결국 연은 끊어졌다. 그 후로 오랜 시간이 흐르고 난 뒤에야 비로소 언니와의 인연을 끝냈다.

절망의 늪

나에게 남은 것은 왼팔이었다. 다리를 잃고 나서 제일 많이 의지하는 유일한 팔이고 움직임의 범위가 조금 남아있는 부분이었다. 식사하거나 소소한 일에서부터 크게는 잠깐 서 있을 때 육체를 받쳐 주고 지탱해 주는 존재였다.

집으로 왔지만 돌봐 줄 사람이 엄마밖에 없었다. 예전보다 힘도 없으시고 허리도 많이 구부려져 나를 수발하기에 버거우셨다. 그래서 가능한 도움을 청하지 않았다. 그래도 먹고는 살아야 하기에 식사하고, 물은 거의 안 먹지만 화장실은 가야 했다.

어느 날 소변을 보기 위해 평소대로 휠체어에서 왼팔을 써서 가까스로 몸을 일으켰다. 왼쪽 다리가 많이 짧아져서 오른쪽 다리와 차이가 크게 났다. 그래서 몸뚱이가 좌측으로 기울어진 채 걸었다. 아니 걸었다기보다는 상체를 좌우로 움직여서 그 반동으로 발을 이동시켰다. 두 발 모두 땅을 딛기 위해 상체를 푹 굽힌 채 엉거주춤 상태로 한발 한발씩 옮겨갔었다.

그런데 문지방 턱에 실내화 앞이 걸려서 앞으로 꼬꾸라지고 말았다. 한순간에 '어~'할 새도 없이 나의 몸은 넘어갔다. 머리는 옛날 철 책상에 들이박으며 걸쳐졌고, 왼손 약지와 새끼손가락 2개가 바닥에 닿은 채 꺾여 있었다. 몸이 전부 뜬 상태로 애매하게 걸쳐져 있는 상황이라 몸 전체 무게 중심이 약지와 새끼손가락에 몰려 있어 엄청난 통증이 밀려들었다.

순간 놀라기도 한데 다 다른 지탱할 수 있는 것도 없고, 왼손은 내 의지대로 움직이지 못해 꼼짝달싹할 수 없었다. 손이 너무나 아픈데 재빨리 벗어날 수 없는 나는 말이 빨리 안 나와서 겨우 소리를 질렀다. 내 소리에 엄마가 반응하시고 넘어진 나를 발견하셨다. 엄마는 나와 오랫동안 떨어져 있었어도 어렸을 때처럼 반응하셨다. 그것을 기억하기보단 엄마니까 자연히 반응이 오는 것 같다.

반면 오빠는 너무 무디었다. 오빠는 내가 넘어진 것을 평범하게 생각했는지 반응이 없었다. 하긴 다 큰 애가 넘어진 것인데 대수롭지 않게 여기는 것은 당연했다. 혼자 못 일어나는 것도 인지하지 못한 상태이니 어쩔 수 없는 일이었다.

엄마는 놀라셔서 오빠를 부르며 일으키라고 말했다. 내가 어릴 때는 넘어지면 달려오셔서 일으켜 주셨지만, 이제는 나를 일으켜 주지 못하신다. 철 책상에 머리를 박을 때 '쿵' 소리와 내 소리에도 반응 없었던 오빠는 그제야 일어났다. 오빠가 일으켜서 앉혀 주었다. 나는 놀란 가슴을 쓸어내렸다. 오빠가 앉혀 놓자 엄마는 아픈 곳을 확인해 주셨다. 다친 곳을 주물러 주시는데 더 아파서 그냥 두시라고 했다. 엄마에게 또다시 가슴 아프게 해드려 속상하지만, 나로서는 어쩔 수 없었다.

난 밀려드는 통증에 손을 살살 만졌다. 우측 팔을 굽힐 수 없어서 왼팔 손목조차도 만질 수 없기에 꺾인 손가락 부근만 주물렀다.

유일하게 사용하는 팔이었는데 그렇게 다치고 계속 아팠다. 시일이 지나도 통증은 줄어들지 않자 엄마는 속상해하셨다. 물론 나의 가슴은 찢어지듯 아팠다. 아니 무어라고 말로 형용할 수 없이 괴롭고 절망에 빠져들었다. 다리의 통증도 채 가시지 않았는데 팔마저 다쳐 고통은 끝이 없었다. 다리는 시설에 있을 때 서기 위해서 강제로 펴려고 한 것이 자극되었는지 재발을 연속으로 일으켰고 계속된 다발성 강직으로 통증이 기존 기간보다 오래 갔다.

제대로 설 수 없는 이 몸으로 어떻게든 나 스스로 하려고 피나는 노력 끝에 그나마 화장실을 해결하고 있었는데 현실은 그것마저 앗아 갔다. 그때 일어서지도 걸을 수도 없는 육신으로 서려고 애쓰지 말아야 했다. 한 치 앞도 모르는 것이 미래인데 알았다면 하지 않았을 텐데 이미 엎질러진 물이었다. 조심했어도 한순간에 단 몇 초도 안 걸리고 몸뚱이는 바닥으로 향했다.

엄마는 걷지 못하는 나를 병원에 데려갈 수 없어서 속상해하셨다. 계속된 딸의 아픔에 고민하다가 오빠에게 병원을 데려가 보라고 말했다. 오빠는 나에 대해 아는 바가 없었고 내가 얼마나 다친 것인지 잘 몰랐다. 아마도 보통 사람들처럼 며칠 지나면 괜찮거니 하고 가볍게 생각한 듯싶다.

나는 병원을 가는 데 찬성도 반대도 아니었다. 혹시라도 통증을 줄 일 수 있을지도 모른다는 생각이 조금 들었다. 당장은 아프기도 해서 크게 거부하지 않고 오빠를 따랐다. 오빠는 가까운 병원으로 나를 안고 갔다. 거리는 가깝지만, 업을 수 없기에 뻣뻣하게 조각상처럼 굳은 나를 안고 계속 걷기엔 버거웠다. 오빠는 버텨내어 병원 문을 들어섰다.

난 그때만 해도 병원이란 곳을 제대로 알지 못했다. 큰 병원에서 방법이 없는 것은 동네 병원에서도 안 된다는 것과 작은 병원일수록 내게는 위험하다는 것을 말이다. 엄마의 권유가 있었어도 가지 말았어야 했었다. 예상치 못했던 일이었고, 물은 이미 엎질러졌다.

의사는 오빠의 이야기를 듣고 처방으로 주사를 맞으라고 하였다. 나는 '주사'라는 단어를 듣는 순간 놀라는 동시에 지난 일이 주마등처럼 지나갔다. 주사를 맞으면 더 아파진다고 일그러진 얼굴로 오빠에게 말했다. 나의 말에 오빠가 아닌 의사가 받아쳐서 주사를 맞아야 한다며 강한 어조로 말하였다. 의사의 단호한 말에 오빠는 "한 번만 맞아봐."라고 했다.

주사 때문에 잃었던 것들이 생각나 순간 화가 났다. 한편으로는 가슴이 무너져 내렸다. 그 한 번에 얼마나 많은 것을 잃고 내가 어떻게 살아왔는데……. 그 누가 알까마는 불행히도 그 상황을 피할 수 없었다. 걸을 수 있어야 뛰쳐나가기라도 하고 힘이 있어야 뭐라고 한마디 더 하는데 이러지도 저러지도 못하는 현실이었다.

난 세상에서 가장 약자이기에 아무런 반항도 하지 못했다. 내 몸뚱이인데 내 마음대로 할 수 없고, 꼼짝없이 이대로 당해야 한다는 현실에 억울함을 떠나 원통하기까지 했다. 그 한번을 맞고 나면 되돌릴 수 없는데 나의 몸을 지키지 못하였다.

오빠가 내 편이 되어줄 줄 알았다. 아니 나의 의견을 들어줄 줄 알았다. 어릴 때 나의 우상이던 오빠만큼은 나의 말에 귀 기울여 줄줄 알았는데 아니었다. 그때는 오빠도 아는 바가 없으니 의사 처방대로 하는 수밖에 없었지만, 실망감이 전혀 없지는 않았다.

세상 어디에도 나의 말에 관심 가져 주는 이가 없다는 것에 서글펐다. 의사가 주사를 맞으면 왜 더 아프냐고 이유를 물었다면 그 일을 말했을 텐데. 어찌 되었든 말을 더한다고 믿을 사람은 아니었지만 말이다. 내 병명을 알았다면 이러한 질환이 있어서 주사는 안 된다고 말이나 해 볼 수 있으련만 현실은 그렇지 못했다. 만약 병명을 알고 있어 설명하더라도 작은 병원에서 증세와 부작용에 관해 아무도 이해하지 못했을 듯싶다. 그러므로 이러나저러나 결과는 같았을 것 같다.

결국엔 우측 엉덩이에 강제로 주사를 맞게 되었다. 그리곤 팔에 압박붕대를 감아 주어서 집으로 돌아왔다. 붕대를 너무 세게 당겨 감아서 튀어나온 뼈들끼리 맞닿아 자극되어 통증이 더했다. 나는 붕대를 약간 느슨하게 조절했다. 그래도 통증이 심해 다시 감았다. 그러나 진행이 되는 상태라 매우 불편하여 참고 참다가 오빠의 눈치를 살피며 풀었다.

팔은 팔대로 아프고 엉덩이는 뻐근하며 느낌이 좋지 않았다. 결국, 그 한 번의 주사 때문에 우측 다리에 재발이 촉진되었다. 만약 주사를 왼쪽에 맞았다면 더 심한 통증에 시달려야 했겠지만, 오른쪽은 나빠지지 않았을 듯하다. 그리고 등을 기대고 앉을 수 있으니 하루가 덜 고단할 텐데. 그때는 그런 생각할 겨를도 없었지만, 타인이 오른쪽 바지를 벗기니 마음처럼 되지 않았을 듯싶다.

주사로 인해 왼쪽 다리를 잃어서 나에게 주사는 해가 된다는 것을 겪은바 알고 있었지만, 이번에 또 재발이 일어나 주사는 치명상을 입힌다는 것이 명확해졌다. 나의 힘으로 어쩔 수 없음에 어디를 가든 내 몸을 지키지 못하는 현실과 연속으로 잃음으로 절망의 늪에 깊숙이 빠져들었다.

팔을 다쳤어도 아픔을 참고 수저질을 했다. 시일이 지나도 통증이 줄어들 기미가 보이지 않았다. 엄마는 언제까지 너와 집에만 있을 수 없다며 일을 나가시겠다고 하셨다. 엄마도 이제는 몸을 아끼고 쉬셔야 하는데 여전히 일이란 굴레에서 벗어나지 못하셨다. 난 엄마가 일 나가는 것이 싫었다. 엄마가 몸도 불편하고 연세도 있어서 걱정이고, 나는 아프니까 조금은 도움을 받고 싶기도 했다.

팔이 아파 수저질도 어려운데 무거운 것을 드는 것이 무리가 되어 식사만큼은 챙겨 주길 원하는데 엄마는 오로지 일을 나가려고 애를 쓰셨다. 엄마에게 많은 것을 바라지 않았다. 아프니까 함께 해 주길 바랐는데 엄마는 나의 간절한 마음을 모르는 듯싶다. 아니 그 마음을 대략 알아도 엄마는 일을 선택했다. 엄마가 그 일을 한다고 집에 도움이 되는 것도 아니고, 집에 돌아오면 힘들어하고 아파하시니까 더더욱 엄마가 일하러 가는 것을 반대했다.

엄마는 혼자 슬슬 밥 찾아 먹고 집 보고 있으라며 결국 일을 나가셨다. 나는 어쩔 수 없이 혼자 힘으로 해야 했다. 오빠가 휠체어 팔걸이 위에 올려놓고 식사를 할 수 있게 나무판을 만들었다. 무거운 나무판을 아픈 팔로 들어 올리니 통증이 더해 겨우 집어 올렸다. 그릇들도 무거워 힘겹게 식사 준비를 해서 끼니를 해결하고 있었다. 아프지 않은 오른팔은 나무판을 집을 수 없고 모든 일에 왼팔을 써야 했다.

하루가 지나고 또 지남에 따라서 팔은 점점 뻣뻣하고 단단하게 변했다. 수저가 입까지 닿는 것이 어려워져 팔에 힘을 주어 부들부들 떨며 억지로 앞으로 당겼다. 수저 끝의 밥을 입술로 겨우 내려 먹었고, 밥 한 숟가락 먹기까지 참 많이 힘들었다. 지금까지는 수저가 입술까지 닿아서 먹었었는데 다음날 그나마 닿았던 수저는 거리가 멀어졌다. 팔에 아무리 힘을 쓰고 밀어 보아도 소용이 없었다.

진행 마지막 단계라 뻣뻣하게 굳음에 따라서 굽히는 각도의 범위가 제한이 점점 커진다. 완전한 뼈가 이루어지면 완전히 굳은 후라 움직임의 제한은 그 위치에서 멈추게 된다. 이제 나의 팔에 딱딱한 혹이 남겨져서 움직임의 범위가 확 줄어든 것이고, 예전만큼 팔을 굽힐 수 없게 되었다. 그렇게 하루아침에 수저가 입에 닿지 않아 식사할 수 없게 되어 속상한 마음 부여잡고 겨우 상을 치웠다. 어쩔 수 없이 굶는 수밖에 없었다.

어둠이 깔린 시간, 엄마는 밭일을 끝내고 돌아오셨다. 식사를 안 한 것을 아신 엄마는 야단을 치셨다. 종일 일하고 오셔서 한창 바쁜 시간인데 딸이 밥을 안 먹어 속도 상하고 화도 나셨다. 여태까지 밥을 안 먹고 뭐 했느냐고 하시며 바쁜데 속 썩인다고 꾸중을 하셨다.

나는 도움이 필요해도 엄마를 생각해서 많은 부분을 참고 살았고, 일 나가신다기에 크게 반대하지 않았다. 밥을 일부러 안 먹고 엄마를 속상하게 하고 싶은 마음은 눈곱만치도 없었다. 엄마는 다치면 장애가 된다는 것을 완전히는 인지하지 못하셨고, 잘 모르셨다. 더욱이 전날까지만 해도 식사를 했으니 팔이 이렇게 되리라곤 생각지 못하셨다.

엄마의 야단에 억울하기도 하고 서글픔에 눈물이 났다. 팔이 안 되는데 어떻게 먹느냐고, 팔이 안 올라가서 못 먹었다고 말했다. 엄마에게 더 아프다고 말하고 싶지 않았지만, 식사와 관련된 문제라 그냥 넘길 수 없는 일이었다. 속상해하시더라도 아셔야 하는 부분이었다. 이야기를 안 하면 모르셔서 다음날 일을 계속 나가실 테고, 또 야단을 치실 테니 말이다. 어차피 알아야 할 일이었고 그동안 참아왔던 설움에 털어놓았다.

재발은 마무리 단계에서 급속도로 악화하기에 하루 이틀 새에 움직이는 각도가 시시각각 변화한다. 나도 언제인지 예상은 못 했지만 움직임의 범위가 점점 줄어들기 시작해 '이제는 팔도 잃겠구나.' 하고 걱정하고 있었다. 단지 언제 수저가 입에 안 닿는지 몰라 말을 안 했을 뿐이다.

엄마는 내 말을 듣고 기다리라고 하셨다. 엄마는 가슴 아프셨을 듯싶다. 배고플 딸이 걱정되셨는지 다른 일 제쳐두고 씻은 후 저녁을 먹여주셨다. 엄마가 수저로 밥을 떠서 주자 눈물이 나왔다. 밥조차도 혼자 먹을 수 없음에 괴로웠다. 원래 내 손으로 먹어왔던 밥인데 어쩌다 하루 새에 수저질도 못 하는 신세가 되었는지 서러움에 복받쳐 한스러웠다.

엄마도 속상해하시고 실망도 하셨겠지만, 내색은 크게 안 하셨다. 그래도 남아있는 일거리에 미련이 남으셔서 "당장 내일부터 일은 못 가겠네."라고 하셨다. 그 당시에는 나의 엄마만 일을 놓지 못하는 줄 알았는데 훗날 알고 보니 건강이 안 좋고 연세가 많아도 우리네 어머니들은 닮았다. 허리가 90도로 굽어도, 관절염으로 여기저기 아파도 엄마라는 이유로 일을 쉬지 못하는 것 같다. 몇 푼 안되는 돈이지만 자식들에게 보탬이 되려고, 손주들 용돈이라도 주려고 아픈 몸을 이끌고 일을 하신다. 자식들이 뜯어말려도 소용없는 일이었다.

그날 밥이 아닌 눈물을 먹었다. 엄마에게 눈물 보이지 않으려고 가슴으로 울었다. 내가 울면 더 속상해하실까 봐 말이다. 밥이 코로 들어가는지 입으로 들어가는지 감정에 휩쓸려 어떻게 먹었는지도 모른다. 그렇게 하루를 보내고 잠자리에 들었다.

불 꺼진 밤, 나는 소리 없이 눈물을 흘렸다. 소리가 입 밖으로 새어 나와 겨우 억눌렀는데 아무도 눈치를 채지 못해 다행이었다. 수많은 생각들로 꽉 채워진 머릿속 갈팡질팡 길을 잃었다. 난 유일한 팔을 잃었고 어떻게 해야 할지 눈앞이 깜깜했다.

낙상 사고로 팔에 재발을 일으켜 뼈가 여러 개 추가되었다. 그래서 전처럼 굽힐 수 없어 이제부터는 엄마가 식사를 도와주어야 했다. 수저질만 못 하는 것이 아닌 손목을 돌릴 수 없어 손바닥이 위로 향하게 뒤집지 못하고 젖히지 못하여 바닥을 짚을 수도 없게 되었다. 전에는 이마 위 이상 올라가지 않았어도 얼굴은 만질 수 있었는데 이제 얼굴은커녕 나의 몸뚱이 어디에도 손이 닿지 않았다.

팔과 손에만 재발이 일어난 것이 아니었다. 겨드랑이도 재발이 나타났고 팔을 뒤로 앞으로, 옆으로 벌리고 모으는 동작에도 움직임의 제한을 받게 되었다. 남들이 보기에 별것 아닌 충돌이었지만 그 한 번의 낙상사고로 여러 곳을 잃게 되었다. 낙상 시에 책상이 없었다면 더 큰 사고로 번질 뻔했다. 다행히 책상이 있어서 옆면에 머리를 박으며 걸쳐졌기에 몇 곳만 충격이 가해졌다. 만약 바닥에 몸이 닿았다면 이 정도에서 끝나지 않고 매우 심하게 다쳤다.

어쩔 수 없이 엄마의 손을 빌려야 하는 신세가 되었다. 엄마에겐 죄송스럽지만, 나로서는 불가능한 일이기에 엄마가 힘들어져도 뾰족한 방법이 없었다.

그리고 오른쪽 엉덩이에 주사를 맞은 후 장애가 심해졌다. 오른쪽 다리가 바닥에 앉을 수 있는 각도가 안돼 방바닥 생활이 불가능해졌다. 또한, 의자에 앉을 수 있는 각도까지 오른쪽 다리를 위로 올릴 수 없어 등을 기대고 앉을 수 없는 상태가 되었다. 그리하여 시트 끝에 왼쪽 엉덩이로만 걸터앉은 채 불안정한 자세로 휠체어 생활을 하게 되었다.

한 손은 휠체어 브레이크를 잡고, 한 손은 쇠기둥을 잡은 채 상체를 좌우로 움직이며 오른발로 조금씩 바닥을 밀고 이동을 하였다. 전에는 휠체어 핸드림에 손이 닿아서 손으로 조금씩 밀고 다닐 수 있었다. 다친 후 팔이 뒤로 안 되고 바깥쪽으로 벌릴 수 없어 손으로 미는 것은 아예 불가능해졌다.

또한, 휠체어에 똑바로 앉지를 못하여 팔이 핸드림 근처에도 닿지 않았다. 그래서 휠체어를 타고 조금이라도 이동하려면 머리부터 발끝까지 온몸을 써야 가능했다. 그래도 휠체어란 존재를 알아서 참 다행스러운 일이 아닐 수 없다.

그리고 바닥 생활을 못 해 침대도 필요했다. 가난의 굴레 때문에 선뜻 말하기가 미안했다. 오빠에게 직설적으로 말할 수 없어 버티다가 침대가 필요하다고 말했다. 그럼 만들어다 주는 것은 어떠하냐는 오빠의 말에 큰 걱정거리가 해결되었고, 안심되었다. 오빠는 시일이 걸리니 조금만 참으라고 했다.

오빠는 다니고 있는 회사에서 자재비용을 주고 나무를 재단하여 차에 싣고 왔다. 나무를 조립하고 못을 박고 침대 상판 밑에 두껍고 큰 쇠를 연결하였다. 나무가 휘거나 사람이 더 올라가도 무게를 지탱할 수 있게 든든하게 만들었다. 침대 설치를 끝낸 오빠는 갑자기 필요하다고 해서 디자인은 미처 신경 쓰지 못했다고 말했다. 그래도 튼튼하니까 부서질 걱정은 하지 않아도 된다고 했다.

난 침대 모양에는 관심이 없었다. 무엇보다 침대가 생겼다는 것이 중요하니까 말이다. 침대가 없으면 나는 물론이고 오빠가 힘들어지기 때문이다. 침대에서 다리를 바닥에 내리고 몸을 세울 수 있으면 그것으로 만족했다. 의자 높이에서는 스스로 일어서지 못하여 침대를 의자보다 높게 만들었다. 심플하면서도 복잡하지 않아 더 좋았고, 발치에 칸막이가 있어서 좋았다. 색상도 싫어하는 색은 아니었다. 나는 난생처음 침대를 가졌고 침대 생활을 하게 되었다.

시설에서 3층은 마루형 방이었다. 그래서 끝으로 기어 나와 휠체어에 쉽게 옮겨 앉을 수 있는 구조였다. 밑바닥에서 휠체어에 올라앉는 것은 상체에 장애가 없고 팔 힘이 받쳐 주어야 가능한 일이다. 팔 힘이 좋으면 거뜬히 휠체어에 올라가지만 그래도 매번 오르면 힘드니까 마루 형식 방 생활이 큰 도움이 된다.

어린 나는 마루방을 보고 조금 부러운 생각이 들었었다. 왜냐하면, 그때는 학생들과 여럿이 있어서 불편했기 때문이다. 난 책상이 있어야만 일어날 수 있는데 그 앞에 장애물이 있으면 책상을 사용할 수 없었다. 또한, 아이들이 이불을 펴고 있을 때는 다리가 불편해서 넘어가는 것도 문제가 되었다.

그런데 마루방은 수납장이 머리맡에 있고 자신의 자리에서 직진하면 끝에 도달하여 신발 신고 일어나면 되었다. 나갈 일이 있으면 자기 자리에서 이불은 걷으면 되고 사람과 다른 사람의 이불을 넘어갈 필요가 없어 타인에게 방해가 되지 않는 것이 큰 장점이다.

다른 사람의 이불을 밟거나 비켜 주지 않는 사람의 눈치를 볼 필요도 없고, 못 넘어가서 애쓰지 않아도 되니 말이다. 조금 비켜 달라고 말하면 싫은 티를 내고 눈살 찌푸리는 것을 안 봐도 되니 서로 마음 불편할 일도 없다. 그래서 마루방을 사용하고 싶었지만 무슨 이유에선지 여자들에게는 배치가 되지 않았다.

어느 날 보일러 고장으로 마루방에 한 번 자게 되었는데 내 자리에 앉은 채 직진만 하면 나오고 들어갈 수 있었다. 그리고 신발을 바로 신을 수 있고, 신발을 신발장에 넣지 않아도 돼서 신발을 집을 수 없는 내게는 편리했다. 그래서 방을 들어갈 때 타인의 도움을 받지 않아도 되었다. 그러면 밖을 마음대로 나갈 수 있었다. 오랜 세월이 흐르고 언니와 단둘이 작은 방에 배치되고는 학생들과 그런 불편한 마음의 짐을 조금 덜었다.

하지만 왼쪽 다리에 재발이 발생했을 때 마루방이었다면 내게 도움이 되었을 텐데 하는 아쉬움이 있다. 마루방이 나에게 도움이 되기도 했겠지만 그랬다면 집으로 오는 시간이 늦추어졌을 듯싶다. 혹은 마루방에서 일어서는 것이 수월하니까 다리에 무리가 덜 가서 장애가 조금은 덜 나빠졌을지도 모를 일이다.

방바닥에서 몸을 세우고 일어나려고 얼마나 애를 썼던가? 그 얼마나 허우적댔던가? 그때를 생각하면 숨이 가쁘고 가슴이 쪼그라드는 듯하다. 그런데 이제부터 내가 원해서도 아닌 장애가 심해져 본의 아니게 바닥 생활을 접게 되었다. 하지만 내 몸은 전과 다르기에 좋을 수 없었고, 침대 생활도 매우 어려운 상황이었다. 그렇게 닥쳐든 시련에 순응하며 180도 완전히 바뀐 생활을 시작했다.

나는 수많은 노력을 했다. 가눌 수 없는 몸뚱이를 일으켜 세우고, 이동시켰으며 그러다 사고가 발생하여 팔마저도 재발이 일어났음에도 스스로 하기 위해 피나는 노력을 했다. 그러나 애석하게도 장애가 심해져 그 작은 몸놀림마저도 내게서 앗아갔다.

한꺼번에 연속으로 많은 걸 잃게 되어 나의 가슴은 그 어떤 말로도 형용할 수 없이 괴롭고 아팠다. 수없이 무너지기를 반복한 끝에 텅 비어 버렸다. 남은 것은 어둠과 장애와 앞으로 짊어지고 가야 할 고통의 무게만이 두 어깨를 짓누르고 있을 뿐이다.

고비

어느 날 혀가 불편했다. 안쪽으로 혀뿌리가 아프기 시작하더니 움직이면 통증이 배로 늘었다. 혀를 살짝 움직이려고 시도만 해도 극심한 통증이 파고들었다. 너무 아파서 식사를 못 하였다. 그런 나를 엄마는 가만두지 않으시고 밥을 물에 말아서 수저 들고 먹으라고 나의 입을 쫓았다. 목을 돌릴 수 없으니 몸을 움직여 수저를 피하면 끝까지 따라왔다. 난 멀찍이 도망도 못 가고 먹이려는 엄마를 어쩌지 못해 곤혹스러웠다.

엄마는 밥 안 먹는 것을 싫어하셨다. 어린 시절 배를 많이 곯고 고생을 하셔서 밥에 관한 생각이 남들보다 예민하셨다. 그래서 식사를 안 하면 지구 끝까지 따라올 기세여서 멈추지 못하기에 먹기 싫을 때도 억지로 먹었었다. 몸이 아프면 입맛이 없어도 어떻게든 먹겠지만 혀가 아프니 도저히 먹을 수가 없었다. 엄마의 마음은 알지만, 혀뿌리 쪽에 끊어질 것만 같이 밀려드는 통증을 참을 수 없었다. 안 먹겠다고 하는데도 계속 그러셔서 짜증이 올라오는데 꾹꾹 눌러가며 참았다.

가만히 두면 좋겠는데 엄마는 엄마니까 그래야만 했었다. 엄마의 성화에 결국 터졌다. 혀가 너무 아픈데 어떻게 먹느냐고 짜증을 내고 말았다. 권하는 것도 한두 번이지 너무너무 과했다. 조금 이따가 또 반복하시니 본인도 힘들지만 나는 숨이 막히고 너무 괴로웠다. 말로 표현할 수 없을 만치 고통이 밀려드니까 말이다.

나의 짜증에 밥물이라도 먹으라며 수저로 떠 주시는데 먹을 수 없었다. 물을 입에 머금었지만, 혀를 움직이려고 하면 극심한 통증이 파도치듯 밀려들어 뱉고 싶었다. 입에 있는 물만 어찌어찌하여 겨우 삼키고 더는 안 된다고 거부했다. 그때는 엄마에게 무어라고 설명하기가 복잡했다. 엄마가 속상해하시겠지만 다른 부위도 아니고 혀가 아픈 것이라 식사 문제는 나로서 어쩔 수 없는 일이었다. 엄마는 혼자 고민하시더니 외출을 하셨다.

한참 만에 돌아오신 엄마는 까만 봉지를 들고 오셔서 하나 꺼내셨다. 그것은 바로 요플레였다. "이거라도 먹어야 살지." 하시며 뜨으라고 주셨다. 나를 그냥 가만히 내버려 두었으면 싶은데 먹을 것을 구해 오셔서 또다시 먹기를 강요하셨다. 먹고 싶지 않은 것이 아닌 먹을 수가 없는 것인데 어떻게 할 수 없었다. 나는 여러 감정에 휩싸인 채 꾹 참고 요플레를 뜨었다.

수저를 들고 입 앞에 있으니 도망도 못 가고 첫술을 받았다. 엄마는 이것은 씹을 것도 없어 먹기 쉬우니 다 먹어야 한다며 기다리고 계셨다. 막상 첫술을 입에 넣었지만, 혀를 조금도 미동하지 않고는 그냥 삼킬 수 없었다. 평소라면 죽보다 쉬운 것일 진데 뜻대로 되지 않아 화도 나고, 짜증도 나고, 눈물도 났다. 한참 통증을 버티고 씨름 끝에 첫술을 삼켰다. 요플레를 먹는 것인지 통증을 먹는 것인지 먹는 느낌조차 없었다. 엄마가 사 온 성의를 봐서 참고 조금 더 먹다가 도저히 못 참아서 포기했다.

엄마는 요플레를 사려고 가게마다 찾아다녔다고 한다. 내가 시설에서 집에 올 때 종점에서 한번 사 먹었는데 기억해낸 것이었다. 눈여겨보신 것도 아니었고 이름도 모르시는 상태였다. 그런데 내가 맛있어서 사 먹는 줄 아셨고 수저 없이 들고 마시니까 부드럽게 먹는 것이라는 것을 짐작하셨다. 어떻게 기억해내셔서 이름도 내게 묻지 않고 무작정 사러 나가신 것이었다.

가게마다 들어가 그때의 기억을 떠올려서 하얗게 생기고 요만하고 마시는 것을 달라고 하셨다. 그 말만 듣고 가게 주인이 무엇인지 알아채기에는 어려웠을 듯싶다. 웬만한 가게는 있을 텐데 이름을 모르니 없다고 한 곳도 있었다. 엄마는 가게를 서너 곳 들려서 겨우 찾아서 산 것이라며 다 먹어야 한다고 말했다. 굽은 허리 때문에 걷는 것이 힘든데 찾아 헤매느라 배로 힘드셨을 듯싶다.

내게 먹이기 위해 힘들게 샀다고 하소연까지 하시는 엄마. 엄마가 말을 안 해도 아는데 들으니 더 속상했다. 그것을 사러 가는 줄 알았으면 이름을 적어 드리는데 말을 안 하고 가셔서 사서 고생하셨다. 하긴 내가 아파서 사지 말라고 했을지도 모른다.

그때 요플레가 맛있어서, 먹고 싶어서 사 먹은 것이 아니었다. 언니가 좋아하는 것이었고 시내 가게 갈 때마다 사기에 궁금했었다. 그래서 혼자일 때 한번 시식해 보았다. 완전히 수분은 아닌 데다 목도 젖히지 못하여 서서 대충 마시다가 버렸다. 밖이라 숟가락이 없고 가지고 갈 수 없어서 조금 아깝지만 버렸다. 그땐 일회용 숟가락이 있는 줄 몰랐다.

처음 느끼는 시큼털털한 맛에 그리 맛있다는 생각이 안 들었는데 엄마는 내가 맛있어서 사 먹는 줄 아신 모양이다. 밥을 안 먹어서 맛있는 것 사 왔으니 다 먹어야 한다며 꾸중을 하셨다. 엄마는 내가 어린아인 줄 아신다. 나의 몸이 한계에 다다라 본의 아니게 엄마를 걱정시키고 속상하게 하였다. 입맛이 없고 먹기 싫고 아파서 밥을 안 먹는 줄 오해하시는데 그런 것이 아니었다.

엄마를 어떻게 이해시켜 드려야 할지 막막했다. 엄마는 어떻게든 먹이려고 화를 내고 수저를 들고 물러나지 않으셨다. 워낙에 완강하신 분이라 고집을 세우면 꺾지 못하는 것을 알기에 나는 괴로웠다. 물 한 숟가락도 삼키려면 죽을 만큼 고통스러운데 그 누가 내 마음을 알까? 겉으로는 마음 놓고 울지도 못하고 이렇게 아픈 것이 서글펐다.

아무도 이해 못 하는 증상을 누구한테 하소연할 사람도 없는 이 상황에 가슴으로 울어야 했다. 아니 목이 너무 아픈 나머지 가슴으로 우는 것조차 버거웠다. 감정이 복받치니 목에 힘이 들어가 고통이 더해져서다. 그래서 그 감정마저도 억눌러야만 했다.

엄마는 한시도 나를 가만두지 않으시고 잠시 후에 또 수저를 들고 오셨다. 제발 나 좀 가만히 두면 안 되겠냐는 말에 "먹어야지. 이까짓 물 같은 것이 배불러? 먹은 것도 없는데"라고 하며 무섭게 다그쳤다. 엄마가 챙겨 주는 것도 좋지만 혀가 아픈 이 상황에서는 지옥과 같았다. 혀에 상처가 나거나 염증이 난 것이라면, 나도 참고 먹는다. 하지만 그런 것이 아니기에 물 한 숟가락도 나에겐 지옥행이나 다름없었다. 남들보다 밥에 예민하신 엄마이기에 아무도 말릴 수 없고 먹을 때까지 끈질기게 행동하신다.

어쩔 수 없이 통증을 삼키며 한 숟가락 먹고 또 먹었다. 엄마가 물러나지 않고 버티고 계셨다. 나는 또 그렇게 한술 받아먹었다. 그런데 약간의 건더기가 있어서 그것을 목구멍까지 이동시키느라 갖은 애를 써야만 했다. 웬만해서는 누구 앞에서 눈물을 보이지 않는데 너무 아파서 저절로 흘렀다. 죽고 싶을 정도로 괴로운데 엄마는 한 술만 더 먹으라고 하시면서 먹이기는 계속되었다.

그 당시 무슨 약을 써야 하는지 알았다면 엄마와 씨름도 안 하고 그렇게까지 괴롭지 않았을지도 모른다. 요플레를 먹는 시간은 지옥을 넘나들었고 시일이 흘러 차츰 나아지기 시작했다. 말로 표현키 어려울 만치 고통의 시간이었고, 나와의 싸움, 인고의 강을 건넜다. 물론 그 지옥과 강은 혼자 걸었지만, 엄마는 옆에서 나를 살렸다. 엄마의 끈질긴 강요가 없었다면 지금 이 자리에 존재하지 못했을지도 모른다. 엄마의 잦은 강요에 괴로웠지만, 그로 인해 난 살았고 감사하게 생각한다. 나는 그렇게 한고비를 넘겼다.

새벽은 온다

나는 시설에 있을 때 그 삶을 서서히 끌어안고 중증장애를 지녔음에도 만족해했다. 식사와 화장실을 스스로 해결할 수 있다는 것만으로도 다행으로 여기며 감사했었다. 바라 왔던 욕심을 버렸고, 몸이 나빠지지 않기만을 바랐었다. 그 이상 욕심을 부리지 않겠노라고 다짐도 하였었다.

그러나 다리를 잃고 그 바람은 산산이 가루가 되어 나도 모르는 새에 사라졌다. 내게 남은 것은 아무것도 없었다. 희망도 꿈도 미래도 보이지 않는 어두운 우주에 버려진 듯 나의 내면은 깜깜했다. 마치 칠흑 같은 어둠 속에서 길을 잃고 헤매는 밤배와도 같았다. 그동안의 나의 노력도 버텨냈던 에너지도 물거품이 되었다.

그리고 눈곱만큼의 열정도 없을 만치 식었다. 삶이 허공에 떠서 갈 곳 잃은 바람처럼 이리저리 오고 가다 공허 속에 묻힌 듯하다. 밤마다 괴로워하며 무엇으로 나의 마음을 채워야 할지 몰랐다. 무엇으로 위로해야 이 고통이 가라앉을지 몰라 눈물만이 베개를 적셨다. 남은 생 동안 다른 사람의 짐이 되고 힘들게 한다는 것이 마음이 편치 않았다. 가족에게 도움받기가 부담되고, 미안했다.

그러던 어느 날 장기 기증을 알게 되었다. '장기 기증을 하면 어떨까?' 하고 생각해 보았다. 내가 떠남으로써 여러 명을 살릴 수 있으니 좋은 일이었다. 살면서 가난이란 굴레에 나누지 못했는데 좋은 일을 할 수 있으니 나에게도 좋은 일이 아닐 수 없다.

나는 생각했다. 그 사람들의 아픔을 덜 수 있고 가족들 곁에 남을 수 있어 상처도 덜 받지 싶어 그렇게 하고 싶었다. 진정으로 그렇게 하고 떠날 수 있었다. 나에게는 용기도 준비도 필요하지 않았다. 내가 겪은 일들에 비하면 어려운 일이 아니기 때문이다.

그러나 조건이 있어 안 된다는 것을 알고는 조금 실망스러웠다. 생에 한번은 나누고, 쓸모 있는 인간이 되고 싶었는데 말이다. 한사람이 여러 명을 살릴 수 있는데 왜 안 되는지 의문이 들었다. 그때는 더 알 길이 없어 그만 접었다. 긴 밤이 지나 새벽은 왔다. 나 자신도 모르게 한 조각 삶이 엮어지고 있다.

홀로서기

엄마가 식사를 먹여주셨는데 시일이 흐를수록 힘들어하셨다. 한해가 다르게 건강이 안 좋아지시고 허리도 점점 굽으셨다. 의자에 앉아서 나를 먹여주시려면 허리를 펴야 하는 데 그 동작이 불편하고 아프셨다. 엄마에겐 허리를 구부리고 계시는 것이 덜 아픈 자세인데 내가 휠체어에 앉아 있으니까 먹여주시기에 높으셨다.

내가 바닥에 앉을 수 없어 엄마에게 맞추지 못하고 엄마가 나에게 맞출 수밖에 없었다. 허리가 아프신 엄마는 빨리 좀 먹으라고 재촉을 하시기 시작했다. 난 부지런히 열심히 먹었지만, 엄마가 보시기에는 밥이 줄어들지 않았다. 엄마는 힘에 부쳐 잔소리가 점점 느셨다. "빨리빨리 더벅더벅 좀 먹어." "입 좀 크게 열고 많이씩 먹어." "밥이 반도 안 들어가고 다 떨어진다."

내가 아무리 노력하고 허겁지겁 대충 먹어대도 엄마 눈에는 빠르게 보이지 않았다. 그렇게 보이는 것이 당연했다. 개구 장애가 있어 입을 크게 못 벌리기 때문에 한 숟가락 뜬 것을 한입에 쏙 넣지를 못했다. 숟가락에 한술 떠주면 위에 있는 밥만 반쯤 입술로 당겨서 넣고 나머지는 그냥 수저에 남았다.

모르는 사람이 보면 먹기 싫어서 깨작거리는 것으로 보일 수 있으니 엄마도 그렇게 보실 수밖에 없으셨다. 엄마가 힘드셔서 잔소리가 느신 거라 나는 아무 말 없이 그러려니 하고 지나갔다. 여태 엄마가 먹여주셨으니까 다른 방법이 없기 때문이기도 했다. 엄마는 더 버거워지시자 잔소리 강도가 올라갔다.

엄마가 힘드셔서 그러신다는 것을 이해하면서도 점점 세지는 성화에 나도 한계에 다다랐다. 내가 아무리 애써도 불가능한 일인데 어찌할 수 없음에 서글펐다. 나도 아픈 엄마에게 도움을 받고 싶지 않았고, 엄마의 수고를 덜고자 안 먹는다고 하면 밥 굶는 것을 제일 싫어하셔서서 뭐라고 하셨다.

밥을 먹으면 서로 불편하고, 밥 먹는 내내 잔소리를 계속 들어야 했다. 엄마는 반찬이 부실하거나 먹기 싫어서 아니면 밥을 느릿느릿 먹는 줄 아신 모양이었다. 나의 장애 상태를 모르시니 그렇게 날이 갈수록 잔소리가 커지는 듯했다.

밥을 받아먹는 것도 불편하고, 힘들고, 원래 소화계도 안 좋은데 급하게 대충 먹게 되니 속도 불편하였다. 나는 여러 가지로 인해 한계에 부딪혔고, 더는 꾸중도 싫었다. 결국, 폭발하고 말았다. "입이 크게 안 벌어지는데 어떻게 빨리 먹어. 입이 안 되는 것을 어떻게 해."라고 하며 참아왔던 말을 했다. 엄마는 그렇게 안 벌어지냐고 되물으셨다.

난 턱이 안 돼서 이렇게밖에 못 먹는데 어떻게 하냐고 대답했다. 엄마는 모르셨다고 한다. 입을 벌릴 수 없다는 것을 아시게 되고 재촉하던 말들이 잠깐은 줄어들었다. 그러나 연세가 있으셔서 그런지 바쁘거나 힘이 들면 잔소리를 하셨다. 내가 개구 장애가 있다는 것을 인지하지 못 하시는 때가 많은 것 같았다. 어떨 때는 깜빡했거나 힘들고 바쁘면 자연히 잔소리하게 되는 듯싶다.

나는 엄마가 먹여주는 것이 받아먹기 힘들었다. 첫째로는 일반적인 밥의 양을 떠 주기 때문에 불편했고, 크게 떠서 줌으로써 먹는 속도가 느렸다. 조금씩 떠주면 입에 넣기가 수월하여 속도도 빨라진다. 둘째로는 수저 높이와 각도가 맞지 않아서 수저가 있는 위치까지 입을 대려면 턱과 목을 비롯하여 온몸이 힘들었다. 셋째로는 밥을 많이 주셨다.

 턱의 불편함을 이야기했음에도 시간이 지나자 잔소리와 재촉은 계속되었다. 물론 엄마가 힘드셔서 그러시는 것을 알기에 천 번이고 만 번이고 이해한다. 그래서 아무 말 없이 참고 지냈었다. 그런데 엄마 외에 도와줄 사람이 없고 오빠는 해가 저문 밤에나 오는데 뾰족한 방법이 없었다.

 "높은데 앉아 있으니 해줄 수 있어야지. 바닥에 있어야 해주던가 하지." 짐작하고 있었는데 엄마의 말에 의자에 앉아 있는 것이 불편하단 것을 명확히 알게 되었다. 엄마는 예전부터 바닥 생활을 해오셨다. 식사 때도 바닥에 앉아 밥상에서 식사하고 빨래를 비롯해 주방일과 농사일도 앉아서 하셨다. 앉아서 오랜 시간을 생활하시다 보니 허리를 펴고 있는 시간은 짧고, 구부리고 하는 자세에 맞추어져 허리가 더 굽었다. 그래서 그런지 앉아서 하는 행동에는 크게 불편해하지 않고 서서 하거나 의자에 앉는 것을 불편해하셨다.

 어릴 때 목 때문에 병원도 갔고 해서 엄마가 조금은 알고 계시는 줄 알았다. 그런데 내 생각과 완전히 달랐다. 어릴 때부터 입을 크게 못 벌려 엄마가 사주신 사과도 빨리 못 먹었다고 말하자 자주 못 사주니까 아껴 먹는 줄 아셨다고 한다. 밥도 잘 먹고 하여 턱이 불편한 줄은 모르셨다고 하셔서 사실대로 터놓았다. 25여 년이 넘는 세월 동안 모르고 계셨다. 끝까지 모르시는 것이 좋았을 텐데 나로서는 숨길 수 있는 상황이 아니었다.

 나 홀로 고민을 많이 했다. 불가능을 가능하게 한다는 것은 불가능에 가깝지만 생각하고 또 생각했다. 전에도 그랬던 것처럼 스스로 하기 위해서 말이다. 어느 날 아이디어가 떠올랐다. 엄마에게 수저를 막대기에 붙여서 길게 해 밥을 혼자 먹겠다고 말했다. 나의 말에 막대기로 무슨 밥을 먹느냐며 반대하셨다. 그래도 한 번만 해 보겠다고 하자 밥 다 흘리고 어떻게 먹느냐고 말도 안 되는 소리 하지 말라며 허락하지 않았다.

엄마는 흘리는 밥이 아깝다는 생각도 드셨고, 막대기로 밥을 먹는다는 것을 상상도 못 하실뿐더러 불가능하다고 생각하셨다. 되든 안 되든 테스트해 보려고 했는데 절대 허락지 않으셨다. 엄마는 예나 지금이나 무엇이든 쉽게 받아들이지 않고 허락을 안 하셨다. 워낙에 완강하신 분이라 기회가 없었다.

어느 날 오빠에게 이야기를 꺼냈다. 엄마도 힘든데 나 혼자 할 수 있으면 나 스스로 먹고 싶다고 말했다. 오빠는 그렇게 하라고 대답했다. 반대할까도 싶었는데 웬일인지 나의 의견을 들어 주었다.

엄마는 안 된다며 뭐라고 하시지만, 오빠가 있으니 도전해 볼 수 있었다. 오빠는 반대하는 엄마에게 자기가 먹게 놔둬 보라며 한마디 거들어주었다. 난 엄마가 뭐라고 하셔도 수저질에 집중하였다. 밥을 흘리지 않기 위해서 꼭꼭 눌러 모아 첫술을 떴다. 엄마가 걱정할 만큼 밥이 많이 떨어지기는커녕 내 생각 보다 안 떨어졌다. 그렇게 시작한 새로운 식사 방법이 꽤 괜찮았다.

나는 불가능한 것을 가능으로 바꾸었다. 내가 혼자 먹는 것을 보신 엄마는 시간이 지나면서 받아들이셨다. 내가 스스로 식사를 함으로써 엄마도 허리 아파가며 먹여주지 않아도 되고, 나도 받아먹느라 불편을 겪지 않아도 되니 문제 해결이 된 셈이다.

　또한, 마음에 상처가 되는 말도 안 하게 되고, 안 듣게 되니 서로에게 도움이 되었다. 연로하신 엄마는 낯설고 새로운 것을 이해 못 하시지만, 그 고개를 넘고 나니 마음에 평화도 자연적으로 생겼다. 나는 이토록 스스로 서기까지 애태우고, 고민하며 포기하지 않고 노력한 끝에 해냈다.

서울을 가다

　힘겨웠던 날들은 과거가 되고 끝없는 싸움 중이지만 나의 시간은 흐르고 있다. 어디선가 손님이 오셨다. 나는 잘 들리지 않아 그분들이 하는 이야기를 들을 수 없어 오빠에게 간단히 들었다. 서울에 있는 병원에서 진료를 받을 수 있게 지원해준다는 내용이었다. 가난의 족쇄에 묶여 서울이란 큰 도시로 가는 것은 생각도 안 해봤고 꿈도 꾸지 못했었다. 서울이라는 말에 실감이 나지 않았다. 서울을 가기로 하여 그분들과 일정을 잡았다.

　팔다리가 몸의 앞쪽에 있어서 업힐 수 없기에 외출이 어려운 나의 상태로는 서울까지 가는 것이 어려웠다. 다행히도 이동을 도와

준다고 하였다. 그 말에 너무너무 고마움이 물밀 듯이 밀려왔다. 많은 것을 잃고 난 후 그저 작은 방에 갇힌 채 계절이 오고 가도 바깥에 한번 못 나가는 나였다. 진료도 받게 해주고 차까지 지원해준다고 해서 뛰지 못하지만 뛸 듯이 기뻤다. 나의 마음을 표현 안 했지만 기뻤고, 감동이었고, 정말 감사한 일이었다.

나의 삶은 극복해도 또 폭풍이 닥치면 극복을 하길 반복해야만 했던 삶이었다. 연속으로 오는 시련에 절망 속에 빠지고 외로운 싸움을 해왔던 나. 이제 어둠 속에서 희망이 보이는 것 같았다. 나는 조심스레 희망을 걸었다. 아무것도 모르던 그때는 서울이면 무언가 될 것 같았다. 날이면 날마다 서울 가는 날만을 손꼽아 기다렸다.

한 번도 가 본 적 없는 도시, 내게는 엄청나게 큰 도시 같았기에 설렜다. 나을 수 있는 기대도 하였다. 드디어 서울로 가는 날이 코앞으로 다가왔고 잠을 설치다 동이 텄다. 오빠의 도움으로 구급차를 타고 그분들과 같이 서울로 향했다. 그때만 해도 다행히 비스듬히 옆으로 누울 수 있어서 구급차를 타는 것이 가능했다.

병원에 도착해 접수하고 설레는 마음으로 기다렸다. 처음 들린 곳은 신경외과였다. 그분들은 어떻게 장애가 되었는지 모르는 데다 어떠한 질환인지부터 알아내야 한다는 생각에 우선 신경외과부터 진료를 보게 해준 듯싶다. 나의 차례가 되어 진료실에 들어갔다. 의사는 오늘이 며칠이냐고 물었다. 집에서는 달력이 높은 곳에 걸려 있어 평소에 잘 보지 않을뿐더러 방구석에서만 지내서 달력을 자주 보지 않았는데 갑작스러운 질문에 생각이 안 났다. 그래서 앞에 있는 책상에 작은 달력이 있어 힐끗 보고 답을 했다.

그리고 어떻게 이렇게 되었는지 묻기에 나는 답을 하였다. 나의 말을 듣고는 정형외과로 가서 진료를 받을 질환이라고 말했다. 다음은 내과계 진료를 보았고 그다음에 정형외과 진료 후 전체 사진을 찍었다. 서울에 서너 번을 올라가야 하는데 구급차가 있어 참으로 다행스러웠다.

평소 밖에 안 다닌 데다 날씨가 너무 추워서 턱이 갈리고 오돌오돌 떨렸다. 더욱이 팔이 굽혀지지 않아 옷을 제대로 챙겨 입지 못하고 잠바도 입을 수 없었다. 그러니 추위에 더 약할 수밖에 없었다. 찬바람에 불편했지만, 하루만 참으면 되기에 떨리는 턱에 힘을 주었다. 결과 보는 날이 많이 기다려졌다. 드디어 결과 보러 가는 날 그분들이 차를 가지고 데리러 오셨다. 내심 기대를 하면서도 결과가 안 좋게 나올까 걱정도 되고 설레기도 했다.

내 차례가 되어 의사를 만났다. 나는 걸려있는 상체 사진을 보았다. 의사는 혼자 밥을 먹을 수 있느냐고 질문을 했다. 그렇다고 답하자 자신의 팔을 들고 수저를 잡고 수저질하는 시늉을 했다. '팔이 이렇게 돼야 식사를 할 수 있는데'라고 하며 혼잣말을 하면서 수저질을 반복했다. 내게 어떻게 먹느냐고 묻지 않아 말을 안 했다. 이해하기 어려운지 고개를 절레절레하며 몸을 움직여 보라고 했다.

이 정도가 내가 움직일 수 있는 전부라고 말하자 관절 범위를 손으로 확인했다. "다 굳어 버렸네."라고 하며 의자에 앉아 사진을 보고 이 뼈를 잘라내고 어깨에 인공관절 수술을 해서 운동을 하면 어깨를 쓸 수 있다고 말했다. 난 잘 듣지 못해 제대로 파악하고 있는지 눈과 귀를 의심했다. 내 생각에는 관절 주변에 불필요한 뼈만 제거하면 팔을 쓸 수 있을 것 같은데 어깨뼈를 통으로 자른다고 하여 조금은 놀랐다.

진료실을 나와 오빠에게 물었다. 역시 내가 파악하고 있는 그대로였다. 그래서 오빠에게 원래 뼈를 잘라야 한다면 수술을 안 하겠다고 말했다. 절대로 그렇게 하는 것은 싫다고 했더니 웬일인지 알았다고 답을 하고 나중에 이야기하자고 했다. 의사가 하라는 대로 밀어붙일 줄 알았다. 저번과 달리 나의 의견에 긍정의 반응을 보였다.

그다음 진료는 B 교수님으로 넘어갔다. 나를 보시더니 잠시 어디를 갔다가 오셨다. 목소리가 너무 작은 데다 다른 곳을 보고 이야기해서 무슨 말이 오고 가는지 알 수 없었다. 그러더니 옆방으로 다른 의사분들도 오는 것 같고 회의를 하시는 것 같았다.

고심 끝에 결정을 내리셨는지 일단은 이렇게 앉아 있으니까 편하게 앉아 있을 수 있게 해주신다고 하셨다. 그렇게 말하면서도 결정한 것에 대해 고민하는 것 같았다. 자세한 설명이 없으셔서 영문을 모르겠지만 전체적으로 장애가 심해서 그런가 하고 생각했다. 그리고 팔 수술에 대하여 언급하지 않았다. 먼저 본 의사는 아마도 나의 병에 대하여 잘 모르시는 분이었다. 나의 병을 알고 있었다면 수술 이야기는 쉽게 꺼내지 못했을 테니 말이다. 다음 병원 갈 예약 날짜를 받고 집으로 향했다.

오빠에게 병원에서 뭐라고 했느냐고 묻자 별말 안 해줘서 말해줄 것이 없다고 한다. 그때 당시만 해도 생소한 희귀질환이고 병에 대하여 별 자료가 없다 보니 말해 줄 것이 없었는지 모른다.

그 당시 나는 병에 대하여 아무것도 모르던 때였어도 무언가 느낌이랄까? 아니면 직감이 들었는지 관절을 자르는 수술이 썩 내키지 않았다. 물론 B 교수님의 진료를 보고 그 수술은 무효 된 것이지만 만약 병원에서 나의 병을 모르고 그대로 다시 거론했다면 수술했을지도 모른다. 지난번 주사 사건도 그렇고 나에게 모든 결정권이 있는 것이 아니니까 말이다.

오빠는 딱히 궁금한 것이 없는지 모르겠지만 난 궁금했다. 다음에 병원 가면 병명을 가르쳐 달라고 하라고 말했다. 다른 것은 모른다 해도 병명만큼은 알아야겠다는 생각이 많이 들어서다.

이제부터 나의 앞에 기다림이란 시간이 놓였다. 기대와 설렘으로 하루하루가 기다려졌다. 조금은 좋아질 수 있으리라 희망도 품었다. 그러던 중 사고가 났다. 평소처럼 의자 위에 라면을 놓고 혼자 식사 중이었다. 면만 건져 담아 누구의 도움 없이 긴 포크를 사용해서 먹었었다. 집에 재료가 없어서 나무젓가락을 네이프로 이어 붙여 길게 만들었다. 반찬을 집어 먹을 때 젓가락 대신 사용했었다.

라면은 면만 건져 담아도 국물이 흐르고, 길어서 밥보다는 먹기 불편하고 어려움이 따랐다. 평소처럼 천천히 조심스럽게 먹고 있었다. 팔을 굽힐 수 없어 면을 포크에 걸치고 입에 넣기 위해 상체를 가능한 한 기울여야 했다. 또한, 숙이지 못하는 목을 조금이라도 숙이려고 애를 쓰고, 억지로 갈비뼈를 우그리고 겨우 한입을 먹는다.

조심조심 먹다가 순간 쓰러졌다. 포크가 입에 닿기 어려워 자꾸 몸을 기울이면서 먹다가 중심을 잃었다. 그래서 상체를 제 위치로 일으키지 못하고 그대로 넘어갔다. 순식간에 일어난 일에 놀랐다. 가슴이 쿵쿵거리고, 몸 일부분이 의자에 걸쳐져 꼼짝없이 있어야 했다. 조금이라도 움직였다가는 가벼운 플라스틱 의자가 밀려서 바닥으로 낙상하기 때문에 숨 쉬는 것도 조심스러웠다.

혼자 일어날 수 없어서 급히 오빠를 불러 상체를 일으켰다. 난 안전손잡이를 꽉 잡고 놀란 가슴 쓸어내리며 숨을 골랐다. 예전에 큰 재발이 발생했던 좌측 엉덩이 쪽으로 쓰러져서 조금 불편하였다. 그래도 낙상이 아니라서 괜찮거니 하고 대수롭지 않게 여겼다. 바닥으로 떨어지지 않아 안도하고 참으로 다행이라고 생각했다. 그러나 그것은 나의 크나큰 착각이었다. 시간이 흐름에 따라 점점 통증이 가해졌다. 살짝 쓰러진 것이니 '금방 나아지겠지.'라고 생각했지만, 현실은 그렇지 않았다.

엉덩이 옆으로 큰 뼈가 있는데 쓰러질 때 그 뼈가 눌리면서 깔고 몸이 넘어갔다. 그때 팽팽하게 있던 조직들이 어긋나고 놀랐는데 그것이 나의 몸에는 충격이 되었다. 그 작은 외부적 충격에 재발을 일으키고 말았다. 나는 또다시 고통의 늪으로 빠져 버렸다. 기다림과 설렘으로 가득한 날이 될 것이었는데 악몽으로 변했다.

그렇게 조심하며 지냈는데도 불구하고 또 다치게 돼서 휘청거리는 이 마음 어찌할 수 없었다. 고통에 허우적거리며 가슴이 갈가리 찢어졌다. 서지도 걷지도 못하고, 움직이지 못하는 다리인데 왜 또 통증을 겪어야 하는가? 쓰지는 못해도 아프지나 말아야지. 난 왜 매번 다쳐야만 하는가? 다른 사람들은 넘어지고도 잘만 일어나고 이렇게 되지 않는데……. 누구를 탓하고 원망해야 하는가? 어쨌든 나의 실수이니 내 탓이었다.

통증이 파고들어도 약도 못 먹고, 방법이 없어 고스란히 고통을 겪어야 했다. 모두가 잠든 밤이면 외로이 통증과 싸우며 서글퍼졌다. 팔을 마음대로 움직일 수 없어 아픈 곳을 만질 수 없기에 더 괴로웠다. 나는 왜 이토록 다치고 아파야 하는지 한스러울 수밖에 없었다.

빨리 병원에 갈 날이 오기만을 기다리는 것이 내가 할 수 있는 전부였다. 만약 병원에 갈 예정이 없었다면 절망에 빠졌을지도 모른다. 그런 기다림도 없었다면 언제쯤 통증이 물러날까 더 애태웠을 듯싶다. 무언가 붙잡고 그날이 오기만을 기다리는 것이 조금은 버텨내기 수월할 수도 있었으니 말이다.

뾰쪽한 정을 뼈에 대고 망치로 내려치는 듯한 심한 통증에 시달리며 목 빠지게 날짜가 가는 것을 기다렸다. 왠지 모르게 그 시간이 너무나 길게 느껴졌다. 이번 재발도 오래가고 병원 가는 날이 코앞에 오기까지 통증은 줄어들 기미조차 없었다.

긴긴밤 뒤척거리다 아침이 밝아 휠체어에 앉았다. 집에서는 오전 내내 화장실을 가지 않지만, 밖에서는 화장실을 가야 해서 간단하게 한술 뜨고 물은 마시지 않았다. 밖에서는 화장실 가는 것이 쉽지 않기에 최대한 먹지 않아야 한다. 병원은 그리 먼 거리가 아닌데도 추위를 타서 그런지 소변을 자주 보게 되고 매번 급했었다. 시간이 되자 그분들이 차를 가지고 데리러 오셨다. 나는 그제야 조금은 안심이 되었다. 병원에 가면 지겹도록 나를 괴롭힌 길고 긴 이 통증을 해결할 수 있으리라 생각했기 때문이다.

조금만 더 참으면 된다고 나 스스로 다독이고 위로해왔던 지난날들에 나도 모르게 눈물이 흘렀다. 아파도 마음대로 할 수 없는 답답함을 그 누가 알까마는……. 통증을 참아내느라 하루하루가 고달 팠다. 드디어 오빠의 도움으로 밖으로 나가 차에 몸을 실었다. 옷깃으로 파고드는 바깥바람은 차디찼다. 하늘을 보며 '이제 해방될 수 있겠구나.' 싶어 가슴이 시려왔다.

출발과 동시에 차가 덜컹하자 다리 통증이 급격히 심해졌다. 차가 흔들리면 관절이 덜렁거리며 아파졌다. 고르지 못한 길에서도 흔들리고 특히나 높은 과속방지턱을 넘을 때는 몸과 다리가 더 많이 위로 떴다가 내려오며 덜컹해서 아~악 소리가 나올 만치 통증을 유발했다. 이를 악물고 참으면 참기가 수월할까? 그러나 생각처럼 턱이 다물어지지 않았다.

무릎에 손이 조금밖에 닿지 않지만 급한 대로 다리를 받쳐 보았으나 고관절은 제멋대로 흔들렸다. 손이 원하는 부근까지 닿지 않아 다리를 붙잡기 어려웠다. 그렇다고 달리는 차를 세우기는 죄송하고 미안해서 말을 할 수 없었다. 내차라면 세울만한 곳에 세우고 어떻게 자리를 고쳐보지만 워낙에 다리가 많이 떠 있어서 무엇을 받쳐도 별로 나아지지 않았을 듯싶다.

다리가 굳어 바닥으로 내릴 수 없어서 공중에 들고 있다. 그래서 약간의 흔들림에도 출렁다리처럼 힘없이 출렁거렸다. 한번 흔들릴 때마다 통증이 콱콱 쑤시며 밀려들었다. 어쩔 수 없이 그 시간을 참고 이겨 내야 했다. 차가 흔들려서 그렇게 아플 것을 미리 알았다면 베개나 이불을 접어 다리 사이에 끼웠을 텐데 그럴 줄 생각지 못했다. 지난번 다닐 때는 그렇지 않았기 때문이기도 했다.

머리에 베는 것을 포기하고 다리 사이에 끼웠는데 너무 낮아 소용이 없었다. 병원에 도착할 때까지 극심한 통증과 싸워야만 했다. 통증이라면 소름 돋고 진저리가 났다. 얼마나 참아야 끝나는지 알 수 없는 것이 답답하기 그지없다.

병원에 도착해 입원하고 오빠는 그분들을 배웅했다. 이번에는 입원하는 거라 기다릴 필요가 없기 때문이다. 병실이 없어 2인실이 배정되어 병원비 많이 나오겠다며 오빠는 걱정하였다. 지원받는 것이라 부담스러워서다. 오빠는 6인실에 자리가 비는 대로 옮길 수 있게 해달라고 부탁을 해 놓은 상태였다. 환자복을 주기에 윗도리는 팔을 넣을 수 없어 입지 못하고 바지만 입었다.

오빠에게 수술하게 되면 아픈 다리 먼저 했으면 좋겠다고 미리 말해 두었다. B 교수님이 오셔서 수술에 관해 이야기하시면서도 여전히 조금 고민하시는 듯했다. 그때는 교수님이 고민하는 것을 이해하기는 했어도 정확한 이유는 알지 못했다. 훗날 FOP에 대하여 알게 되니 망설인 이유를 알게 되었고, 쉽게 결정하기에 어려웠다는 것도 알게 되었다. 아무튼, 좌측 다리를 먼저 수술하기로 했다.

그 후 마취 전문의가 와서 턱이 얼마나 벌어지는지 확인을 했다. 이 정도라면 삽관이 가능할 것 같다고 말했다. 그리고 주의해야 할 것을 설명하고 갔다. 목 안을 보기 위해 입으로 넣는 소형 내시경을 깨물면 안 된다고 했다. 절대로 턱을 닫으면 안 된다고 신신당부하듯 설명을 재차 했다. 알았다고 대답을 했지만, 걱정되었는지 깨물면 기계가 고장 난다며 비싼 기계라고 덧붙였다.

수술 당일 수술실로 향했다. 추위를 많이 타서 부들부들 떨렸다. 기다리는 시간이 오래 걸려 점점 추워졌지만 어쩔 수 없이 참았다.

드디어 수술실로 들어갔고 누군가가 물주머니를 팔 위에 놓아 주었다. 몸에 대줘야 따뜻하고 몸이 녹는데 내가 보통 사람들처럼 팔을 접고 있는 줄 알았는지 그렇게 놓았다. 어쨌든 너무 춥다 보니 생각해주는 사람이 있다는 것이 고마웠다.

이것저것 하느라 다들 바빴고 마취 전문의가 왔다. 돌돌 말려 있는 붕대를 입안에 한쪽으로 치아 사이에 밀어 넣었다. 내가 턱을 닫을까 봐 고정하느라 그런 듯싶다. 그리고 내시경을 들고 나를 보며 이것을 깨물면 안 된다고 또 말했다. 대답을 바라는데 입을 움직이지 못하게 해 놓고는 말을 시키면 할 수 있나? 턱을 고정하기 전에 물었더라면 답을 했을 텐데 말이다. 고개도 끄떡이지 못하는 난 의사소통이 불가능했다.

내시경을 입안으로 넣으며 불편하면 주먹을 쥐어 신호하라고 하더니 나의 손은 신경 쓰지 않아서 신호했으나 다들 보지 못했다. 모든 준비를 마쳤는지 다시 내시경을 입안에 넣더니 다른 무언가가 목으로 들어오고 의식을 잃었다. 삽관되는 동시에 마취가 끝난 것이었다. 일반적으로 마취 후 입을 크게 벌리고 기구로 기도를 열어 삽관하는데 나는 턱의 장애로 불가능하다.

잠시 후 깨우는 것 같아 일어나다가 졸려서 자려고 했다. 또 깨워서 '무슨 영문인가?' 하며 눈을 뜨니 다 끝났다고 일어나라고 했다. 10분도 안 된 것 같았고 자고 싶은데 못 자게 깨웠다. 생각해 보니 수술실에 들어온 기억이 났고 조금 더 정신을 차려 보니 목이 아팠다. 마취 후 얼마 지나지 않은 것 같아서 수술을 못 하게 되었는지 헷갈렸다.

목에 있는 것을 빼 달라고 하니 안 된다며 이따가 빼주겠다고 한다. 목이 불편해서 재차 빼주길 원하자 이제는 안전하다고 판단했는지 삽관된 것을 빼주었다. 목이 너무 불편하고 아팠는데 빼고 나니 살 것 같았다. 아마도 다른 사람들처럼 삽관이 쉽지 않으니 위험을 대비하여 빼지 않고 그냥 둔 듯싶다.

이따가 오빠를 만나게 해준다며 기다리라고 하였다. 난 병실에서 난리가 난 줄도 몰랐다. 나중에 안 사실인데 예정된 시간 보다 많이 지나도 내가 오지 않아 오빠는 속이 시커멓게 타들어 가고 걱정을 많이 했다고 한다. 왜 안 오는지 알아봐 달라고 했는데 전달받지 못했다. 오빠가 내 걱정을 그렇게까지 했다고 해서 미안해졌다. 병실로 와서 침대로 이동했다. 나는 그때부터 아무도 모르는 원인에 의해 또 다른 고통 속으로 빠져들어 갔다.

마취가 덜 풀렸는지 비몽사몽 정신이 맑지 않았다. 수술해서인지 아니면 약 때문인지 그렇게나 아프던 다리는 덜 아팠다. 그러나 생각지 못하게 배가 아프기 시작했다. 식사 시간이라 죽이 나왔는데 옆으로 누운 채로 오빠가 먹여주어 받아먹었다. 밥이 들어가자마자 배의 통증이 급격히 심해지며 나를 괴롭게 했다. 못 먹겠다고 하자 오빠는 화를 냈다.

오빠 역시 끼니를 거르는 것을 싫어했다. 내가 고집을 부릴까 봐 단칼에 꺾으려고 화를 낸 듯싶다. 속 썩이지 말고 먹으라는 말에 배는 아파죽겠는데 강요를 해서 짜증이 올라왔다. 한술 두술 먹을수록 심해지는 통증 때문에 마음대로 안 되어 속상하고 서러웠다.

전에도 겪은바 먹는 데 문제가 있는데 억지로 먹으라고 할 때가 제일 힘든 것 같다.

오빠도 나 때문에 속이 말이 아니겠지만 무엇보다 마취가 안 풀려 정신이 없었다. 오빠가 걱정하지 않게 하고 싶어도 아프니까 뜻대로 되지 않았다. 마취 때문인지 배가 어디가 어떻게 아픈지 감이 잘 안 오고 아픈 것만 느꼈었다. 물이든 밥이든 위에 닿기만 하면 심한 통증이 일어났다.

통증이 줄어들지 않아 약을 세게 늘렸다. 그러나 그 방법이 안 통했고 하룻밤이 지나도 여전히 통증이 심해서 아프다고 말했다. 의사는 "약물이 이미 없어졌을 텐데…."라고 하며 이상하다고 고개를 갸우뚱했다. 약물 때문인 것 같지 않지만, 위세척이나 한번 해보자며 준비해서 와 위세척을 해주고 갔다. 그렇게 조처했으나 나아지는 기미는 보이지 않았다.

오빠도 무슨 말을 어떻게 해야 할지 곤란해하는 것 같았다. 나도 더는 아프다고 말하기 난처해서 그냥 참았다. 배가 나을 때까지 식사 때문에 오빠와 얼굴 붉히게 되지만 어쩔 수 없는 일이었다. 내가 얼마나 아픈지 의사도 오빠도 이 고통을 모르기에 그저 답답하고 서글펐다. 그때 만약 내과 의사라도 왔었다면 장이 멈춘 것만이라도 알 수 있었을지 모른다.

선풍기 바람에도 영향을 받는 나의 몸뚱이인데 수술 전 긴 대기 시간과 끝내고 병실로 오기까지 기온이 너무 낮은 곳에 오랫동안 있었다. 또한, 산소 호흡기 공기도 차가웠다. 수술 대기 전부터 몸이 얼기 시작해 위와 장이 얼어 장운동이 멈춘 것이었다. 그런데 마취 상태라 몸이 찬 것을 느끼지 못했다. 그래서 몸을 따뜻하게 해야 한다는 생각을 못 했다. 평소였다면 추위를 느껴 따뜻하게 하려고 했을 텐데 몸도 정신도 비몽사몽 헤매며 생고생까지 하게 되었다. 여러 원인에 의해 아팠다는 것을 나중에서야 알게 되었다.

그런데 불행히도 또 다른 문제가 있었다. 수술 후 침대로 이동하고 나서 누운 자리가 계속 불편하였다. 시간이 흐를수록 등이 점점 아파져 왔다. 수술 전에도 침대가 불편했지만, 엄청 불편해져 이상하게 여겼다. 그러나 여러 가지 겹쳐서 정신이 없어 더 깊게 생각지 못해 오빠에게 등이 아프다고만 했다.

참고 참다 한계에 다다라 도저히 못 누워있을 만치 아팠지만, 다른 쪽으로 못 눕기에 자세를 변경할 수 없었다. 배도 아프고 몸은 무거워 이러지도 저러지도 못했다. 피곤한 오빠에게 부탁하기 미안해서 참았는데 어쩔 수 없이 머리를 살짝 들어 달라고 도움을 청했다. 오빠가 힘든 것이 마음에 걸렸지만, 스스로 몸을 들썩이지 못해 당장 어떻게 할 수 없었다.

오빠가 머리를 몇 초 동안 들어주면 바닥에서 등이 띄워지는데 그 잠깐만 덜 아프고 놓으면 심히 아팠다. 마취가 덜 풀려 원인을 찾을 생각도 못 하고 아픈 것만 알 뿐 사경을 헤맸다. 시간은 왜 그리 더딘지 이따금 머리를 들어주길 요청할 뿐이었다.

내가 아파하니 오빠도 속상했을 듯싶다. 두 곳의 아픈 원인도 모른 채 시간은 흐르고 아침이 밝았다. 통증은 전혀 줄어들 기미조차 보이지 않았다. 다리를 치료하려다 고통을 더 얻게 되었다. 고통에 몸부림치던 중에 옆구리에서 접은 시트를 발견했다. 빼 달라고 해서 보니까 두껍게 접어서 단단했다.

시트의 가장자리가 볼록 나온 뼈에 맞닿아 피부에 상처가 나고 있었다. 또한, 등과 옆구리가 평평하지 않은데 하필 두꺼운 시트가 있어 높다 보니 갈비뼈가 눌리며 어긋나서 통증이 나타났다. 갈비뼈와 피부가 아파서 한숨도 잘 수 없었다. 내가 정신이 있었다면 배기는 불편을 느꼈을 텐데……. 약물 때문인지 몸의 감각도 정상적이지 않아 까맣게 모르고 있었다.

엄청 두꺼운 시트를 본 나는 "아이고~ 그러니까 아프지." 소리가 절로 나왔다. 그것 하나 때문에 아파하고 오빠까지 힘들었다. 그렇게 삼중고를 겪어야 하는 것이 기막혔다.

수술 중에 옆구리가 떠 있어서 시트를 받쳐 준 것이었다. 끝나고 뺐으면 그런 일이 일어나지 않았을 텐데…. 병실 침대로 옮길 때도 시트째로 들어서 옮기고 시트는 빼지 않았다. 이동 중 시트가 갈비뼈 쪽으로 밀려 불편을 초래하게 되었다.

난 그런 줄도 모르고 '왜 이렇게 갈비뼈가 불편하고 아프지?' 생각만 하고 자리는 확인할 생각을 못 했다. 손이 옆구리까지 닿으면 아파서라도 만지다가 발견했을 텐데 팔을 마음대로 움직이지 못해 아파도 꼼짝할 수 없다. 뒤늦게 발견했지만 피부가 꽤 상처를 입은 후였다. 사람이란 실수도 하기 마련이고 엎질러진 물인데 어쩌겠는가? 그렇게 삼중고에 시달리며 시간이 흐르기만을 기다렸다. 배가 아픈 것은 원인을 모르니 시간이 약인 셈이다. 끼니때면 먹어야 해 더 고통스러웠지만 내 마음대로 할 수 없었다.

몸은 무겁고 여기저기 아파서 몸부림치는데 옆에 환자가 가습기를 가져갔다. 간호사가 오고 가다 내 옆에 있던 가습기를 옆 환자가 가져간 것을 알고 돌려주라고 했다. 그런데 안 주고 계속 사용해 간호사가 다시 말하자 자기도 필요하다며 불만을 늘어놓았다. 간호사는 수술한 사람만 해주는 건데 수술하신 지 오래되셨고 옆에 사람은 수술해서 필요한데 가져가면 어떻게 하냐고 말했다.

나이도 드실 만큼 드신 분이 내가 더 필요하다며 큰소리로 따져 댔다. 간호사는 아줌마가 뭐라고 해서 어쩔 줄 몰라 우리에게 어떻게 하느냐고 말했다. 오빠가 내게 "어떻게 할까? 그냥 주자."라고 묻기에 그러라고 했다. 오빠는 간호사에게 그냥 쓰시게 두라고 답을 주었다. 만약 어느 한쪽도 양보를 안 하면 시끄러워졌을 듯싶다.

나는 그런 것에 신경 쓰고 싶지도 않고 싸우기도 싫었다. 정말 자기만 아는 이기적인 사람을 병원에서 만나게 될 줄은 몰랐다. 빼앗아 가는 환자나 가져오란다고 가져가는 보호자나 똑같은 사람들이다. 먼저 양해를 구하면 나도 언짢지 않고 기꺼이 내주었다. 나에게는 가습기가 눈에 들어오지 않을뿐더러 아픈 것이 더 중요했다. 신경 쓰기도 버겁고 고통을 참느라 바빴다. 가져가거나 말거나 신경 쓰지 않았는데 간호사와 그분들과 마찰이 생겨서 그리되었다. 그렇게 신경 써주고 생각해주는 간호사가 있었다.

수술 그 후

극심했던 배의 통증이 조금씩 해소되어 감에 따라 여유가 조금 생겼다. 누운 채 수술한 다리의 무릎을 밀어 보았다. 그런데 이게 웬일인가? 손으로 미는데 다리가 내려가는 것이 아닌가! '꿈인가? 현실인가?' 실감을 못 느껴서 다시 밀어 보았는데 내려갔다. 엉덩이에 큰 뼈가 생긴 후로는 조금도 내려가지 않던 다리가 내려가니 신기하였다. 반대로 바지를 잡고 당겨 보았는데 올라왔다. '어. 다리가 움직이네.'라고 하며 속으로 놀라워했다.

내게는 마치 꿈같은 일이었다. 크게 재발이 되고, 오랫동안 쓰지 못하여 사용했던 느낌마저 잃었다. 그런 나로서는 신기할 수밖에 없었다. 오빠에게 말하니 수술할 때 다리를 벌려 보았는데 거의 정상적이었다고 한다. 오빠의 말에 꿈은 아니라는 것이 조금씩 실감이 났다. '지금은 다리에 힘이 들어가지 않아 늘어져 있지만, 몸을 회복하고 운동하면 좋아질 수 있겠구나.' 싶었다. 난 다시금 작은 희망을 품었다.

깁스를 맞추러 아래층으로 내려가 깁스 실로 들어갔다. 깁스를 맞추기 위해 작고 폭이 좁은 나무 위에 꼬리뼈 부분을 올려놓았다. 내 몸이 기울어지자 오빠에게 잡으라고 했다. 그런데 꼬리뼈만 올려진 채 나의 무게가 그곳으로 쏠려 통증이 밀려왔다. 안 그래도 살도 없는데 볼록 나온 뼈가 있어 죽을 맛이었다.

사람들이 균형만 유지하도록 기울어지지 않게 잡고만 있어서 내 무게가 분산되지 않아 너무 힘들었다. 발목을 위에서나 옆에서 잡지 말고 아래에서 위로 향하게 받쳐 주었더라면 무게가 조금은 분산되었을 텐데 누군가 잡으라고 지시하니 그냥 덥석 잡았다. 아니면 상체에 쿠션이라도 받쳤다면 도움이 되었을 텐데 말이다. 남자들이 많은데 돕는 사람은 적고, 모두 깁스하는 것을 구경했다. 꼬리뼈가 너무 아픈데 낯선 사람들 앞에서 소리도 못 지르고 속으로 고통을 참느라 애썼다.

시간도 오래 걸려 언제 이 고통에서 빗어날까 빨리 끝나길 바랄 수밖에 없었다. 부들부들 떨며 이를 악물고 버티어 내었다. 끝나고 나서 침대에 내려놓는데 아찔하였다. 깁스 제작에 시일이 걸렸고 위아래 반깁스로 제작해 벨트로 풀었다가 끼울 수 있는 구조였다.

깁스를 채우고 시간이 흐르니 여기저기 아파져 왔다. 병원에서는 화장실 가기 쉽지 않았다. 그런데 깁스를 하고 있어서 오빠가 나를 다루기가 더 어렵고 힘에 부쳤다. 물을 먹지 않아도 가야 하기에 오빠의 도움을 받아야 했다. 화장실을 가려고 침대에서 내려오다 발목이 꺾이는 사고가 났다. 깁스해서 둘레가 더 커진 하체 때문에 오빠 혼자 안을 때 힘이 부족하고 벌벌 떨며 버거워했다.

어쩔 수 없이 오른쪽 발을 써서 바닥을 디뎠다. 까치발로 바닥을 디뎌야 하는데 깁스를 착용하고 있어서 다리가 내려가지 않았다. 그래서 발을 제대로 조절 못 하여 발목이 바깥쪽으로 꺾이고 발가락도 꺾였다. 오빠가 순간 놓쳐서 몸이 기울어지는 바람에 발이 그렇게 되었다. 그래도 놓친 순간 다시 잡아서 바닥에 쓰러지지 않아 다행이었다. 깁스를 안 했을 때는 오른쪽 다리에 힘을 써서 거들었는데 불가능하게 되었다.

그리하여 화장실을 갈 수 없어 소변줄을 해달라고 부탁했더니 그것은 안 해주고 그때그때 부르면 해준다고 하였다. 나중에 보니 일회성 카테타로 해주는 것이라 매번 불러야 했다. 소변을 덜 뺐을 때는 오래 가지 못해 참다 참다 부르자 본 지 얼마 되지도 않았다며 툴툴거렸다. 바쁘다고 해서 부르기도 어렵고 부담스러워 어쩔 수 없이 다치더라도 오빠의 도움을 받아야 했다.

오빠는 간호해본 경험이 없고 허리부터 양쪽 다리 무릎까지 깁스하고 있는 나를 다루기 몇 배로 힘들었다. 나의 장애가 심해 다른 환자들처럼 침대에서 해결하지 못했다. 화장실을 가는 것도 큰 문제였지만 깁스를 하는 것은 더 큰 문제였다.

몸에 맞추었는데 깁스 안에서 몸이 틀어지는 것으로 보아 좀 큰 것 같았다. 깁스가 처음이라 잘 모르지만, 전체적으로 안 맞는 것 같았다. 무엇보다도 딱딱한 깁스에 볼록 나온 뼈들이 닿아 아팠고, 장시간 자극을 받게 돼서 재발할까 봐 걱정이었다. 나는 지금껏 많은 것을 잃어 더는 나빠지는 것이 무척이나 싫었다.

고통도 심하지만 나빠지는 것이 더 큰 문제여서 의사에게 말해 달라고 했는데 기다려도 오지 않았다. 의사 허락 없이 깁스를 풀 수 없으니까 말이다. 다음날 와서 보더니 별말 없이 그냥 갔다. 그 다음 날도 깁스로 인한 고통이 이만저만이 아니어서 불편함을 호소했다. 애를 쓰며 참고, 이를 악물고 참으며 오랜 기다림 끝에 교수님이 오셨는데 풀라고 하지 않았다. 나중에서야 내게 불편함을 묻더니 깁스를 가져가 안쪽에 얇은 스펀지를 조금 붙여주었다.

그러나 깁스 안에서 몸은 여전히 비뚤어지고 뼈에 자극이 갔다. 수술한 다리는 강직이 있는지 잘 느낄 수 없지만, 위쪽으로 오그라들고 있었다. 그래서 무릎에 강한 압박이 가해졌다. 오그라드는 증상으로 인해 주위에 튀어나온 뼈가 딱딱한 깁스 벽에 짓눌려 통증도 유발하고 더 고통스러웠다. 살도 없는데 다리는 자꾸 위를 향해 밀어 피부도 아프지만, 지속해서 자극을 받으면 재발 되기에 걱정이 되었다. 결국, 나의 마음속에 절망이 자라났다.

병원에서는 이런 나의 상황을 아는지 모르는지 이해해 주지도 않고 나의 고통도 잘 모르는 듯했다. 교수님은 자세한 설명이 없으셔서 어떻게 되는지 잘 몰랐다. 현재 상황을 생각해 보니 깁스를 한 것으로 보아 앉은 자세를 유지하여 굳히려고 했던 것 같다. 오빠도 나와 같은 생각이라고 했다. 그런 이유로 아파서 찾아도 조치가 없었던 듯싶다. 깁스를 안 하면 원하는 위치에서 굳히지 못하니까 말이다. 그것을 알게 되니 작게나마 품었던 희망이 사라졌다. 그렇게 고통과 싸우며 며칠 더 지나 6인실에 자리가 비어서 이동했다.

그런데 내가 눕는 방향이 우측이라서 불편한 점이 생겼다. 나는 왼쪽으로 누울 수 없어 옆 사람에게 조금의 피해를 주어야 했다. 식사할 때와 침대에서 내려갈 때 우측으로 다녀야 하는네 괜찮은지 양해를 구했다. 다행히도 괜찮다고 해주어서 고마웠다. 오빠가 우측으로 다닐 수 있게 자리를 확보하려고 보호자 쪽 통로로 내 침대를 당겨 놓았다. 옆 사람에게 피해 덜 가게 가능한 좌측에서 다하고 불가능한 것만 우측에서 하였다. 오빠의 자리가 좁아져서 불편하지만 살살 움직였고 휠체어를 접어도 세우기가 비좁았다.

그렇게 자리를 잡고 사람들의 얼굴도 익히고 간병인이 있는 것도 알게 되었다. 난 앞쪽에 있는 사람들만 보였다. 끝으로 창가 쪽에 할머니가 계셨다. 고관절 골절로 입원했는데 뼈가 잘 붙지 않아 오래 입원하고 계셨다. 다른 사람들은 느끼는지 모르겠지만 난 할머니의 고통이 보였다. 어느 날은 남모르게 종종 눈물을 보이셨다. 문병 온 자식들 손주들 앞에서는 애써 웃으시지만 웃는 모습에 슬픔도 서려 있었다.

그런 할머니를 보고 '주말이라도 할머니와 있어 주지.' 하는 안타까움이 들었다. 외로움을 잘 알기에 그리고 아플 때일수록 더 외로움을 느끼는 것이 사람이라……. 간병인에게 맡겨 놓고 마는 것이 마음이 아팠다. 가족들이 가고 간병인이 배웅 나가고 나면 남몰래 눈시울이 젖어 눈물을 훔치는 할머니가 너무 마음이 쓰였다.

어느 날은 갑자기 의사가 들이닥치고 침대에서 주사를 놓더니 다리에 구멍을 내고 철 핀을 박은 후 다리를 고정했다. 아무래도 상태가 안 좋아져 조치한 듯싶다. 할머니의 일그러진 얼굴에는 언제 끝날지 모르는 고통에 괴로워하는 것이 보여 너무 안쓰러웠다.

내가 귀가 잘 들리면 뭐라고 말이라도 하련만 목소리가 작으셔서 한마디도 나눌 수 없었다. 나를 보고 뭐라고 하셔도 듣지를 못해 답을 못했었다.

　오빠도 조금씩 적응해가고 있었다. 혼자서 화장실을 해주느라 씨름하고 있는데 어떤 분이 이렇게 하면 새지도 않고 수월할 것이라며 가르쳐 주었다. 오빠가 해주는 것이 아프고 불편했지만, 침대에서 내려가는 것이 위험하고 서로가 힘들어지기에 참고했었다.

　등의 상처를 치료하려고 휠체어에 앉았다. 치료해도 좋아지지 않고 누워서 깔고 있던 부위라 테이프가 꽉 들러붙어 떼는 데에도 고통이 따랐다. 간호사의 권유로 왼쪽으로 누웠는데 어지럽고 너무 불편하여 제자리로 돌아왔다. 왼쪽은 어깨가 벌어진 상태로 굳어 팔을 몸쪽으로 붙일 수 없어서 제대로 누울 수 없다. 그리고 다리를 수술 한쪽이었다. 오랫동안 우측으로만 누워있다가 갑자기 좌측으로 누워 뇌가 적응을 못 해 어지러운 증상이 나타난 것 같다.

　상처 난 등을 계속 깔고 누워있어 1초가 고통이었다. 이 고통에서 너무나도 벗어나고 싶었다. 하필 내 자리가 좌측이라 오빠의 도움을 받기가 불편했다. 어쩌다 밖에 나갔다 들어 올 때 서 있으니 머리를 들어 달라고 부탁하곤 했다.

　그런데 깁스 때문에 여전히 괴롭고, 걱정이었다. 머리도 아프고 온몸이 저리고, 만지면 전기가 흐르듯 감각이 이상해지고, 피가 거꾸로 흐르는 듯 매우 불편해져만 갔다. 이대로는 안 되겠다 싶어 다시 불편을 호소했다. 괜히 더 버티다가 심해지면 나만 손해이니 말이다. 배가 아픈 것은 나아졌지만, 아직도 삼중고를 겪고 있어 이루 말할 수 없이 답답하고 괴로웠다. 나에게 아무런 결정권이 없어서 어떻게 해야 할지 몰라 속이 탔다. 시일이 더 흐르고 여차여차하여 깁스를 풀게 되었다.

어느 날 복도를 지나가는 데 간호사들이 수군거렸다. 아픈 것을 못 참아서 많이 봐준 거라며……. 다른 사람들도 다 그렇게 하고 잘만 참는데……. 라며 수군거렸다. 나는 그 소리에 기분이 안 좋아졌다. 물론 수술하고부터 아프다고 해서 그럴만하긴 했지만, 타인의 아픔을 가지고 당사자가 앞에 있는데 이러쿵저러쿵하였다. 별말 아니겠지만 그때 나의 상태로는 상처가 되었다.

하나하나 잃어가는 고통과 뼈가 생기는 고통을 그 누가 알까마는……. 약도 없이 생으로 고통을 참고 버텨왔던 세월이 얼만데 그 말을 들으니 억울하단 생각이 스쳤다. 헤아릴 수 없이 많은 고통을 겪어온 나지만 통증에 적응하지 못했다. 다른 사람들은 여러 번 경험하면 적응하는지 모르겠지만 난 그러지 못하였다. 몸을 스스로 가눌 수 있을 때는 그런대로 버텨냈는데 몸을 전혀 가누지 못하게 되니 고통도 배로 늘었다.

아픈 부위를 만질 수도 없는 데다 아픈 부분이 바닥에 닿아서 더 아파도 자세를 바꾸지도 못한다. 또한, 몸을 조금도 들썩거리지 못해 꼼짝없이 24시간을 그대로 있으려니 압박감까지 더해져 고통이 늘어난다. 그러므로 몸을 조금이라도 가눌 수 있었을 때가 고통을 참는 것이 조금은 수월했다.

몸을 전혀 가누지 못해서 부수적으로 따라오는 고통도 결코, 만만치 않다. 세월이 흐르며 육체의 고통이 길수록 커지는 데 적응이 가능한가? 나는 어찌할 수 없는 현실에 그냥 참는다. 그리고 아프지 않아도 될 등의 통증은 병원 측 작은 실수 때문이었다. 나의 고통과 고충을 반도 알지 못하면서 수군대는 사람들이 괜스레 싫었다. 그 사람들이 얼마나 아파봤는지 모르지만, 손가락을 베어 피가 흐르면 아파서 펄쩍 뛸 사람들 같았다.

이제야 처음으로 큰 병원에 와서 못 견디게 아프니까 아프다고 한 것이고, 병원이 아니고서 어디에 대고 아프다고 말해야 하는가? 특히나 난 다른 사람들과 다르다. 비교할 수 없는 대상과 비교해가며 타인의 아픔의 정도를 자기들 마음대로 생각했다.

병원 생활에 자리가 잡히고 집에 홀로 계신 엄마가 걱정되어 오빠는 간호사에게 식사와 화장실을 부탁하고 내려갔다. 추울 때라 보일러도 확인해야 하고, 잘 듣지 못하시기에 전화상으로는 한계가 있어 가봐야 했다. 나도 갔다 오라고 했다. 오빠가 없으면 힘들지만, 하루쯤 불편을 참으면 된다고 오빠를 안심시켰다.

머리를 들어줄 오빠가 없어 아픈 등을 어찌지 못하여 홀로 씨름하며 병실 천정만 바라보았다. 간호사들은 바쁘기에 부르지 않았다. '한 끼 정도야 굶지.'라고 생각했다. 다른 환자들처럼 입을 못 벌려 받아먹기도 어려운데 타인이 해주기는 어려울 수 있었다. 엄마도 조금은 보호가 필요해서 주 1회 집을 다녀왔다. 버스를 타야 해서 늦은 저녁에나 도착했다.

이런저런 불편함을 참고 병원 생활을 이어갔다. 어쨌든 퇴원하려고 했는데 허락이 쉬이 떨어지지 않았다. 입원한 지 한 달 하고도 보름이 넘어갔다. 너무 불편하고 힘들어 퇴원을 원한다고 재차 말을 해서 드디어 허락이 났다.

집으로 가려고 오빠가 한 바퀴 돌며 인사를 건네는데 창가 할머니가 동생한테 잘한다며 용돈을 주셨다. 안 받으려고 했는데 한사코 주셔서 받았다고 한다. 내가 혼자 누워있으면 어쩌다가 한번 먹을 것을 주시곤 하셨다. 팔이 올라가지 않아 집어 먹지 못했지만, 쿠키도 침대에 갖다 주셨다.

할머니는 병원 생활이 길어질 듯한데 퇴원하는 사람이 얼마나 부러우실까? 차가운 병실에서 가족 품이 얼마나 그리우실까? 생각하면 마음이 아프고 안쓰럽고 눈물이 핑 돌았다. 위로의 말을 해드리고 싶었지만 잘 듣지 못하고, 가까이 갈 수 없어 눈빛만을 보냈다. 물론 내가 말 하고자 하는 것을 모르시겠지만 말이다.

짐을 싸고 차를 기다렸다. 그분들이 차를 가지고 마중 오셨다. 병원 밖으로 나오는 나를 보시고 "치료받느라 팔이 이렇게까지 되었네."라며 고생했다는 뜻으로 말씀하신 듯싶다. 입원해 있는 동안 방문객이 없어 다른 사람들이 부럽고 쓸쓸하고 고통 속에 힘들었는데 그분의 한마디에 위안이 되었다. 비록 청각장애로 전부 듣지 못했지만, 그 한마디로도 충분했다.

집에 도착해 내 휠체어에 앉았다. 휠체어에서 숨을 고르는데 환경이 바뀌어서인지 어지러웠다. 내가 오는 것을 반기는 엄마는 표현이 서툴러도 행동과 커진 목소리에서 마음이 보였다. 혼자 계셨을 엄마를 보니 쓸쓸해 보이셨다.

병원 휠체어는 몸에 맞지 않아 불편했다. 나 스스로 조금도 자세를 고쳐 앉을 수 없었고 이동도 할 수 없었다. 그렇다고 휠체어까지 가지고 갈 수 없고 깔판 하나조차도 짐이 되어 가져갈 수 없었다. 짐이 많으면 그분들께 죄송하고 부담스러워서 말이다. 오빠도 부담을 느끼는 것은 나와 마찬가지다. 그래서 도와준다고 해도 마다해가며 내려주는 짐을 건네받아 빠르게 날랐다. 오빠도 힘들어서 가능한 최소한의 짐을 챙겼었다.

오빠는 그분들께 무엇을 해드리면 좋겠냐고 내게 물었다. 오빠나 나나 선물 경험이 없어 고민하다가 결정을 했다. 병원 치료는 끝나서 도움을 주신 분들께 감사의 인사로 성의를 표한다며 인사도 할 겸 시간 내서 직접 갔다 온다고 하였다.

밤이 되어 드디어 내 침대에 누웠다. 그러나 등의 상처 때문에 고통스러웠다. 오빠가 머리를 한 번이라도 들어주면 좋겠지만 모처럼 집에 와서 쉬는데 차마 부탁을 할 수 없었다. 그리고 집에 왔으니 이제 안 해준다는 오빠의 말에 조금은 서운함이 없지는 않았다. 오빠도 직장생활을 해야 하니까 손을 떼는 듯싶다. 예전처럼 아침저녁으로 침대에서 내려주고 올려 주는 것만 했다.

상처를 깔고 누워 잠도 오지 않고 아파 죽을 지경인데 조금도 몸을 들썩거릴 수 없는 이 몸뚱이에 괴로웠다. 참고 또 참고 끝없는 고통을 삼키며 시간은 흘러 여름이 되었다. 엄마가 연고를 발라주시는데 전혀 차도가 없었다.

밤새 침대에 누웠다가 아침에 일어나면 미치도록 가렵고 아팠다. 낮에는 누워서 깔고 있는 것이 아니고 앉아 있는데도 불구하고 날이 더워지니 상처에 열이 더 나서 화끈거리고 미치도록 살이 아렸다. 욕창은 나아지기는커녕 깊어졌다. 매일 나의 등을 보시는 엄마도 속이 시커멓게 다 타셨다. 상처에서 진물이 나와 옷에 들러붙고 매번 떼느라 씨름하였다.

밤이면 밤마다 어두운 허공을 응시한 채 아픔을 삼키며 '어떻게 해야 하나?' 생각에 잠겼다. 많은 시간을 흘려보냈어도 답은 나오지 않았다. 병원에서 치료 했을 때도 나아지지 않는데 뾰족한 수가 떠오르지 않았다. 그렇게 또 반년을 훌쩍 넘기고 너무나 지쳤다.

저녁에 누울 때 상처가 침대에 닿기 시작하면 전신이 수축하며 전율이 일고, 자지러질 만큼 아니 말로 표현 못 할 만큼 고통이 심했다. 끝을 알 수 없는 이 고통이 진저리치게 싫었다. 나는 눕는 것이 무섭고 두려워졌다. 밤이 되면 누울 자신이 없었고 더는 참을 힘도 용기도 나지 않았다. 밤새도록 휠체어에 앉아 있을 수 없어 어쩔 수 없음에 강제로 누웠었다.

그러던 어느 날 오빠에게 한 번만 똑바로 누워보겠다고 했다. 여태껏 바로 눕지 않은 이유는 다리 때문이었다. 다리가 높이 공중에 뜨게 돼서 똑바로 누워도 몸이 우측으로 돌아가 버렸다. 그리고 수술한 다리는 멋대로 쓰러져서 어떻게 할 수 없었는데 이제 세월이 많이 흘러 뼈가 굳었다. 수술할 때 내부 충격으로 재발을 일으켜 뼈가 생겼고 붙어 버렸기에 움직일 수 없게 되었다.

똑바로 자세를 잡지 못해서 항상 오른쪽으로만 누웠고, 오른쪽 다리 때문에 불편하게 누워있었다. 처음으로 바로 눕고 오른쪽 다리에 이불을 말아서 받쳤다. 똑바로 누우면 몸이 우측으로 돌아가는데 다리를 받쳐서 균형을 이루었다. 문제는 왼쪽 다리인데 너무 높게 들려 있어 받칠만한 물건이 없었다. 그래서 일단 들고 있어 보기로 했다. 그렇게 몸의 중심을 잡고 천장을 보고 잠을 청했다.

오른쪽으로 누웠을 때는 나의 무게가 고스란히 상처를 짓눌렀던 반면 바로 누웠을 때는 왼쪽으로 분산되어 상처가 조금 덜 눌렸다. 완전히는 아니어도 상처 가장자리가 바닥에서 약간 뜨게 되었다. 그리하여 그렇게나 나를 괴롭혔던 고통이 조금 줄었다. 똑바로 눕는 것이 매우 불편하면 제 자리로 돌려주길 부탁했었는데 오빠를 깨우지 않아도 됐다. 그 결과 아주아주 오랜만에 잠을 좀 잘 수 있었다. 그렇게 날마다 똑바로 누워있었더니 심해지기만 하던 욕창이 나아지는 기미가 보였다. 등만 덜 아파도 살 것 같았다.

그때는 상처가 욕창인지도 몰랐다. 상처 연고만 발랐을 뿐 어떻게 해야 할지 몰라 회복하는 데 오래 걸렸다. 욕창에 대하여 아는 것이 전혀 없었다. 작은 상처가 욕창이 될 수 있다는 것을 나중에야 알았다.

우측 다리도 수술하기로 했으나 욕창 때문에 고통과 싸우기도 바빴고 지병이 더 악화할까 봐서 병원에 갈 계획이 없었다. 이번 병원행에서 수술 부위에 재발이 발생하였으며 깁스로 인해 곳곳에 작은 재발을 일으켰다. 또한, 발목과 발가락 관절을 다치게 되었고 등의 욕창으로 인해 잠도 못 자고 오랫동안 고생을 하였다.

치료하러 갔다가 장애와 고통만 더 얻어 온 셈이다. 결론은 얻은 것은 없고 잃은 것만 존재했다. 수술한 다리는 고통이 끝이 없었다.

그때는 FOP를 모르는 상태였는데 우측 다리를 수술 안 하길 잘했다. 좌측 다리를 먼저 수술하고 예후가 나빠서 하지 않았지만, FOP는 수술 후 내부 충격으로 재발을 일으키기 때문에 하지 않는 것이 좋을 것 같다. 어쩔 수 없이 수술이 필요한 상황이면 신중히 생각해야 한다.

생사기로에 서서

언제부터인가 배가 이상했다. 나도 모르는 새에 나의 목숨 줄을 잡고 서서히 다가왔다. 평소 속이 안 좋기에 크게 불편하지 않아 '속이 안 좋아서 그렇겠지.'하고 생각 없이 시간이 흘러갔다.

그러던 어느 날부터 점점 심해지고 배가 불렀다. 위장에 밥이 들어가지 않는데 엄마가 안 먹는다고 뭐라고 하셔서 어쩔 수 없이 식사하였다. 밥양을 줄여도 아픈 것은 더해갔고 이제 무엇이든 위장에 닿기만 하면 너무 아팠다. 고통에 몸부림치는데 엄마는 아파도 조금이라도 먹이려고 애를 쓰셨다.

어느 정도 아파야 먹을 수 있는데 식사를 할 수 있는 상태가 아니었다. 배가 터질 듯이 못 견디게 아파서 숟가락 들고 쫓아오시는 엄마에게 "밥이 들어가면 아파 죽겠는데 어떻게 먹어?"라고 짜증을 내고 말았다. 엄마에게 그러면 안 되기에 여태 참고 먹었는데 한계를 이미 넘어서 더는 한 숟갈도 먹을 수 없어 말했다. 워낙에 완강하셔서 말로 해서 말릴 수 있는 분이 아니셨다. 엄마와 씨름하며 먹기를 거부했다. 걱정시키고 속상하게 해드려 그런 나도 마음이 편치 않은데 어쩔 수 없는 상황이었다.

엄마는 고민 끝에 코앞에 있는 보건소로 향했다. 걸을 수 없으니 어릴 때처럼 데려가지 못하고 업고 가지도 못하시기에 큰마음 먹고 가셨다. 의사에게 딸이 아프니 봐 달라고 사정하셨다. 그러나 쉬이 해주지 않았다. 무슨 문제가 있는지 외출하면 절대로 안 되는지 의자에서 엉덩이를 뗄 생각이 없었다. 손님이 없어 한산해서 그냥 있음에도 불구하고 아랑곳하지 않았다.

엄마는 절실하게 딸 좀 봐달라며 옛날에 그랬던 것처럼 애원하고 절을 했다. 자신의 손자뻘 되는 사람에게 말이다. 딸을 위해 모든 것을 또 한 번 내려놓으셨다. 엄마가 그냥은 돌아갈 것 같지 않아서인지 결국 승낙을 했다. 가까워서 잠깐이면 되는 것을….

엄마의 안내로 집으로 들어와 진찰하더니 당장 병원을 가야 한다고 의사는 말했다. 출근한 오빠가 연락받고 집으로 왔다. 동네는 작은 의원뿐이라 거리가 좀 있는 병원으로 향했다. 응급실로 들어가 증상을 말하니 코로 카데타를 넣었다. 그리고 사진을 찍고 기다렸다. 카데타 때문에 목이 아파서 기다리는 시간이 더욱 길게만 느껴졌다. 답답한 마음에 오빠에게 언제까지 기다려야 하냐고 물었지만, 오빠도 몰랐다.

한참 후에 사진을 찍고 가도 괜찮다는 말에 카데타를 빼고 집으로 왔다. 치료라곤 카데타를 끼워 놓았다가 뺀 것이 다였다. 엄마는 괜찮은 줄 아시고 밥부터 주셨다. 아파서 잘 먹지 못했으니 쓰러질까 봐 걱정되셔서 그러셨다. 위와 장은 있는 대로 너무 팽창해서 터질 듯이 아프고 배고픔을 느끼지도 못했었다. 별로 내키지 않지만 걱정하실 것 같아서 먹었다.

　그러나 다시 안 좋아지기 시작했다. 밥을 먹으니 통증이 나타나고 배가 불러 올랐다. 엄마의 성화에 어쩔 수 없이 먹다가 더는 안 될 것 같아 못 먹겠다고 했다. 웬만해서 말릴 수 없는 엄마이기에 조금 소리가 커졌다. 본인이 아니니 얼마나 아픈지 모르는 것은 당연하나 정말이지 안 되는 것을 자꾸 강요하니 짜증이 났다. 아픈 것을 떠나서 한계인데도 먹이려고 해 답답했다.

　굶어 쓰러지는 것도 문제지만 당장에 더 큰 문제가 있는 것을 어찌하는가? 결국, 오빠에게 배가 너무 아프다고 말했다. 오빠도 식사를 굶는 것을 싫어하는데 병원을 갔다 온 후여서 그런지 이해를 했다. 나은 거 아니냐는 물음에 먹으니 똑같고 더 아프다고 말했다. 오빠는 여기서 치료를 못 하니 서울로 가자고 하며 차를 예약했다. 그렇게 나는 서울행에 올랐다. 병원에 도착하여 건물을 보곤 '그때 이후로 안 올 줄 알았는데 다시 이 병원을 또 오게 되었구나.'하고 한숨이 나왔다.

　응급실로 들어갔는데 오래 기다려 의사를 겨우 만났다. 증상을 말했더니 역시나 카데타를 가져와 코에 끼우려고 하여 우측으로 넣으라고 말했다. 나의 상태를 모르니 말을 해주지 않으면 피해 보는 건 나 자신이기 때문이다. 좌측은 좁으니까 우측으로 넣으라고 했더니 별말 없이 알았다고 하며 카데타를 넣었다.

그리고 장이 움직이지 않는다고 했다. 또 한참을 기다려 사진을 찍은 후에 내과계 의사가 왔다. 다시 증상을 말하고 사진을 찍고 기다렸다. 한참 후에 사진을 확인하고 왔는지 무슨 검사를 더 해야 하는데 할 수 있는지 확인을 했다. 장애가 심해 가능할지 고민을 하였다. 의사는 자꾸 왔다 갔다 하며 진료를 보았다. 다시 와서 진통제를 주사하고 검사를 하거나 자세를 고정한 후 여러 명이 붙잡고 하거나 여러 방향으로 검사 방법을 말하는데 어려워했다.

방법을 생각해서 말하러 올 때마다 이대로 있으면 죽는다며 생명에 대해 너무 자주 거론했다. 의사가 그렇게 행동하여 오빠 속이 타들어 갔다.

보통은 그 상태이면 수술을 하게 된다. 그런데 검사를 안 하고 수술을 결정하기는 어려운 것 같았다. 그리고 나의 팔이 앞에 있어서 배를 수술하기는 실로 어려운 문제일 수 있다. 수술한다면 할 수도 있겠지만 팔이 걸리적거리니 평소처럼 자유롭게 움직이며 수술을 못 할 테고 성공 가능 여부조차 알 수 없다.

나는 팔이 앞에 있어서 수술은 어려울 것이라고 말하자 의사는 팔을 벌려 보라고 하였다. 난 이렇게밖에 안 된다고 보여 주니 고개를 절레절레했다. 의사는 어떻게든 검사하려고 고민했지만 팔이 앞에 있는 것을 알게 되고 어차피 수술도 어려운 상황이라 이제 검사를 포기한 듯싶다.

드디어 치료 결정을 내렸다. 그냥 있어도 죽고, 약물치료를 하다가 장이 터져도 죽을 수 있다며 어차피 위험한 것은 마찬가지니 약물치료를 해 보자고 했다. 의사는 약물이 독해서 위험할 수 있으니 염두에 두라고 하며 나갔다. 그 후 약물 투여가 시작되었다. 독한 약물이 링거 줄을 타고 사정없이 떨어지고 있었다.

집에서도 잠자리가 불편했는데 병원 침대는 너무 딱딱해서 바닥에 닿는 뼈들이 아팠다. 돌아누울 수도 없고 다리를 올려놓을 것도 마땅치 않았다. 금방 집으로 돌아갈 수 있는 줄 알고 참았는데 하루가 가고 이틀이 가고 너무 힘들었다. 오빠에게 자리가 너무 나쁘다고 하니 "곧 집에 가게 되겠지."라고 하며 조금만 참으라고 했다.

불행히도 그 조금만이 길어졌다. 그래서 이불이라도 하나 사면 안 되냐고 물었다. 곧 갈 텐데 참으라고 하며 갈 때 짐이 많아서 안 된다고 했다. 오빠는 나 하나 데리고 가기도 버겁다. 옆에서 도와주는 사람이 있으면 짐은 문제가 안 되었다. 그래서 병원 갈 때는 꼭 필요한 것 중에서도 선택해야 했다. 오빠가 힘든 것이 이해는 가지만 내가 죽을 지경이니 조금은 서운한 마음이 없지는 않았다.

카데타를 끼운 채 그대로 있어서 목이 엄청 불편하고 아팠다. 그리고 입을 다물지 못해서 턱을 비롯해 목 척추까지 아파져 왔다. 며칠간 치료해 배는 가라앉고 있어서 빼 달라고 했는데 오빠는 꾸중했다. 오빠의 눈치를 살피며 다시 말해보았지만, 의사가 빼주겠냐며 참으라고만 했다. 의사가 하는 대로 하라며 나의 말을 들어 주지 않았다. 의사가 허락하든 안 하든 말은 해봤으면 좋겠지만 생각이 다르니 어쩔 수 없었다. 오빠는 무언가 부족해서 치료가 더디거나 제대로 낫지 않을 것을 생각해서 그런 듯싶다.

정적이 흐르는 차가운 공기 속에 시간은 더디게 가고, 오고 가는 사람들만 있을 뿐 반복되었다. 어떻게 되는지 확인차 매일 사진을 찍고 침대에 누워있는 것이 고작이었다. 침대가 너무 불편해 뼈가 아파서 하루라도 빨리 집에 가고 싶었다. 나의 불편함과 고통을 그 누가 알까마는 외로운 싸움이었다. 내가 집에 가고 싶다고 했더니 오빠는 언제쯤 갈 수 있는지 물어보고 왔다. 아직 더 치료해야 한다는 말뿐이었다. 그렇게 고통을 이겨 내고 1주가 넘어가고 배는 거의 치료가 되었다고 했다.

 "집에 가도 되겠죠?"라고 묻자 안 된다고 하였다. 여태껏 아무 말 없다가 폐도 문제가 있다며 이왕 치료하는 김에 치료하고 가라고 했다. 그래서 도저히 더는 안 되겠다고 보내 달라고 애원하듯 말했다. 의사는 생각 끝에 배만 치료를 마무리하고 가라고 허락했다. 그리고 폐는 집에 가시 치료하라고 했다. 집에서 치료할 수 있도록 그쪽에 협조하게 해준다고 소견서를 가지고 가서 치료받으라고 했다. 시골이라 약물이 없을 것 같다고 했더니 그 정도는 있을 것이라고 하였다. 그렇게까지 챙겨 주니 고마웠다.

 '드디어 집에 가는구나. 조금만 더 참으면 된다.'라고 생각하니 보이지 않던 끝이 보였다. 남은 치료를 하고 끝나니까 코에 넣었던 카데타를 빼주었다. 카데타로 인해 목이 아프고 불편해 너무 힘겨웠는데 빼게 되니 '이제 지옥에서 해방되었구나.' 싶어 씁쓸했다. 그동안 입을 다물지 못하고 물도 못 마시고 입안이 말이 아니었다.

 죽은 먹어도 된다고 하여 생전 처음으로 즉석 죽을 먹었다. 집으로 향하는 길에 나도 모르게 눈물이 났다. 애써 눈물을 감추고 유리에 붙어 있는 필름 아래 좁은 틈으로 시선을 돌렸다. 제대로 보이는 사물은 없지만, 하염없이 흐르듯 지나는 것을 응시했다. 이번에도 역시 삼중고에 시달렸다. 아파서 오는 병원인데 병원에 있는 것이 더 아팠다. 병원행은 나에게 지옥이나 다름없기에 많은 것을 견뎌내야 하는 곳이고 차갑고 쓸쓸했다.

집에 오니 살 것 같았다. 집 생활도 여러모로 불편하지만, 침대는 병원 침대보다 딱딱하지 않아 그나마 나았으니 말이다. 오빠는 가져온 서류를 보건소에 가져갔다. 서류가 있어서인지 사정하지 않아도 집으로 왔다. 그런데 약물이 없다며 먹는 약과 주사로 변경하여 치료 자체가 완전히 바뀌었다. 처방된 대로 안 돼서 나는 하늘이 무너지는 것 같았다.

나에게 주사는 치명적인 결과를 가져오기 때문이었다. 그런데 그것을 한 번도 아니고 나을 때까지 맞아야 한다는 것에 절망의 나락으로 떨어졌다. 차라리 대체 약이 없었으면 좋았겠지만 다른 약으로 끼워 맞추었다. 오빠에게 주사는 안 된다고 말해보았으나 소용없었다. "어떻게 하냐. 치료는 해야지." 하며 나의 말은 듣지도 않았다. 물론 의사의 말을 들어야 하는 것이 맞긴 하지만 나의 몸을 지키는 것이 무엇보다 중요했다.

이번에도 오빠는 똑같았다. 몸을 보호 못 해 짜증도 나고 솔직히 말해 화도 났다. 답답하고 속이 터질 지경이었다. 병원에서 의사가 주사는 위험하다고 말했다면 오빠가 수긍했을 텐데 그저 동생의 말뿐이니 이해해보려고도 하지 않았고, 믿지도 못했다. 오빠가 서울 어느 큰 병원 의사에게 물었더니 "그런 병이 어디 있어?"라며 반

문을 했었다고 한다. 의사조차도 믿지 못하고 이해되지 않는데 내가 10번을 말한들 믿을 리가 만무하다.

그때만 해도 별별 희귀질환이 존재한다는 것을 의사도 사람들도 인식하지 못하는 시대였다. 나의 고충과 괴로움을 그 누가 알까마는 현실에서 나를 지키기에는 불가능했다. 내 의사와 상관없이 오른쪽 팔에 주사를 맞게 되었다. 이제 퇴원해서 회복도 못 했고 겨우 죽 조금 먹는 상태인데 복용하는 약이 독해서 위장 기능을 떨어트렸다. 보건소 의사는 큰 치료를 하고 내려온 나의 위장과 장 기능은 고려하지 않았다.

장이 멈추고, 막혀서 생사기로에 놓여 허우적거리며 싸우다 어렵사리 살아남았다. 그러나 코를 통해 카데타를 너무 오래 끼우고 있어서 개구 장애가 악화하였다. 카데타가 조금은 부드러웠다면 턱과 목에 무리가 덜 갔을 텐데 딘단하고 뻣뻣했다. 나의 틱 힘으로 턱을 닫고 있을 수 없을 정도로 휘어지지 않고 강했다. 또한, 근육 주사로 인해 오른쪽 팔도 재발을 일으켰다. 그나마 조금 움직일 수 있는 것을 앗아갔다. 그래서 아랫배에 조금 붙일 수 있었던 오른쪽 팔도 나의 몸뚱이 어디에도 닿을 수 없게 되고 말았다.

나의 병을 진단받고 의사로부터 주의사항을 직접 들었다면 당당히 말할 수 있었을 텐데 아무런 증거도 없어 무어라고 말조차 제대로 할 수 없어 또다시 나의 몸을 지키지 못했다. 병원 경험은 많지 않으나 병원만 갔다 오면 잃는 것들이 하나둘이 아니었다.

병을 치료하고자 병원을 가서 FOP의 재발로 인해 장애를 얻게 되니 병원이 두려웠다. 이동의 불편함과 불편한 병원 환경 때문에 매우 힘들었다. 또한, 나를 이해 못 하는 사람들 그리고 나에게 맞지 않는 처방은 나를 몇 번이고 절망의 구덩이로 밀어 넣었다. 이렇게 겪고 나니 아프지 말아야겠다는 생각이 들었다.

두 달쯤 묽은 죽을 3끼만 먹어 힘도 없고 살도 빠졌다. 안 그래도 개구 장애로 인해 먹는 것이 어려워 말라가는데 아무 영양 없는 죽을 먹으니 살이 유지되지 못했다. 밥을 먹기 시작하니 힘도 생기고 살 것 같았다.

의사는 수술한 것도 아니고 다시 장이 막힐 수 있으니 조심하라고 했다. 그 일이 아니었어도 난 늘 조심해야 했다. 왜냐면 팔이 올라가지 않아 수저를 입까지 올리기 위해 좌측 갈비뼈를 최대한 우그리고서 힘을 주고 그 자세로 오래 먹기 때문이다. 불편한 자세로 배에 힘을 잔뜩 주고 식사를 했던 행동이 장이 막힌 원인이기도 하다. 식사를 도와줄 사람이 없어 수저질하다 낙상 위험이 있고 항상 여러 위험에 노출된 상태이다. 그래서 육체적 장애로 인해 또 다른 고통이 추가로 생긴다. 나는 이렇게 또 턱과 팔을 잃어야 하는 아픔을 겪으며 이겨 냈다.

특별한 인연

어느 날 메일 한 통이 날아왔다. 메일을 읽는 동안 나도 모르게 뭉클하고 설렜다. 나와 같은 질환을 앓고 있다며 자신의 소개를 간단하게 했다. 같은 질환을 앓고 있는 사람의 메일을 처음 받아 본 것도 아닌데 왠지 느낌이 달랐다. 다른 사람들의 메일에서 느꼈던 급급함은 찾아볼 수 없었고, 차분하고 오래된 느낌이랄까? 그리고 부모나 지인이 아닌 환우 본인이었다. 난 언제나 그렇듯 부지런히 답장을 써서 보냈다.

병원을 갔다가 교수님을 통해 연락처를 받았지만, 그때 바로 연락을 못 했다고 했다. 조금 더 빨리 연락하고 싶었으나 그동안 몸이 매우 아팠다고 한다. 나는 늦게라도 연락을 준 것에 고마웠다. 그렇게 메일을 주고받다가 나에게 친구 하자고 했다. 여태껏 살아오면서 먼저 친구 하자고 손 내밀은 사람은 처음이었다.

부족한 것 많고 보잘것없는 나이기에 그래도 될지 고민했다. 다른 것보다 친구로 지내면 좋겠다는 말에 그러자고 하였다. 나에게도 드디어 친구가 나타났다. 외로움에 홀로 싸워야 했던 시간. 괴로움에 몸부림치던 지난날들. 내 편도 없고 나를 이해하거나 공감해주는 이 없이, 아무도 관심 가져 주지 않는 한길 위의 가장자리에 난 풀 한 포기처럼. 한 시절엔 사람들에게 무수히 밟히는 질경이가 되었고 때로는 벼랑 끝에 서서 비바람을 버텨냈던 과거의 삶.

이제는 홀로 외로이 서 있지 않아도 되었다. 아픔을 공감할 수 있는 이가 있고, 외로울 때 이야기 나눌 벗이 있으니 말이다. 컴퓨터란 차가운 기계 안에서 만난 인연이지만 우리는 그 누구보다 따뜻했다. 서로 안부를 묻고 인사를 건네 반겨주고. 알콩달콩 우정과 사랑을 키웠다. 난 친구가 생기고부터 메일함을 여러 번 들여다보고, 메신저를 열어 두고 '언제 오려나?' 하며 목 빠지게 기다렸다.

삼십여 년 동안 외로운 늪에 깊이 빠져 살아서인지 컴퓨터만 켜면 메신저를 하염없이 바라보았다. 나는 그 긴 세월 동안 내면에서 누군가를 기다려왔다. 외로움에 목말라하고 수없이 애가 타들어 갔다. 그래서 그런지 틈만 나면 컴퓨터를 켜고 친구를 기다렸다. 처음으로 사귄 친구였고 어렵게 만났기에 과하다 싶을 정도로 목을 빼고 기다렸었다. 그 기다림은 행복한 기다림이었다.

그래서 엄마에게 꾸중을 듣기도 했다. 혹여 내가 없을 때 와서 못 만나고 갈까 싶어 거의 하루도 안 빼고 매일매일 컴퓨터를 켰다. 컴퓨터가 말썽을 피면 못 볼까 싶어 애가 탔다. 세월이 흐르고 휴대전화가 생겨 문자도 하고, 어쩌다 한번 어렵사리 통화도 했다.

처음에는 청각장애가 있어 통화하기를 망설이고 많이 고민했다. 내가 얼마나 알아들을 수 있을지 행여나 친구가 나로 인해 힘들지 않을까? 걱정되었다. 사람마다 목소리가 다른 데 알아듣기 어려운

톤이 많았다. 처음 듣는 목소리 톤을 인지해야 하고 못 들었을 때는 앞뒤 단어를 조합하고 내용에 따라서 감으로 파악을 했다. 앞뒤도 다 못 들었을 때는 다시 물을 수밖에 없다.

첫 통화 때는 많이 떨리고 긴장해서 땀이 났는데 친구가 말을 편하게 잘 해주었다. 어쨌든 컴퓨터를 많이 안 하는 친구라 전화가 생기니 좋았다. 며칠씩 메신저에 안 들어오면 걱정을 많이 했는데 컴퓨터 외에 연락할 수 있으니 말이다. 우정은 더욱 깊어져 가고 슬픈 일도 기쁜 일도 함께했다.

긴 세월 끝에 만난 인연이다. 내가 가는 길 위에 같이 걷는 동반자가 되었다. 세상에 둘도 없는 벗이요. 평생을 동행할 친구다. 얼마나 기다려왔던가? 얼마나 그리워했던가? 때로는 산천초목을 보며 위안으로 삼았지만 무정하듯 밀이 없다. 이름 모를 누군가를 갈방한 세월은 유수같이 흘러갔다. 하느님께서 혼자인 내게 주신 선물이다.

고비 2

언제부터인지 평소보다 몸이 좋지 않았다. 그렇다 보니 입안의 상태도 같이 안 좋아졌다. 평소에도 나빠졌다가 조금 좋아지기를 반복했기에 그러려니 했었다. 나아지겠지. 생각했는데 날이 갈수록 상태가 나빠졌다. 늘 그랬던 것과는 다르게 심해지고 있어서 건강이 많이 약해졌다고 생각이 되었지만, 외출이 어려운 내게는 방법이 없었다. 그저 좋아지기를 바라면서 시간을 흘려보냈다.

아무런 조치도 취하지 못한 채 그냥 있었더니 식사하기가 어려울 지경에 이르렀다. 밥을 먹을 수 없게 되어 고민 끝에 냄비에 계란국을 간단히 끓인 후 밥을 조금 말아 두었다. 미리 불려 놓은 밥을 살짝 데워서 통증을 참아내며 억지로 먹었다.

입안이 온통 붓고 아파서 음식물 자작이 불가능했다. 또한, 혀를 마음처럼 움직일 수 없어 부드러운 계란국조차 목구멍으로 이동시키는데도 시간이 걸렸다. 그래서 겨우 입술 안에 밀어 넣고 통증을 참으며 음식물이 서서히 밀려 안으로 들어가면 그냥 삼켰다. 물 한 숟가락도 입안에서 이동시키기 힘들었다.

혀를 비롯해 볼과 잇몸, 혀 밑으로도 부었는데 혀가 하나 더 있는 것처럼 붓더니 혀 밑으로 꽉 차 버렸다. 너무 부은 나머지 입을 꾹 다물 수 없었다. 혀를 놓을 자리가 좁아서인지 의도하지 않았는데 혀가 저절로 앞니를 밀었다. 그러나 혀가 나올 만큼 입을 벌릴 수 없는데 혀는 계속 힘을 주고 밀어서 치아에 닿아 자극을 받았다. 안 그래도 아픈데 치아를 밀게 되어 상처 부위가 닿아 더 아팠다. 혀를 가만히 있으려고 힘을 주고 노력했지만, 저절로 움직였다.

이런 상태로 먹는 것이 지옥 같은데 하루를 버티기 위해 소량의 눈물 밥을 먹었다. 심해져만 가기에 어쩔 수 없이 밥양을 더 줄이고 계란을 2개로 늘렸다. 그것도 어려워져서 계란국만 먹었다. 먹는 것이 시원찮은데 몸이 좋아질 수 없고 점점 나빠질 수밖에 없었다.

통증만이라도 줄이면 견디는 데 도움이 될 텐데 진통제 하나 먹을 수 없는 처지다 보니 모든 고통을 고스란히 견뎌야 했다. 어느 정도 외출이 가능하면 병원에 가 보겠는데 여러 가지 걸림돌이 있어서 엄두를 내지도 못했다. 그래서 인터넷 검색을 많이 해 보고 상담도 해봤지만 뾰쪽한 방법이 서질 않았다.

방치를 거듭하다 결국은 물조차도 잘 넘어가지 않았다. 목이 너무 부어서 물이 내려가지 못하고 코로 올라갔다. 거울을 보니 겉으로도 목이 많이 부어 있었다. 추운 겨울이고 외출의 위험부담과 차를 빌리는 일들이 내 앞을 가로막아 그저 땅이 꺼지도록 한숨만 나올 뿐이었다. 고민하고 고민하던 차에 방문 간호도 알아보았으나 불가능한 서비스이고, 왕진하는 병원을 찾아보았는데 없었다.

아무리 생각하고 찾아봐도 길은 보이지 않았다. 끼니도 제대로 못 챙기고 계란국으로 살아갈 수밖에 없었다. 결국, 나아질 기미조차도 보이지 않아 많은 고민 끝에 서울행을 결정했다. 그러나 서울은 동네 병원처럼 바로 진료가 되질 않아 예약한다 해도 오래 걸렸다. 날마다 고통 속에 헤매며 참고 견디고 물에 빠진 사람처럼 허우적거렸다. 그렇게 추운 겨울은 가고 봄이 오는 길목에 들어섰다. 몸서리치게 괴롭히더니 봄이 돼서야 부기는 조금 빠져 식사하기 조금 나아졌다. 단지 부기만 덜할 뿐 여전했다.

그래서 서울을 갈지 말지 고민했다. 한 계절이 지나가면 조금 더 좋아질 수도 있으니 힘들게 고생해서 병원을 가야 할지를 말이다. 다른 한편으로는 또다시 언제고 이렇게 아프게 될 것인데 그때 고통받느니 치료를 해서 완치를 해야 하지 않을까 하는 생각도 들었다. 위험을 감수해야 해서 갈팡질팡하였다. 고민 끝에 서울 병원을 가기로 했다. 현재가 아니라 미래를 위해서 내린 결정이다.

나는 몇 년 전부터 맛을 잘 느끼지 못했다. 미각이 저하 된 지 오래되니까 후각 기능도 저하 되어 냄새를 잘 맡지 못하게 되었다. 미각이 떨어져 여러모로 불편을 겪고 있는 데다 몸이 안 좋아지면 툭하면 입안이 과하게 붓고 쉽게 상처가 나거나 헐었다.

입안이 아프게 되면 턱의 장애로 인해 식사의 불편과 어려움이 몇 배로 커졌다. 입술은 마르고 혀는 논바닥 갈라지듯 건조하고 열과 통증도 있어 잃어버린 미각을 치료하고, 이번처럼 염증과 온통 과하게 붓는 증세도 진료를 받고 싶었다.

그리고 언제부턴가 눈이 이상했다. 낡은 반투명 비닐이 앞에 있고, 그 위에 동글한 작은 기름 같은 것이 셀 수 없이 많이 떠서 움직였다. 몸이 더 안 좋을 때는 검은 티가 몇 개씩 눈앞에서 왔다 갔다 하고, 검은 것이 커지고 진하게 변화였다. 그래서 글을 보기 어려워졌고, 전혀 읽을 수 없을 때도 있어 걱정이 커졌다.

그런 와중에 엉덩이에 포진이 우르르 생겼다. 온라인 문의를 했더니 대상포진일 수도 있으니 빨리 병원에 가라고 했으나 갈 수 없었다. 제때 치료해도 후유증이 남고 심하면 몸이 아플 수도 있다고 하여 걱정이 태산처럼 쌓여만 갔다. 어쩔 수 없는 현실에 피부 치료는 포기하고 연고를 바르는 것이 고작이었다. 한꺼번에 여러 곳이 아파서 마음이 심란하고 전전긍긍하며 시간을 흘려보냈다. 여기저기 몸 상태가 좋지 않아 겸사겸사 볼 겸 병원행을 결정 내렸다.

병원에 가려면 이동수단인 리프트가 장착된 넓은 차량과 침대형 수동휠체어기 내게는 꼭 필요하다. 그래서 예약하고 서류 때문에 멀지 않은 병원을 방문했다. 휠체어가 너무 불편하여 단 5분도 앉아 있기가 지옥 같았는데 이를 악물고 버텨내었다.

이제는 살도 더 빠지고 피부도 약해져 압박 부위의 통증이 예전 같지 않게 심해졌다. 병원이 멀지 않아 괜찮거니 하고 휠체어 시트에 아무것도 깔지 않아서 그 대가를 배로 치렀다. 물론 방석을 깔아도 5분 버티기도 버겁지만 말이다.

길이 고르지 못해 휠체어가 흔들리거나 덜컹거릴 때마다 피부가 쓸려서 아픔을 더했다. 이미 엎질러진 물, 준비도 안 해서 중간에 어떻게 할 수가 없기에 다 참아야 했다. 통증에 시달리다 보니 말거는 것조차 싫었고, 기다리는 시간이 너무 길게만 느껴졌다. 다음에는 준비를 잘해야겠다는 것을 뼈아프게 실감했다.

서류가 준비된 후 서울 가는 날이 가까워져 또 차를 빌려야 했다. 여러 곳을 알아본바 예약을 못 하였다. 안 된다고 할 때 눈앞이 캄캄해질 때도 있었다. 다른 방법이 없기에 다시 한번 사정해 보기도 했다. 앰뷸런스를 탈 수 있다면 이렇게 애태우지 않으련만…….

이번에는 차를 예약할 수 없어서 어쩔 수 없이 사설 앰뷸런스 업체를 물색했다. 앰뷸런스를 찾는 것도 내게는 쉬운 일이 아니었다. 왜냐하면, 일반 휠체어보다 큰 휠체어를 실어야 하기 때문이다. 집에 차가 있다면 따로 가지고 가면 되는데 현실은 아니었다. 그래서 구조가 넓은 차를 구하려고 애를 썼다. TV에서 조금 넓어 보이는 차를 본 적이 있어서 알아보았지만 돌아오는 답은 정확하지 않았다. 모르겠다고 하거나 무조건 가능하다고만 할 뿐 차에 대한 언급이 없었다. 고민하다가 그냥 한 곳에 예약하였다.

병원 갈 때면 늘 그랬듯 밥 한술을 대충 뜨고 물은 마시지 않았다. 비가 조금씩 내려서 걱정이 이만저만이 아니었다. 다른 날로 변경하지 못해 차에 탔다. 준비한 밧줄로 차의 천정에 묶고 줄을 놓치는 것을 대비하여 손목에 묶었다. 눕자마자 압박이 가해져 어떻게 버텨야 할지 속이 타들어 갔다. 휠체어를 탄 채로 탑승 가능한 차를 탔더라면 조금은 덜 아프고 견디기가 나을 텐데… 현실적으로는 차가 한두대 뿐이고 다른 지역으로 이동할 수 없다.

짐이 많으면 안 돼서 필요한 것을 다 챙기진 못 했지만, 병원 침대에 깔 얇은 스펀지 매트를 챙겨서 다행이지 싶다. 오래전 구급차는 레자 시트였는데 이번 것은 완전히 플라스틱이었다. 설마 플라스틱이라곤 상상도 못 했고 예상치 못하여 급한 대로 작은 매트를 깔았다. 만약 매트마저 준비를 안 했다면 딱딱한 침대에 그냥 누웠어야 했는데 그랬다면 엄청난 타격을 입었다.

또한, 차가 흔들려서 몸이 이리저리 밀려 등과 엉덩이에 생긴 뼈 부분의 피부가 전부 벗겨졌을 텐데 매트 덕에 안전했다. 지난날 욕창을 생각하면 끔찍하다. 매트가 얇아서 압박을 줄여주지는 못하지만, 피부는 보호할 수 있어 다행스러웠다. 계속된 압박을 견디기 너무 버거웠다. 1분이 30분 같았고 시간은 왜 이리 긴지……. 어디쯤 왔는지 알 수 없어 답답하고 이를 악물고 애를 썼다.

시내에 들어서니 차는 나무늘보처럼 꿈쩍도 안 하고 아파 죽을 지경이었다. 특히나 병원 근처는 교통 체증이 몇 배로 심한 곳이었다. 그러다 보니 고통의 시간은 점점 길어져만 갔다. 그저 시작했으니 끝까지 가야 한다며 버텨내었다. 외출이 어렵고 지옥 같아서 많이 고민하고 결정한 일인데 그때그때 부딪혀야 하는 뜻하지 않는 상황들이 생겨 고난의 연속이었다.

병원에 도착했으나 서류가 더 필요하단 것을 뒤늦게 알게 되었다. 초행이라 서류가 더 있어야 한다는 것을 모른 것이 화를 불렀다. 날씨는 궂고, 낯선 도시, 어디에 무엇이 있는지도 모르는 상황 속에 여차여차해서 다시 앰뷸런스를 불렀다. 서류를 만들려면 본인이 직접 가야 해서 또다시 고통의 늪으로 빠져야만 했다. 차를 불러도 교통체증 때문에 오래 기다려야 해서 병원에 도착해 기다려달라고 했더니 안 된다며 갔다.

다시 부르면 시간이 걸려서 비용을 더 줄 테니 기다려 달라고 부탁한 것인데 그것마저도 가능하지 않았다. 그래서 진료를 받고 서류를 챙겨 다시 차를 불러야 했다. 그래도 그 병원에서 여러 검사를 안 해서 다행이었다. 그랬다면 검사를 못 하는 이유를 일일이 설명해야 하고, 시간도 지체되었다. 그리고 늦어지는 만큼 고통에 시달려야 했다. 비가 많이 쏟아질까 봐 전전긍긍하며 차를 기다렸다가 타고 목적지인 병원으로 돌아와 접수하고 병실에 들어갔다.

이제 한숨을 돌리나 싶었는데 나오라고 했다. 끝없이 이어지는 절차에 지칠 대로 지쳤다. 침대에 누우려고 해도 내려와야 할지 몰라서 그냥 휠체어에 앉아 있었다.

입이 아파서 건조 증상이 있는데 아침부터 물 한 모금 못 먹었다. 그래서 입술이 여러 번 벗겨지고, 목이 타들어 갔다. 종일 끌려다니고 기다리기를 반복하느라 아무것도 먹지 못했다. 그런데 다른 병원 갔다가 오느라 늦게 입원해서 밥이 제공되지 않아 가게에서 사온 죽을 한술 뜨는데 매웠다. 나는 외부 음식을 먹지 못한다. 어쩔수 없이 매운 죽을 몇 술 뜨고 말았다.

정신없는 하루를 보내고 침대에 몸을 뉘었으나 압박이 되어 통증이 밀려들었다. 눕자마자 이리 고통스러운데 며칠을 버텨야 한다는 것이 나를 괴롭게 했다. 그렇다고 휠체어에 계속 앉아 있을 수 없었다. 휠체어에서도 압박감이 심해 종일 버텨내느라 성한 곳이 없었다. 팔다리가 제각각 굳어 움직일 수 없으니 몸을 들썩거리지 못해 막막하기만 했다. 바닥에 닿는 뼈가 아파서 이러지도 저러지도 못하여 어쩔 수 없이 침대를 움직였다.

여러 명이 있는 병실이라 눈치가 보여서 최대한 참다가 침대를 구동하곤 했다. 그러나 너무 딱딱한 침대로 인해 점점 아픈 강도가 심해 억지로 견뎌내야 했다. 침대를 작동하면 소리가 나서 사람들에게 미안하지만 어쩔 수 없는 일이었다. 집에서도 불편한 잠자리인데 밖에서는 수십 배로 힘들다.

또한, 휠체어도 나한테 맞는 것이 아니라서 이 역시 극심한 고통을 불러온다. 검사를 하러 가서 기다리는 시간이 오래 걸려서 통증 때문에 미칠 지경이었다. 그리고 휠체어에 안전손잡이가 없어서 화장실이 가장 큰 문제였다. 내 휠체어를 가지고 갈 수 없으니 어쩔 수 없이 고통을 겪어야 했다. 식사하기도 불편하고 내가 먹을 수 있는 음식이 거의 없었다. 그래서 물에 말아 대충 몇 술 뜨고 말았다. 이미 병원을 왔으니 끝까지 이를 악물고 참고 견뎌냈다.

첫날밤은 몸이 아파서 단 5분도 자지 못하고 뜬 눈으로 날을 새고, 둘째 날은 5분쯤 졸았다. 시일이 지나서는 간간이 졸다가 잠이 겨우 들만하면 깨우고 해서 한숨도 제대로 못 잤다. 병원은 하나부터 열까지 전부 불편하고 고통을 감수해야 하는 데다 몸을 다치기도 한다. 8일 후 차를 예약하고 퇴원 준비를 했다.

역시나 앰뷸런스는 교통체증 때문에 오래 기다려야 해서 추위와 통증을 감내해야 했다. 도심지를 벗어나 집에 도착하는 내내 딱딱한 플라스틱 침대에 누워 버텨야 했다. 지탱하려고 차의 천정에 묶은 밧줄을 잡고 애를 썼다. 그러나 차는 흔들리고 늘어나는 밧줄이라 조금도 도움이 되지 못했다, 팔과 손가락만 아플 뿐이었다. 바닥에 닿는 뼈들이 너무나 아픈데 이러지도 저러지도 못하는 그 긴 시간은 생지옥이었다. 소리를 지르고 싶고 죽고 싶을 정도였다.

그렇게 고생을 했는데 장애가 심해서 검사조차 제대로 못 하였다. 해결된 문제는 없고, 오빠와 나는 힘만 들었다. 그리고 매번 그렇듯 이동성의 불편함으로 인해 다쳐서 재발을 불러왔다. 오빠 혼자 병간호해서 다쳤다. 결국, 시간이 약이란 것을 뒤늦게 알게 되었다.

　그리고 이번 일로 인해 힘들더라도 몸을 더 잘 챙겨야겠다고 온몸이 부서지도록 실감하고 느꼈다. 확실히 조금 더 챙기고 못 챙기고 차이가 크게 났다. 나이가 들어감에 따라 더욱 신경 써야 한다는 것을 똑똑히 알았다.

　병원에서도 어쩔 수 없는 몸뚱이, 검사도 제대로 받을 수 없는 육신이기에 노력해보기로 마음먹었다. 내게 쉬운 것이 없지만 건강이 나빠지는 것만은 조금이라도 막아야 한다. 오래전에 사람들은 오래 살지 못한다고들 했지만 이제 쉰을 바라보고 있다. 일반인도 관리가 필요한 나이인데 나는 오죽할까만 먹는 것, 자는 것, 어느 하나도 쉽지 않다. 하루하루 버텨내고 숨 쉬는 일. 이제 내가 해야 할 일이자 숙제이다.

행복은

노래방

어느 날 오빠가 노래방을 가자고 했다. 휠체어를 타고 들어갈 수 있는 곳이 있냐고 묻자 거기라면 들어갈 수 있다고 해 한번 가 볼까? 하며 문을 나섰다. 그런데 마당에 자갈과 보도블록이 1장씩 띄엄띄엄 깔려 있어서 휠체어가 덜컹거리고 흔들렸다. 나는 누군가가 있으면 노래를 못 한다. 떨리고 어색해하니 오빠가 괜찮다고 그냥 해 보라고 말했다. 처음으로 노래방을 왔기에 곡 번호를 몰라 곡 찾는 데 시간이 걸려 그 시간이 아쉬웠다. 차츰 익숙해시고 있는데 1시간이 금방 가는 것이 아닌가? 아쉬워하자 오빠는 시간을 추가했다. 오래전 그 시절, 풀벌레 우는 밤에 길에서 불렀던 노래를 몇 곡 불렀다. 그 시절이 주마등 같이 지나며 생각나서 슬픔이 밀려오고 삶이 참 허무하단 생각이 들었다. 이 삶을 떠날 때 메고 가는 것도 아닌데 도대체 무엇을 위해 애쓰고 악착같이 버티며 살아야 하는가? 빈손으로 와서 아무것도 못 가져가고 고통받던 육신은 한 줌 재가 되고 영혼만이 남겨질진대…….

노래를 부르며 이런저런 생각이 나서 감정이 복받쳐 울컥하는데 애써 접어 넣고 이 시간을 즐기기로 했다. 아쉽지만 추가 시간이 끝나서 집으로 돌아왔다. 그 후로 외출이 어려워 노래방은 꿈노 꾸지 못했다. 그래도 오빠 덕분에 노래방을 경험해 보았다. 난생처음이자 마지막이었다.

말이 없고 무뚝뚝한 오빠지만 한 번씩 나들이를 해주었다. 그때는 오른쪽 엉덩이에 주사를 맞기 전이라 휠체어에 등을 기대고 앉을 수 있어서 발이 바닥에 끌리지 않았다. 그래서 휠체어를 타면 뒤에서 밀고 다닐 수 있어서 잠깐씩은 외출할 수 있었다. 아쉽게도 그 기간은 짧았고, 불편한 계단과 좁은 문에 다치기도 했지만, 그때 이후로는 나들이하지 못했다. 노래방 추억은 슬픈 기억이지만 다른 한편으로는 행복도 함께였다.

방아깨비

어느 날 방아깨비 한 마리가 우리 집에 놀러 왔다. 여름에 뜨거운 태양을 조금이라도 가리고자 창문이 있는 벽으로 차광막을 걸었다. 까만 차광막에 방아깨비가 붙어 있는 것을 본 오빠는 사진을 찍어서 내게 주었다. 아주 오랜만에 방아깨비를 보니 참으로 반가웠다. 어릴 때 방아깨비를 가지고 놀던 추억이 떠올랐다. 다리에 가시가 많아 좀 무섭고, 잡고 있기 어렵지만, 용기 내서 다리를 잡았다. 디딜방아처럼 위아래로 움직였다. 그래서 붙여진 이름인 것 같다. 남들에겐 별것 아닐지 모르지만, 활동이 자유롭지 못했던 내게 방아깨비는 미소를 주었다.

자두

산책을 갔다 온 오빠는 늘 그렇듯이 대문을 열고 말없이 들어온다. 주머니에서 휴대폰을 꺼내 안방에 놓고 나오더니 내 앞으로 자두 2개를 내밀었다. 산책갔다 돌아오는 길에 어떤 할아버지가 자두를 따고 있더란다. 오빠가 지나가는데 먹으라고 주셔서 주머니에 넣어 가지고 왔다고 한다. 개구 장애로 인해 먹을 수는 없지만, 자두를 보는 것만으로도 괜스레 기분이 좋았다. 물론 자두를 보니 옛 추억이 떠오르지 않을 수 없다.

한번은 모과를 가져온 적도 있었다. 야생에서 자라 못난이 모과이지만 노란색을 띠고 향기가 좋았다. 태어나서 처음 본 모과였다. 며칠을 서랍장 위에 두고 가끔 바라보노라면 미소가 절로 지어졌다. 어느 날은 도토리를, 어느 날은 작고 앙증맞은 미니미니 한 밤을 주어온 적도 있다. 그렇게 한 빈씩 구경하라고 가셔왔다. 오빠의 엉뚱 맞은 행동에 눈 호강도 해 보았다.

눈

나는 어려서부터 "눈"이란 말만 들어도 기분이 좋아졌다. 자다가도 눈 뜨고 벌떡 일어날 정도로 말이다. 밖을 마음대로 보지 못하지만 "눈"이 왔다는 오빠의 말에 기분이 좋았다. 한번은 눈을 뭉쳐 갖다 주었다. 어릴 때도 몸이 불편해 눈을 마음껏 만져 보지 못한 나. 건네주는 눈 뭉치를 받으며 "이크 차가워." 한마디 던진다. 워낙에 추위를 타다 보니 오래 들고 있지 못했다. 금방 녹기 시작해 오빠에게 주었다. 그리곤 온 세상이 눈으로 하얗게 덮인 풍경을 상상했다. 어쨌든 눈 구경도 하고 만져도 봤으니 그걸로 족하다.

한컷

외출이 어려워지고는 나들이를 나가본 적이 없지만, 병원 갈 때 잠깐 밖에 있는 그사이에 주변을 보게 된다. 앉아 있는 것이 고통이라 주변이 눈에 잘 들어 오지 않았다. 그래서 많은 것을 눈에 담지 못했다. 하늘을 한번 보거나 길을 가다 앞에 펼쳐진 강과 산을 한 컷 담는다. 비록 한 컷이지만 그 안에 많은 것이 담겨 있다. 앉아 있는 것이 덜 힘들면 더 많은 것을 보고 담겠지만 1초라도 빨리 가야 하기에 여유를 부릴 겨를이 없었다. 그래도 그 짤막한 한컷 한컷이 내 기억 속에 새겨져 있다. 꺼내 보면 마치 오늘인 것처럼 순간 그곳에 있는 느낌이다. 영화의 한 장면처럼 그 풍경 속에 내가 있고, 그 시간으로 돌아갈 수도 있다. 나는 그 한 장으로도 만족한다. 오랫동안 많은 것을 보고 느껴 보진 못했으나 작을수록 소중하다는 것을 알고 있기 때문이다. 그리고 그 가치는 내게는 크다.

친구

나는 아주아주 오래전부터 누군가를 기다려왔다. 삼십 년 세월이 흘러 만나게 되었고 인연을 맺어 친구가 되었다. 날이면 날마다 온라인 안에서 친구를 기다렸던 때가 있었다. 컴퓨터를 하는 것이 내게는 쉽지 않았지만 힘들어도 좋았다. "기다림" 그 기다림은 나에게 행복한 시간이라고 할 수 있다. 그리고 우리의 대화 끝인사는 "해피"이다. 대부분 헤어질 때 '안녕. 내일 봐.' 등으로 하기에 처음에는 안녕이라고 했었다. 어느 날 친구는 우리 '안녕.'하지 말고 대신 '해피.'로 하자고 하였다. 조금은 헤어지는 느낌도 들고 해서 그러자고 했다. "해피."는 행복을 빌어 주는 말이기도 하다. '행복한 하루, 행복한 밤' 보내라는 깊은 의미가 담겨 있다. 그 후부터 지금까지 하루가 마무리될 때 "해피."하며 끝인사를 나누고, 아침이면 '방긋'하고 인사를 나눈다. 서로가 마음을 잘 알고, 이해하고 공감할 수 있는 그런 연을 만난다는 것이 흔치 않을 텐데 나에게 선물로 다가왔다. 평생을 동행하며 웃고 울고 함께 갈 친구. 내가 더 많이 의지하고 기대기도 한다. 그런 친구가 있다는 것만으로도 행복한 사람이다. 처음에는 기다림으로 행복을 주던 친구가 길 위에 함께 걸어갈 동반자가 되었고 행복을 나누는 둘도 없는 벗이 되었다.

사랑은 희망을 싣고

한때는 어느 학교 선생님과 학생들로부터 응원의 편지를 받았고, 개인 카페에서 많은 사람에게 응원을 받은 적이 있었다. 그렇게 많은 관심과 사랑을 받기는 난생처음이었다. 좌절과 절망 속에 희망을 잡으려고 헤맬 때 내가 희망을 품을 수 있게 해준 사람들이다. 놓쳐버린 희망을 끌어당기며 앞으로는 절대로 놓아 버리지 않겠다고 다짐을 했고 그분들과 약속을 하였다. 나는 지금까지 지켜 내고 있다.

관심과 응원에 힘입어 그 에너지로 희망을 품을 수 있게 되었음에 이 기회를 빌려 그분들께 감사한다. 그때는 내가 작고 초라한 나머지 보여드릴 것이 없었다. 그저 그 자리를 지키는 모습만이…. 그 당시 FOP 특성상 하루를 무사히 보내는 것이 목표일 수밖에 없었다. 다른 목표나 꿈을 가져 볼 겨를이 없었고 살아내기 위해 발버둥 치는 것이 고작일 뿐 내겐 아무것도 주어지지 않았다. 단지 전쟁터 같은 삶이 주어졌을 뿐이었다. 십여 년이 흐르고 나서야 작게나마 보여 줄 것이 생겼다. 열심히 살아온 나를 이렇게라도 보여드릴 수 있어서 다행이다. 그분들이 있어 나는 행복한 사람이었다.

누군가의 칭찬, 격려, 응원, 위로의 말 한마디에도 행복이 피어난다. 때로는 오랜만에 찾아와 반갑다고 인사를 건네거나 안부를 건넬 때도, 스쳐 지나가며 던지는 따뜻한 말 한마디에도 행복은 스며든다. 말 한마디에 힘만 얻는 것이 아니라 여러 감정을 느끼게 되고 마음 깊숙이 닿는 행복감까지 느낄 수 있다.

빛바랜 버스 의자에 앉아 있을 때 포근하게 감싸주는 햇살. 우물 안의 가재 가족. 잡초들 사이 홀로 핀 코스모스. 붉게 영그는 대추. 따끈하게 데워진 김치도시락. 겨울날 화롯불에 볶은 들기름김치볶음밥. 나는 이렇게 아주 가끔 한 조각 추억을 그리고 내면의 깊은 우물에서 행복을 길어 올린다.

이 모든 것은 작지만 행복이라고 생각한다. 기분이 좋아지는 일, 무엇을 보기만 해도 절로 미소가 지어질 때, 마음이 평온해짐을 느낄 때, 그런 때가 바로 행복한 시간이 아닐까? 한다.

작은 것에 무심히 지나치고 큰 행복을 좇다가 작은 행복마저 놓치고 잃게 된다. 행복은 소박하고 작은 것에서 온다. 행복은 내 안에서 피는 꽃이다. 나는 오래전의 한 조각 한 조각 추억에 현재의 새로운 추억을 담는다. 그리고 행복이라고 말한다. 누군가에게는 별것 아닐 수도 있지만 내겐 더없이 소중한 몇 안 되는 경험이고 추억이자 행복이다.

글을 마치며

부모님은 표현이 서툴지만 알게 모르게 사랑으로 품으셨다. 먹고 살기 바빠 일에 매여 가족 나들이 한번 못 가 보고, 변변한 추억 하나 없으나 나를 키워주셨다. 단지 어두웠던 시대에 나의 병과 장애에 대하여 모르셔서 내가 힘들었을 뿐이다. 부모님은 나를 늦게 두었고, 우리 집 사정을 보고 사람들은 입양 보내는 것을 권했는데 키워주셔서 부모님께 감사하고 있다. 지금은 인사를 건넬 수도, 사랑한다고 말할 수도 없다. 어려운 역경 속에서 희생하며 사랑으로 자식을 키워내신 세상의 모든 위대한 부모님들께 감사를 대신한다.

나는 주어진 험난한 삶을 포기하지 않고 노력하고 버텨냈다. 포기하고자 마음먹으면 어떻게든 했을 수 있었다. 타인에 의해 주어진 운명, 타인이 깔아 놓은 하루하루의 삶, 그러한 삶을 살아왔어도 후회하지 않으며 그 누구도 원망하지 않는다. 단지 다치고, 힘들고, 괴롭고, 외로운 길을 걸어왔다. 나의 상태를 이해하거나 아는 사람이 없어 가슴 시리도록 서글프고 외로웠다. 무언가 마음의 의지할 곳도 없는 곳, 희망을 잃어버린 시간은 내게 너무나 버거운 삶이었다. 한 가닥 희망 아니 기댈 수 있는 한 줄기 희미한 빛이라도 있었다면 시설에서 보낸 8년의 삶이 조금은 덜 힘들었을지도 모른다.

무엇을 갈망할 여유조차 가져보지 못한 채 벼랑 끝에 서서 떨어질까 전전긍긍하며 쉼 없이 걸었다.

어떻게 보면 삶이 불행하다고 생각할 수도 있겠지만 나의 삶은 불행하지만은 않았다. 불행이 있기에 행복이 있다고 생각한다. 동전의 양면성이 있듯이 불행은 떼려야 뗄 수 없는 존재이다. 불행을 느껴보지 않고서는 참 행복을 느낄 수 없다. 나의 삶의 저울은 불행 쪽으로 많이 기울지만 '그래도 행복했다.'라고 말할 수 있다. 비록 시련이 연속이었던 삶이지만 그 안에 사랑이 존재하기 때문이다.

어떠한 상황에 놓이더라도 포기라는 것만은 생각하지 말자.
또한, 실패라는 말도 하지 말자.

삶은 끝없는 연습이다. 누구나 처음이고, 옳고 그름의 정답도, 선택의 정답도, 정해져 있는 답이 없어 연습이 필요하다. 실패라는 것은 그저 사람들이 만들었을 뿐이라고 생각한다. 삶은 자신이 생각하기에 따라 좌우되고 흐르기도 한다. 실패했다고 망했다고, 좌절하고 절망에 빠져 시간을 보내느냐 아니면 자신의 자리에서 이겨 내거나 무언가의 일을 찾으려고 노력하며 하루하루의 삶을 가꾸느냐는 자기 생각과 의지에 달렸다.

그리고 행복과 불행의 양면성과 저울질도 자신이 어떻게 생각하고 변하는가에 따라 조금씩 저울은 움직여서 달라질 수 있다고 생각한다. 불행의 무게가 가령 99%라고 해도 말이다. 저울은 저절로 움직여 주지 않기에 아무것도 시도하지 않고 계속 블랙 안에 머문다면 무게추는 움직이지 않는다.

어떠한 역경에 놓이더라도 희망만은 가슴에 품고 있으라고 말해 주고 싶다. 당장에 희망이 안 보이더라도 절대로 잊지 않았으면 한다. 이 글을 읽는 모든 분이 희망을 간직하길 두 손 모아 간절하게 바란다. 끝으로 나의 초라하고 보잘것없는 삶을 읽어 주신 분들께 감사를 전하고, 늘 언제나처럼 내 옆에서 여러모로 도움을 준 나의 영원한 벗, 조언과 응원을 해주신 분, 헌사를 써주신 분들께 감사한다.